GUIÓN
PARA MEDIOS
AUDIOVISUALES

GUIÓN PARA MEDIOS AUDIOVISUALES

Cine, Radio y Televisión

Maximiliano Maza Pérez
Cristina Cervantes de Collado

Alhambra Mexicana·

PRIMERA EDICIÓN, 1994
Primera reimpresión, 1996
Segunda reimpresión,1997

© LONGMAN DE MÉXICO EDITORES, S. A. DE C. V.
ALHAMBRA MEXICANA
Amores 2027, Colonia del Valle
03100 México, D. F.

CNIEM 1031

ISBN 968 444 172 X

Tipografía, formación y cubierta: Propuesta Gráfica Edic. S.C.
Negativos: Fotocompuediciones S.A. de C.V.

Impreso en México — Printed in Mexico

Agradecimientos

PARA NOSOTROS ES muy importante reconocer que la redacción de este libro no hubiera sido posible sin la participación activa de nuestros alumnos. A ellos queremos agradecer el entusiasmo, la creatividad y el profesionalismo que nos han demostrado en todo momento. Muchos de los ejemplos que utilizamos en este libro son obra suya y esto es para nosotros un motivo muy especial de orgullo.

Un agradecimiento especial merecen las personas que colaboraron con nosotros en las distintas etapas del proceso de creación de esta obra: la licenciada Amparo de la Garza, cuya ayuda fue vital para conjuntar el material escrito; la licenciada Mercedes Arellano, quien participó en la primera conformación del material; los licenciados Jesús Arturo Flores y Otilia Villarreal, quienes nos enriquecieron con sus atinadas observaciones y consejos; la señorita Consuelo Avila, quien nos brindó un increíble apoyo logístico en todo momento; el ingeniero Nicolás Frausto, quien dibujó el *storyboard* del Capítulo 6; Héctor Sotomayor, Alan Zermeño, Amelia Puente y Alejandra Zambada, quienes nos regalaron parte de su valioso tiempo durante la etapa final de redacción.

Un millón de gracias a los siguientes alumnos y ex-alumnos que nos permitieron utilizar sus guiones como ejemplos: Manuel Ernesto Vega, Jesús Arturo Flores, Claudia Chapa, María Angélica Meouchi, Martha Patricia López, Sara Rangel, Mario Luis Pacheco, Gabriela Reyes, Pedro Humberto Alonzo, Amanda Ortiz, Elsa Patricia Cárdenas, Rogelio Jaramillo, María Andrea De León, Alejandra Espinosa, Sandra González, Dinorah Cortinas, David Guzmán, Norma Angélica Reynaga, Gabriel Pérez y Humberto Abiel Garza.

Un agradecimiento especial al Instituto Tecnológico y de Estudios Superiores de Monterrey, que además de ser nuestra *alma-mater* nos ha brindado grandes oportunidades y retos para nuestro desarrollo profesional. En este aspecto, queremos destacar el apoyo brindado por el ingeniero Patricio López del Puerto, Director de la División de Ciencias y Humanidades del ITESM, Campus Monterrey y de las personas cuya labor docente fue decisiva para nuestra formación como profesionales de la comunicación: el licenciado Jesús Javier Torres González, la licenciada Rosaura Barahona Aguayo, el licenciado Roberto Escamilla Molina, el licenciado Pedro Treviño Moreno y el licenciado Jorge Enrique González Treviño.

A nuestros familiares y amigos, muchas gracias por el apoyo y el cariño que siempre nos han demostrado. A Aurelio y a Juan Cristóbal: todo el amor del mundo de parte de Cristina. A Alex, a Betty, a papá, a mamá y a toda la familia: todo el amor del mundo de parte de Max. A ellos dedicamos muy especialmente este esfuerzo.

Finalmente, queremos agradecer al ingeniero José Quintanilla, a la licenciada Mónica Lobatón y al licenciado Fidel Villarreal, de la Editorial Alhambra Mexicana, por su increíble disposición, confianza y –sobre todo– paciencia, para que la edición de este libro fuese una realidad. Estamos seguros de que no los vamos a defraudar.

MAXIMILIANO MAZA PÉREZ
CRISTINA CERVANTES DE COLLADO

Contenido

Premisas o personajes tomados de películas,
series radiofónicas o televisivas
VENTAJAS Y DESVENTAJAS DE LA ADAPTACIÓN

PARTE II: EL GUIÓN INFORMATIVO

Prólogo

LOS MEDIOS AUDIOVISUALES masivos, el cine, la radio y la televisión, aparecen en este siglo como resultado de los avances tecnológicos en la cultura de Occidente.

El cine y la televisión están involucrados con la imagen visual y tienen su antecedente en la fotografía. Sin embargo, al incorporar la narrativa de un mensaje, estos dos medios se transforman en algo nuevo y establecen una estrecha relación con la literatura.

Las artes del lenguaje, por su parte, ya habían tenido una larga experiencia en el desarrollo de sus propias manifestaciones. Este matrimonio engendraría dos expresiones sociales nuevas, que junto con las artes plásticas, las artes musicales y la fotografía constituirían, en este siglo, la experiencia estética en la civilización occidental.

La radio, otra tecnología, que Marshall McLuhan denominara una extensión del hombre, de su voz, surge cronológicamente entre la aparición del cine y la televisión.

Es un medio acústico que prescinde de la imagen, tiene su expresión en la palabra sonora, en la lengua viva. Este es el medio que inaugura la comunicación mundial. Las sociedades finalmente se enlazan a través de la palabra que viaja distancias, y que al entrar por el oído informa, convence, transforma. Pero también, la radio permite la evolución de las artes musicales, que traen experiencias sensuales y hasta espirituales al hombre que la escucha. En este medio, la literatura también se funde con las transmisiones radiofónicas y se tejen ficciones con sonidos. Una literatura viva fundada en la palabra hablada ante un micrófono.

El cine, la radio y la televisión, tres tecnologías que dependen de mecanismos, de sistemas electrónicos animados por la electricidad, constituyen tres medios que humanizamos y transformamos para convertirlos en un arte.

También creo que esta presentación se dirige a las artes del lenguaje, las que, a su vez, se transforman al unirse con los medios. En este sentido, el cine, la radio y la televisión son tres tecnologías que se amalgaman con una manifestación humanística, fundadora de la tradición artística de Occidente. Y en el estricto sentido de un arte, de un oficio, estos tres medios requieren para su operación de un nivel técnico y de uno creativo.

El aspecto de la tecnología está cubierto por la física, la electrónica, la química y el diseño industrial. El aspecto creativo implica dos niveles: el primero es el desarrollo de una gramática o lenguaje propio de cada medio, a través del cual se maneja la imagen o se reproduce la dimensión acústica de una realidad. El segundo es el desarrollo de estructuras comunicativas que se encuentran en los linderos de la literatura.

Este texto se dirige a este último punto, a la descripción de estructuras comunicativas, que se transformarán, a través de una gramática de la imagen o del sonido en un mensaje compuesto, en una réplica de la realidad.

El guión es la expresión técnica concreta de una estructura comunicativa. Como está unido a los medios audiovisuales, representa la frontera de la expresión literaria a la que nos podemos dirigir en este siglo.

Guión para medios audiovisuales nos plantea una lógica, un discurso, un lenguaje que al mismo tiempo que es innovador por sus aspectos asociados con la tecnología, hace uso de una gran tradición literaria, que en occidente ha producido un sorprendente mundo de ficción y de documentación de la realidad.

El guión no ha sido muy estudiado por teóricos de los medios. Aunque hace casi un siglo que apareció el cine, tres cuartos la radio y un medio la televisión, los lenguajes propios de cada uno están en desarrollo y experimentación. Es de esperar que sus estructuras comunicativas también estén en evolución.

El texto de *Guión para medios audiovisuales* aporta uno de estos momentos de síntesis de la experiencia. Constituye un buen resumen del *estado de las cosas*, de lo aprendido hasta ahora con respecto a la comunicación de ideas, de acciones, de hechos. Tiene la ventaja de de ser un reflejo de la enseñanza de esta especialidad dentro de un ambiente académico. Plantea experiencias específicas, desde el punto de vista de dos profesores en la materia, así como de la respuesta de alumnos en trabajos concretos.

Hay un gran cuerpo de conocimiento traducido a formas sencillas y accesibles para todos. Y esta es la virtud de un conocimiento asimilado y bajo control, que se puede transmitir con efectividad y aprovechamiento.

Este texto era necesario para la enseñanza profesional, para la instrucción de alumnos que reciben los conocimientos operativos básicos en tres medios masivos de comunicación. El cine, la radio y la televisión han cambiado el mundo al reproducirlo y expresarlo a través de la palabra y del movimiento de la imagen. La enseñanza de la técnica para elaborar un guión de medios, sitúa a la creatividad efectiva en el proceso evolutivo de la comunicación del futuro.

PEDRO TREVIÑO MORENO
CENTRO DE ESTUDIOS HUMANÍSTICOS
ITESM, CAMPUS MONTERREY

Introducción

A LO LARGO de varios años de trabajar simultáneamente en los medios audiovisuales y en la formación universitaria hemos constatado que, desafortunadamente, en nuestro país aún no existe una conexión sólida entre la teoría y la práctica del guionismo. Las causas de esta brecha –que en algunos casos podría calificarse como abismo– son múltiples y complejas, pero una de ellas nos concierne directamente como educadores. En México son muy escasos los textos sobre guionismo que proporcionen al estudiante una relación directa entre la teoría y la práctica, de acuerdo a la realidad de los medios audiovisuales en nuestro país.

La enseñanza del guionismo en México ha estado supeditada, en el mejor de los casos, a la disponibilidad en el mercado de la amplia gama de textos extranjeros escritos sobre el tema. La esporádica aparición de libros mexicanos sobre guionismo es hasta la fecha insuficiente para cubrir todas las posibilidades que existen en esta disciplina. En su mayoría, estos textos se concentran en el desarrollo de habilidades específicas de redacción para un medio en particular. El estudiante, el profesor y el profesional del guionismo se enfrentan ante inumerables vacíos de información que son llenados, de manera incompleta, por la práctica empírica, la improvisación y el sentido común. El resultado es la existencia de una disciplina cuyo cuerpo de conocimientos está disperso y cuya práctica está poco estructurada.

El objetivo principal de este libro es proporcionar al estudiante de guionismo las herramientas y procedimientos básicos para la redacción de guiones profesionales de cine, radio, televisión, audio y video. De manera paralela, este texto ha sido escrito con la intención de llenar, al menos parcialmente, algunos de los vacíos de información que existen en esta disciplina. Si bien es cierto que este último objetivo es sumamente ambicioso, consideramos que estamos dando el primer paso para lograrlo.

El libro ha sido dividido en dos secciones: el guión dramático y el guión informativo. La primera sección consta de seis capítulos en los que se presenta una metodología de análisis y redacción de guiones dramáticos para medios audiovisuales. El objetivo de esta sección es que el guionista conozca y utilice una serie de herramientas que le permitirán, por una parte, analizar la estructura dramática de productos audiovisuales existentes y por otra, redactar guiones dramáticos para estos medios.

La segunda sección, desarrollada en cuatro capítulos, establece los principios básicos del guionismo informativo para medios audiovisuales y presenta una metodología de análisis y redacción de guiones informativos. El objetivo de esta sección es similar al de la sección anterior: proporcionar al guionista las herramientas que le permitirán desarrollarse en el campo del guionismo informativo.

El libro se complementa con un glosario de términos de uso común en el guionismo profesional. En el glosario se definen los conceptos importantes presentados en este libro, así como otros conceptos propios del lenguaje de los medios audiovisuales que, aunque no son mencionados en el texto, forman parte del léxico técnico que el guionista debe dominar.

Lo más difícil de escribir, es saber qué escribir. Esta frase contiene la esencia del compromiso que establecemos a partir de este momento con los lectores de este libro. Los métodos y herramientas que encontrarán en sus páginas les ayudarán a facilitar la tarea de *cómo escribir*. Pero lo más importante, *qué escribir*, está en ustedes: en sus ideas y en su imaginación.

MAXIMILIANO MAZA PÉREZ
CRISTINA CERVANTES DE COLLADO

Parte I

EL GUIÓN DRAMÁTICO

Capítulo 1

DRAMA, FICCIÓN Y ESTRUCTURA DRAMÁTICA

El drama

EN EL LENGUAJE cotidiano, *drama* es un vocablo que con frecuencia se utiliza de manera incorrecta. *Mi vida es un drama, el drama de la pobreza, no seas dramático*: en todas estas expresiones la palabra *drama* y sus derivados se utilizan, equivocadamente, con sentido negativo.

Dramatizar una situación significa manipular los elementos que la componen para crear una interpretación de la misma. No es la situación original sino una versión de ella. Podemos considerar que un *drama es una situación cuyos componentes están deliberadamente seleccionados y arreglados con el fin de crear un efecto determinando en una o varias personas.*

Todas las personas dramatizamos en algún momento. Dramatizamos al hablar acerca de una situación que vivimos o que fuimos testigos; al escribir una carta contando nuestras vacaciones o al contar un chiste. Nadie es totalmente objetivo como para narrar una situación vivida tal como sucedió realmente. Somos afectados por nuestra subjetividad, de modo que lo que contamos siempre está arreglado para crear un efecto en quien nos escucha o nos lee.

Si la capacidad de dramatizar es común a todos los seres humanos ¿a qué nos referimos cuando utilizamos equivocadamente la palabra *drama*? Frecuentemente, lo que queremos decir es *tragedia*. Ésta es una de las manifestaciones del drama, como lo es también su extremo opuesto, la *comedia*. Entre ambas existe una gran variedad de matices dramáticos para todas las situaciones.

Entender con precisión la naturaleza del drama es imprescindible para el guionista. Quien escribe para los medios audiovisuales debe estar siempre consciente de que su labor principal consiste en seleccionar y componer los elementos que integran una situación, con el fin de que su trabajo tenga un determinado impacto en el público.

Además, por la naturaleza particular de cada medio audiovisual, el guionista debe estar preparado para dramatizar de acuerdo al medio seleccionado. La misma situación se dramatiza de manera distinta dependiendo del medio: cine, radio o televisión.

La ficción

Con la palabra *ficción* sucede algo similar a la palabra *drama*; con mucha frecuencia la utilizamos dándole un significado incorrecto. La popularidad del género denominado *ciencia ficción* ha traído como consecuencia una curiosa confusión en el uso de estos conceptos.

De manera simple, podemos definir como ficción a *todo aquello que no es real*. En este sentido, el género de ciencia ficción es sólo una manifestación de la ficción. También son ficción, entre otros: el melodrama, el género de aventuras y el género policíaco. Dentro de los géneros que forman parte del campo de trabajo del guionista, el único género que no es ficción es el *género informativo*, el cual engloba a todo trabajo audiovisual que trate de manera directa con la realidad y la objetividad.

Con respecto a la realidad, otra confusión común surge cuando se intenta clasificar historias que están basadas, ligera o completamente, en personajes o hechos de la vida real. Esas historias ¿son ficciones o realidades?

La respuesta es sencilla. Películas como *Gandhi* (*Gandhi*, 1982) o *JFK* (*JFK*, 1991), si bien están basadas en personajes y situaciones que existieron en la vida real, son interpretaciones de esos hechos. Una interpretación no es la realidad. Por lo tanto, ambos filmes pueden considerarse como ficciones, o con mayor precisión, como dramatizaciones de hechos reales.

Si todavía tienes dudas a este respecto, analiza brevemente estos ejemplos. En *Gandhi*, el personaje que da título al filme no está interpretado por el verdadero Mahatma Gandhi, sino por el actor Ben Kingsley. En *JFK*, si bien es cierto que se muestra la película original filmada en el momento del asesinato del Presidente John F. Kennedy, las imágenes reales se mezclan con otras filmadas por el director Oliver Stone. Finalmente, ambas películas fueron hechas a partir de guiones escritos por personas que no son los protagonistas de estas historias.

Lo mismo puede decirse de los programas de televisión que reconstruyen eventos reales, como *Rescate 911*, de las telenovelas históricas como *El carruaje* y *Senda de gloria*, o de las dramatizaciones históricas del programa de radio *La hora nacional*. Todos estos ejemplos son ficciones.

La dramatización de historias basadas en hechos o personajes reales implica un buen grado de imaginación por parte del guionista. Toda historia real posee *huecos*: eventos sobre los que existe muy poca o ninguna información. Los momentos en que el personaje estuvo solo, sin testigos, son un ejemplo de ello. En estas situaciones, la imaginación del guionista tiene que suplir la falta de información sobre la realidad de los acontecimientos.

Recuerda que al dramatizar estamos interpretando. La dramatización de historias basadas en hechos o personajes reales implica alterar muchas situaciones, con el fin de lograr un efecto en el público. Esta licencia es totalmente válida en el género dramático. El guionista dramático escribe historia de ficción, no de realidad.

Ejercicio 1

Drama y ficción

1 Cuenta una anécdota o un chiste a un amigo o familiar. Pídele que te grabe la voz mientras lo cuentas. Después, sin haber escuchado la grabación, escribe la misma anécdota o chiste.
Compara la grabación con lo que escribiste. ¿Qué diferencias encuentras? ¿Qué partes del relato son iguales? ¿De qué manera afectó el medio –oral o escrito– la dramatización de la anécdota o chiste?
Escribe un reporte sobre la comparación en el que destaques las diferencias y semejanzas entre las dos versiones del relato, así como tus observaciones sobre el impacto del medio en la dramatización.

2 Renta una película cuya historia esté basada en hechos o personajes de la vida real. Anota el número de veces en que el personaje principal está solo en la escena. Analiza cómo fue posible recrear

una acción en la que nadie más que ese personaje estuvo presente. Si tienes oportunidad, compara a los actores con fotografías de los personajes reales.

Escribe un reporte en el que evalúes el grado de cercanía o lejanía entre el filme y la realidad.

La estructura dramática

Drama y ficción son el territorio del guionista dramático. Analizar y comprender los mecanismos de la creación de historias representa la mitad del trabajo del guionista. La otra mitad es la práctica.

Hemos mencionado que los dramas están formados por elementos o componentes. Podemos determinar que toda dramatización está compuesta por cuatro elementos básicos:

1 Personajes
2 Acciones
3 Lugares
4 Tiempo

Estos elementos son comunes a todas las historias, ya sean completamente ficticias o basadas en hechos o personajes reales. Personajes, acciones, lugares y tiempo son la materia prima de la estructura dramática.

Entendemos como estructura dramática a la *manera en que están organizados los elementos básicos del drama o historia*. Todas las historias poseen una estructura dramática que funciona a manera de *esqueleto* de soporte. Éste contiene dentro de sí los cuatro elementos básicos.

Ni la estructura dramática ni sus elementos son rígidos. El movimiento y el cambio son características esenciales de la dramatización. Tampoco existe solo una manera de estructurar historias. Las posibilidades son tantas como la imaginación del guionista lo desee.

El ejemplo más simple de estructura dramática es la vida. Nacer, crecer y morir son tres etapas de la vida equivalentes a *principio, desarrollo* y *final*. En este ejemplo se manifiestan todos los elementos básicos del drama.

La literatura y los medios audiovisuales han creado sus propias estructuras dramáticas. Las historias que comienzan con el final, los recuerdos visualizados o las historias que terminan en la misma situación que al principio son algunos ejemplos.

Con respecto a los medios audiovisuales, es importante señalar que la estructura dramática está determinada en gran parte por el medio utilizado para contar la historia. El cine posee imagen y sonido, aunque la imagen es eminentemente más importante.[1] La radio sólo cuenta con sonido, aunque tiene la capacidad de crear imágenes en la mente del radioescucha. La televisión, que cuenta con los mismos recursos que el cine, los utiliza de una manera más equilibrada.

Lo anterior significa que el medio es un condicionante para la estructura dramática. El guionista tiene que tomar en cuenta las posibilidades expresivas del medio para el cual escribe, con el fin de seleccionar la estructura más adecuada para éste.

Los elementos de la estructura dramática

PERSONAJES

Los personajes son el elemento principal de la estructura dramática. Los personajes realizan las acciones, en uno o varios lugares, en un tiempo determinado. Poseen carácter y personalidad. Sin los personajes no puede existir la estructura dramática, pues son ellos quienes conducen la historia.

ACCIONES

Las acciones determinan el cambio y el movimiento dentro de la estructura dramática. Son realizadas por los personajes y están condicionadas por los lugares y por el tiempo.

LUGARES

Los lugares cumplen con la función de ubicar la historia en un contexto específico. Poseen un gran impacto en las acciones de los personajes pues, en gran medida, los lugares definen el tipo de acción que un personaje puede realizar en ellos. Por ejemplo: un salón de baile se utiliza para bailar, una iglesia para orar y un avión para viajar.

---

[1] Hay que recordar que el cine fue mudo hasta 1927. Esta característica favoreció el desarrollo de un lenguaje netamente visual, en el que la palabra no tenía lugar. Aún en la actualidad se considera que, en el cine, la imagen posee un valor comunicativo más poderoso que el sonido.

TIEMPO

El tiempo es el elemento más abstracto de los que integran la estructura dramática. Afecta de manera importante a personajes, acciones y lugares. Podemos determinar tres tipos de tiempo dentro de una historia:

1 *Tiempo en el que transcurre la historia.*
   Es la época en que se ubica la historia. Afecta directamente a los lugares y a las acciones de los personajes.
2 *Tiempo total de la historia.*
   Es el tiempo que transcurre entre el principio y el final de la historia. Puede ir de unos cuantos segundos a varios siglos.
3 *Tiempo real de la historia.*
   Es el tiempo que toma contar la historia completa. Este tipo de tiempo depende del medio que se utilice. En cine, el tiempo promedio de una película es de dos horas. En radio es de unos cuantos minutos y en televisión varía normalmente de media hora a una hora.

Para comprender mejor el manejo de la estructura dramática y de sus elementos básicos tomemos como ejemplo el cuento infantil de *La cenicienta*, de Charles Perrault. En esta historia encontramos todos los elementos básicos de la estructura dramática:

- *Personajes*:
  Cenicienta, el príncipe, la madrastra, las hermanastras, el hada madrina, los ratones, etcétera.
- *Acciones*:
  Cada personaje realiza acciones buscando un fin determinado. Cenicienta realiza acciones encaminadas a asistir al baile del palacio real.
- *Lugares*:
  La casa y el castillo están ubicados en un contexto feudal europeo.
- *Tiempo*:
  a) Tiempo en el que transcurre la historia: época indeterminada, entre los siglos XIV y XVIII.
  b) Tiempo total de la historia: algunos días.
  c) Tiempo real de la historia: depende del medio. La película de Walt Disney, filmada en 1950, dura 74 minutos.

El cambio de cualquiera de los elementos traerá como resultado una alteración más o menos significativa de la estructura dramática. Entre mayores sean los cambios, mayor será la alteración de la estructura original.

Ubicar la historia de *La cenicienta* en Francia o en Suiza no hace mayor diferencia. Situarla en Japón la modifica sustancialmente. Ubicarla en los Estados Unidos de los años 90, añadir y eliminar personajes, lugares y acciones, dio como resultado el filme *Mujer bonita* (*Pretty Woman*, 1990).

A pesar de los cambios, siempre existe una estructura. La estructura dramática proporciona el soporte indispensable para que los elementos que la integran adquieran sentido. Es la unidad que permite que las modificaciones hechas a una historia mantengan una coherencia interna. Es la herramienta principal para la creación de guiones dramáticos.

Ejercicio 2

La estructura dramática

1 Toma como base un cuento que conozcas bien y realiza el siguiente ejercicio:

a) Redáctalo en forma breve.
b) Determina un cambio en cada uno de los elementos básicos de su estructura dramática.
c) Redáctalo de nuevo con las modificaciones que decidiste.
d) Escribe un reporte breve del ejercicio en el que evalúes los cambios a la estructura original.
¿Qué cambio afectó más a la estructura dramática? ¿De qué manera la modificó? ¿Cuál fue el cambio que la modificó menos?

Capítulo 2

ANÁLISIS DE LA ESTRUCTURA DRAMÁTICA

Los paradigmas

SYD FIELD, UNO de los principales teóricos norteamericanos del guionismo, propone un método útil para el análisis y la creación de estructuras dramáticas en medios audiovisuales. Aunque sus propuestas se refieren exclusivamente al guión cinematográfico, son totalmente aplicables a los guiones dramáticos de radio y televisión.

Field [1] propone que toda historia puede esquematizarse mediante paradigmas, o estructuras básicas de narración.

Los paradigmas son lineamientos o bocetos. Son como los planos de una casa: no son la casa en sí, pero ayudan a visualizar cómo será ésta una vez construida.

Los tres paradigmas que propone Field son:

1 Paradigma de personaje
2 Paradigma de asunto
3 Paradigma de estructura dramática

---

[1] Syd Field, *Screenplay: The foundations of scriptwriting.* New York, Dell Publishing Co., 1982, p. 7.

Los personajes

En el capítulo anterior determinamos que los personajes son el elemento principal de la estructura dramática. Ellos son los que realizan las acciones, en los lugares y en el tiempo. Sin los personajes no es posible que exista la historia.

Personaje principal y personajes secundarios

Al analizar o escribir un guión para medios audiovisuales, es importante determinar un personaje principal. *El personaje principal es quien realiza las acciones más importantes de la historia.* La estructura dramática descansa sobre el personaje principal y sus acciones. El personaje principal es el primer elemento de la estructura dramática que el guionista debe crear.

Los personajes secundarios son creados en función al personaje principal. Podemos clasificar a los personajes secundarios en tres categorías:

1 *Personajes secundarios protagónicos.*
   Son aquellos que están estrechamente relacionados con el personaje principal. Su participación dentro de la historia es importante. Sus acciones son dirigidas en la misma dirección que las acciones del personaje principal.
2 *Personajes secundarios antagónicos.*
   También están estrechamente relacionados con el personaje principal y su participación dentro de la historia es importante, pero sus acciones se oponen a las del personaje principal.
3 *Personajes secundarios incidentales.*
   Su participación dentro de la historia es breve y pueden estar o no relacionados con el personaje principal. Sus acciones pueden ser acordes u opuestas a las de éste.

Determinar el personaje principal puede ser más sencillo en unas historias que en otras. Generalmente, los guiones de cine, radio y televisión se escriben pensando en un solo personaje principal. Sin embargo, hay historias cuyo personaje principal es una pareja –como en el filme *Un final inesperado* (*Thelma & Louise*, 1991)– o un grupo de personas –como en *Reencuentro* (*The big chill*, 1983)–. En estos casos, se debe tomar a la pareja o al grupo como un solo personaje.

Puede suceder que un personaje secundario esté construido de manera que su personalidad y sus acciones *opaquen* a las del personaje principal. Esto sucede en algunas ocasiones con los personajes antagónicos. Películas como *Atracción fatal* (*Fatal attraction*, 1987), *Bajos instintos* (*Basic instinct*, 1992), *Batman* (*Batman*, 1989) y *Batman regresa* (*Batman returns*, 1992) tienen personajes antagónicos de este tipo. En estos casos, la determinación del personaje principal puede resultar difícil. Sin embargo, aunque en estas historias las acciones de los antagonistas sean más llamativas, las acciones del personaje principal son las que deciden el final de la historia.

En otros casos, como en el filme *La sociedad de los poetas muertos* (*Dead poets society*, 1989), un personaje secundario protagonista con gran personalidad es el catalizador que dispara la acción del personaje principal. En todo caso, es importante no confundirse. El personaje principal es el que lleva el peso de la acción de principio a fin. Sus acciones son determinantes para el desarrollo de la historia completa.

El paradigma de personaje

El primero de los paradigmas de Field es el paradigma de personaje. Este paradigma es una herramienta para analizar o construir personajes dentro de una estructura dramática y está integrado por dos partes:

1 Vida interior
2 Vida exterior

La vida interior es la que forma al personaje. Está determinada por su biografía: por lo que ha vivido hasta el momento en que comienza la historia.

La vida exterior es la que revela al personaje. Está determinada por lo que vive el personaje a partir del comienzo de la historia: por su necesidad principal y por las acciones que emprenda para satisfacerla.

El paradigma de personaje establece que *todo personaje tiene, al comienzo de la historia, una vida previa que se verá modificada por los acontecimientos de la historia.*

LA BIOGRAFÍA DEL PERSONAJE

Tanto Field como otros autores destacan la importancia de crear un contexto biográfico que forme la vida interior del personaje.

ESQUEMA

Paradigma de personaje

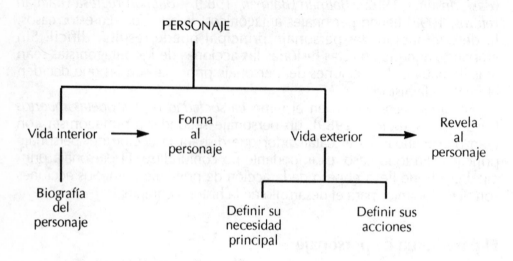

Linda Seger[2] establece un proceso de creación de personajes que consta de seis etapas:

1 *Determinación del personaje*

En esta etapa se escoge al personaje de la historia. Se determinan algunas características esenciales de su personalidad (sexo, edad, ocupación, clase socioeconómica, rasgos generales de carácter, etcétera).

2 *Investigación sobre el personaje*

Una vez determinadas sus características esenciales de personalidad se procede a investigarlas a fondo, con el fin de que el guionista domine el contexto biográfico de su personaje.

3 *Definición del carácter del personaje*

A continuación se define el carácter del personaje, con base en la creación de atributos psicológicos congruentes con las características esenciales de su personalidad. Se crean consistencias y paradojas con el fin de *humanizarlo* y evitar que se quede en un bosquejo o arquetipo.

---

[2] Linda Seger, *Creating Unforgettable Characters.* New York, Henry Holt and Company, 1990.

4 *Creación del contexto biográfico*
El siguiente paso es crearle un pasado al personaje. Esta etapa es de gran importancia, ya que en ella se crean las explicaciones sobre el presente. Las características esenciales determinadas en la primera etapa son justificadas con la creación del contexto biográfico.

5 *Análisis profundo del carácter del personaje*
Después de crear la biografía, es conveniente evaluar el proceso creativo desde una nueva perspectiva. En esta etapa se analiza la congruencia entre la biografía del personaje y las características que éste manifestará durante la historia. También se evaluan las consistencias y paradojas de su carácter y, de ser necesario, se modifican las incongruencias.

6 *Creación de otros personajes y establecimiento de relaciones*
La última etapa es la creación de otros personajes y de la relación entre el personaje principal y ellos. La creación de personajes secundarios puede seguir un proceso similar a la del personaje principal, aunque la profundidad del proceso depende de la importancia del nuevo personaje para la historia.

Los pasos del proceso de creación de personajes de Linda Seger se discuten con mayor detalle en el Capítulo 5 (La redacción de la historia).

NECESIDAD Y ACCIONES

La vida exterior del personaje se manifiesta a través de su necesidad principal y sus acciones. Este aspecto del paradigma revela la personalidad del personaje ante el público.

En todas las historias, el personaje principal tiene una necesidad que satisfacer. Este aspecto es enfatizado por la mayoría de los autores sobre guionismo. Eugene Vale[3] señala que todo personaje debe tener un motivo para actuar, una intención de actuar y un objetivo o meta que alcanzar. Field establece lo mismo al señalar que la necesidad del personaje principal debe estar dirigida al logro de un objetivo.

Al escribir una historia para medios audiovisuales, es importante establecer la necesidad principal del personaje. Por lo general, las historias escritas para cine, radio y televisión no abarcan la vida entera de los personajes, sólo nos muestran una etapa de sus vidas. *La necesidad principal del personaje debe corresponder a la etapa de su vida en la que se*

---

[3] Eugene Vale, *Técnicas del guión para cine y televisión.* México, Gedisa Editorial, 1988 pp. 90-95.

desarrolla la historia. En su pasado y en su futuro el personaje tuvo y tendrá otras necesidades, pero la que importa es la de su presente.

El paradigma de asunto

La función del paradigma de asunto de Field es ayudar a responder con exactitud al primer cuestionamiento que surge a la hora de analizar o escribir un guión dramático: *¿de qué se trata la historia?*

Para lograrlo, Field establece que la determinación del asunto principal de la historia se logra a través de la vida exterior del personaje.[4]

ESQUEMA

Paradigma de asunto

El paradigma de asunto establece que *una historia escrita para medios audiovisuales debe tratar acerca de un personaje con una necesidad principal, que realiza acciones físicas y/o emocionales, para satisfacerla.*

No debe confundirse asunto con tema, que es una categoría de clasificación más general. El tema *amor* puede incluir a varias historias,

---

[4] El paradigma de asunto que presentamos en este libro es una versión modificada del original publicado en Syd Field, *Screenplay: The foundations of scriptwriting*. New York, Dell Publishing Co. 1982, p. 19.

aunque cada una de ellas trate sobre un asunto diferente. La idea en torno al paradigma de asunto no es establecer el tema general de la historia, sino responder claramente a la pregunta: *¿de qué se trata la historia?*

Ejercicio 3

El paradigma de personaje

Para hacer este ejercicio renta una película –de preferencia una que ya hayas visto y que te haya gustado mucho–. Después de haberla visto, diagrama y explica brevemente el paradigma del personaje principal de la película, siguiendo los pasos que se describen a continuación:

1 Dibuja el paradigma y sustituye los elementos en el siguiente orden:

a) Determina quién es el personaje principal y escribe su nombre en la parte de arriba del paradigma.

b) Escribe una breve biografía del personaje principal en la parte del paradigma correspondiente a la vida interior, a partir de la información disponible en el filme.[5]

c) Define cuál es la necesidad principal del personaje y escríbela en una frase, en la parte correspondiente.

d) Define, en general, cuáles son las acciones que realiza el personaje para satisfacer su necesidad y escríbelas en la parte correspondiente.

2 De ser necesario, amplia la información que tienes sobre el personaje en una hoja aparte y anéxala al diagrama que realizaste.

---

[5] Esta información la obtendrás principalmente a través de los diálogos de los personajes. En algunas ocasiones, los personajes recuerdan situaciones del pasado y estos recuerdos se *ven* en la pantalla. En otras, la información sobre el pasado se obtiene a través de objetos relacionados con el personaje (periódicos, cartas, fotografías, etcétera).

Ejercicio 4

El paradigma de asunto

Al igual que en el ejercicio anterior, renta una película –de preferencia una diferente y que no hayas visto– para determinar el paradigma de asunto de su historia. Después de haberla visto, diagrama y explica brevemente el paradigma de asunto del filme, sigue los pasos que se describen a continuación:

1 Dibuja el paradigma y sustituye los elementos en el siguiente orden:

a) Determina quién es el personaje principal y escribe su nombre en la parte correspondiente.

b) Define cuál es la necesidad principal del personaje y escríbela en una frase, en la parte correspondiente.

d) Define cuáles son las acciones que realiza el personaje y escribe las acciones físicas (por ejemplo, huir, matar, viajar) separadas de las acciones emocionales (amar, extrañar, odiar, etcétera).

e) De ser posible, trata de englobar en un solo concepto las acciones (por ejemplo, huir, odiar y matar pueden ser acciones particulares de una acción más general: salvar la vida).

f) Si determinas un concepto general de acción, escríbelo en la parte del paradigma correspondiente a *definir sus acciones*.

e) Finalmente escribe, en la parte superior del paradigma, el asunto del que trata la historia. Escríbelo en una sola frase, con la siguiente estructura:

Es la historia de (nombre y breve descripción del personaje), que para lograr (su necesidad), tiene que (acciones que realiza).

EJEMPLO

Paradigma del personaje principal de la película
Cambio de hábito (*Sister act,* 1992)

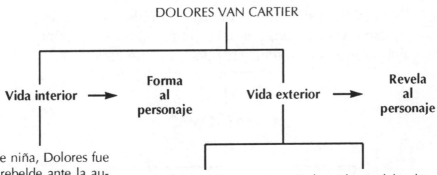

DOLORES VAN CARTIER

Vida interior ⟶ Forma al personaje

Vida exterior ⟶ Revela al personaje

Desde niña, Dolores fue muy rebelde ante la autoridad. Estudió en un colegio de monjas y no tuvo buenas relaciones con ellas. Siempre le gustó la música y se convirtió en cantante de cabaret en Reno.

Allí, se hizo amante de un gángster. Ella siempre se quiso casar, pero él, casado y católico, no quiso divorciarse.

Como cantante no le ha ido muy bien y su vida personal no es satisfactoria.

Dolores es testigo accidental de una ejecución ordenada por su amante.

Al escuchar que él ordena a sus pistoleros que la eliminen, Dolores tiene que salvar la vida.

Dolores huye del cabaret y va con la policía. Allí, le ofrecen esconderla y protegerla a cambio de que sea testigo en contra de su amante.

Dolores acepta y el policía que lleva el caso decide que se esconda en un convento, haciéndose pasar por monja.

Dolores tiene que aceptar aún en contra de su rechazo hacia las monjas.

Ejemplo

Paradigma de asunto de la película
Sólo con tu pareja (1991)

Es la historia de Tomás Tomás, un publicista joven y bastante promiscuo que trata de encontrar la manera más rápida para suicidarse, pues cree que tiene Sida.

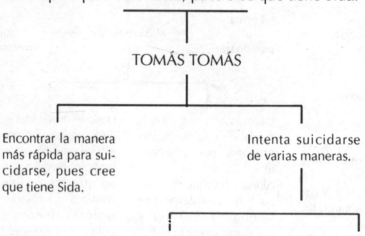

TOMÁS TOMÁS

Encontrar la manera más rápida para suicidarse, pues cree que tiene Sida.

Intenta suicidarse de varias maneras.

- Leer el reporte falso que lo lleva a creer que tiene Sida.
- Escribir en su computadora una lista de todas sus amantes.
- Tratar de suicidarse metiendo la cabeza en en un horno de microondas.
- Avisar a su amigo médico que se va a suicidar.
- Ir junto con su vecina a la Torre Latinoamericana y tratar de tirarse desde el último piso
- Hacer el amor con su vecina antes de suicidarse juntos.

- Leer el reporte falso que lo lleva a creer que tiene Sida.
- Enamorarse de su vecina.
- Convencer a su vecina de que se suiciden juntos tirándose del último piso de la Torre Latinoamericana.

El desarrollo de la historia

Después de determinar el personaje principal y el asunto de la historia, el siguiente paso del análisis es determinar la estructura dramática de la historia completa.

Las estructuras dramáticas para medios audiovisuales toman sus elementos esenciales de las estructuras creadas para la literatura y el teatro. Si bien es cierto que con el paso del tiempo el cine, la radio y la televisión han creado estructuras dramáticas particulares, los orígenes del drama permanecen vigentes hasta nuestros días.

Desde Aristóteles y el teatro clásico griego, los lineamientos de construcción dramática se apegan a un esquema básico de *principio*, *desarrollo* y *final*. Aunque con los siglos esta estructura básica ha sido modificada en inumerables ocasiones, su sencillez la ha hecho perdurar hasta nuestros días. No existe nada más claro ni más sencillo que una historia con *principio*, *desarrollo* y *final*.

La escena

La construcción de una historia para medios audiovisuales se lleva a cabo mediante escenas. *La escena es la unidad mínima de lugar dentro del desarrollo de una acción dramática.*

La construcción mediante escenas no es exclusiva de los medios audiovisuales. La literatura y el teatro la incluyen dentro de sus elementos esenciales. Sin embargo, la importancia de definir claramente los límites entre escenas es mayor en los medios audiovisuales. Los guiones de cine, radio y televisión se estructuran por escenas.

Para definir el concepto de *escena*, es importante recordar los cuatro elementos básicos de la estructura dramática:

- Personajes
- Acciones
- Lugares
- Tiempo

Una escena se define como *un lugar en donde uno o varios personajes llevan a cabo acciones, en un tiempo determinado*. La variación de cualquiera de estos elementos trae como consecuencia un cambio de escena.

Si cambia el lugar, los personajes, las acciones o el tiempo, la escena también cambiará. Esta regla es constante en todas las historias que se escriben para medios audiovisuales.

El cambio de lugar es el ejemplo clásico del cambio de escena. El lugar es un determinante importante en la definición de lo que es una escena.

El lugar puede permanecer constante, pero los personajes pueden cambiar. Si los personajes salen del lugar y entran otros, la escena cambia.

Si los personajes realizan una acción en un lugar y dejan de hacerla para realizar otra acción completamente distinta, aunque el lugar permanezca, hay un cambio de escena. Si dos acciones distintas suceden en el mismo lugar, con escasos minutos de diferencia entre una y otra, ambas acciones pertenecen a escenas diferentes. En estos casos, lo que determina el cambio de escena es el cambio de acción y de tiempo.

Aunque no cambie la acción, el cambio de tiempo por sí mismo provoca un cambio de escena. Si una acción sucede en un lugar por la mañana y la misma acción vuelve a suceder en el mismo lugar por la noche, tenemos dos escenas. Si la acción sucede en invierno y vuelve a suceder en verano, también son dos escenas.

Otras unidades de construcción dramática

Las particularidades de los medios audiovisuales han provocado la creación de elementos de construcción dramática propios de cada medio. Específicamente, el lenguaje del cine ha desarrollado unidades de construcción dramática cuyo conocimiento es indispensable para la labor del guionista. Estas unidades también son utilizadas en la televisión y, especialmente, en la grabación en video.[6]

En cine y video las imágenes se filman o se graban de manera fragmentada. Las acciones de una escena se registran varias veces, desde distintas posiciones o *emplazamientos de cámara*. Durante la edición estas imágenes se ordenan de manera que la acción se vea fluida y natural. A la imagen registrada desde un emplazamiento de cámara se le llama

---

[6] Es importante destacar que el video, aunque surgido de la tecnología de la televisión, ha tenido un desarrollo propio más cercano a las convenciones del lenguaje cinematográfico que a las del medio televisivo.

plano, toma o *shot*.[7] Un plano se define como *la filmación o grabación de una acción desde un emplazamiento o posición de cámara.*

Dentro del lenguaje cinematográfico o videográfico, el plano es la *unidad mínima de significado.* Generalmente, un plano es más pequeño que una escena, pues ésta se constituye normalmente por varios planos. En algunas ocasiones, la escena completa es registrada desde una sola posición de cámara. En estos casos, plano y escena son lo mismo.

Independientemente de las consideraciones anteriores, las decisiones sobre cómo filmar o grabar una escena las toma el director. El guionista debe construir la historia en escenas y no preocuparse por los planos.

La secuencia es otra unidad del lenguaje del cine y del video definida como *una pequeña acción, con principio, desarrollo y final propios, que forma parte de la acción total de la historia.* En términos generales, la secuencia es la *unidad máxima del lenguaje de cine y video.*

En cierto sentido, una secuencia es algo más grande que una escena, pues las acciones ocurren normalmente en varios lugares. Sin embargo, la acción completa puede suceder en un solo lugar, en este caso, escena y secuencia son lo mismo. Aún más: la secuencia puede estar filmada o grabada en un solo plano (*plano–secuencia*).

Algunos guionistas estructuran sus historias y redactan sus guiones por secuencias. Esta práctica –bastante común en México– tiene el inconveniente de complicar el uso del guión.

Hay que recordar que el guión es una herramienta utilizada en la producción de películas, programas de radio y televisión. La utilidad de esta herramienta depende de su claridad. Un guión escrito por secuencias carece de la identificación completa de los sitios donde transcurre la acción. Esta información es vital para el trabajo de diseñadores de escenografías, asistentes de producción, actores, diseñadores de vestuario y hasta del mismo director. Si en el guión no están identificados todos los lugares que hay que construir o conseguir, su utilidad es limitada.

Por ello, el guionista dramático debe estructurar sus historias tomando a la escena como su unidad básica de construcción dramática.

---

[7] Aunque los tres términos se pueden tomar como sinónimos, algunos autores señalan que como el registro fílmico o videográfico de una imagen se repite tantas veces como sea necesario, cada repetición implica una nueva *toma* o *shot* del mismo plano. En este sentido, el concepto *plano* es diferente de *toma* y *shot*.

El paradigma de estructura dramática

El tercero de los paradigmas de Field es el paradigma de estructura dramática. Su función es estructurar la historia completa, desde la primera hasta la última escena. El paradigma se compone de tres etapas:

1 Establecimiento de la acción.
2 Confrontación.
3 Resolución.

ESQUEMA

Paradigma de estructura dramática

ESTABLECIMIENTO DE LA ACCIÓN	CONFRONTACIÓN	RESOLUCIÓN

El establecimiento de la acción es la etapa de la historia donde aparecen los personajes y se plantea la situación inicial. Su duración depende del tiempo real de la historia (el tiempo que toma contarla completamente) pero, por lo general, no debe tener una longitud mayor a la cuarta parte del tiempo real.

La confrontación es la etapa en que se desarrolla el conflicto principal de la historia. Inicia con la escena en donde se presenta este conflicto y termina con la escena donde se presenta la clave para resolverlo. Su duración aproximada es de la mitad del tiempo real de la historia.

La resolución es la etapa donde se resuelve completamente el conflicto principal de la historia. Comienza con la escena donde se presenta la clave para la resolución, avanza hacia la escena donde se resuelve definitivamente el conflicto y termina, por lo general, con una o dos escenas a manera de epílogo. Su duración aproximada es de una cuarta parte del tiempo real de la historia.

PREMISA BÁSICA

Aunque Field no incluye a la premisa básica como elemento del paradigma de estructura dramática,[8] es conveniente explicar su naturaleza pues el guionista puede tener dificultades para definir exactamente cuál es el conflicto principal de la historia.

La premisa básica es la escena donde el personaje principal tiene el primer contacto con lo que será el motivo del conflicto principal de la historia.

ESQUEMA

Paradigma de estructura dramática

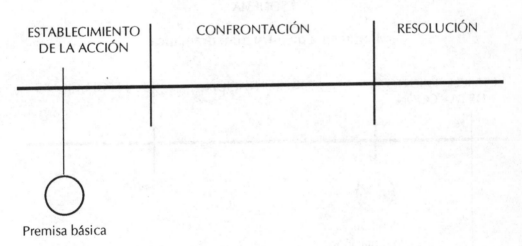

ESTABLECIMIENTO
DE LA ACCIÓN

CONFRONTACIÓN

RESOLUCIÓN

Premisa básica

Por lo general, esta escena es una de las primeras de la historia. El momento en que se presenta varía, dependiendo del tiempo real de la historia. En una película de dos horas de duración, la premisa básica se presenta en algún momento de los primeros diez minutos. En un cortometraje cinematográfico de diez minutos, la premisa básica debe aparecer en los primeros segundos. En un capítulo de radio o televisión de treinta minutos de duración, el primer minuto debe establecer la premisa básica.

---

[8] La inclusión de la premisa básica y del clímax dentro del paradigma de estructura dramática de Syd Field es obra de los autores de este libro.

PUNTO DE CONFRONTACIÓN

La conexión entre la etapa donde se establece la acción y la etapa de confrontación se realiza mediante una escena clave. Esta escena –así como otra que conecta a la confrontación con la resolución– son los lazos que mantienen unida a la estructura dramática de principio a fin.

La escena en cuestión se denomina punto de confrontación. *El punto de confrontación es la escena en la que el personaje principal se ve involucrado directamente en el conflicto principal de la historia*. En esta escena, la vida del personaje cambia en una dirección inesperada para él o ella. En esta escena se definen la necesidad principal y las acciones del personaje.

ESQUEMA

Paradigma de estructura dramática

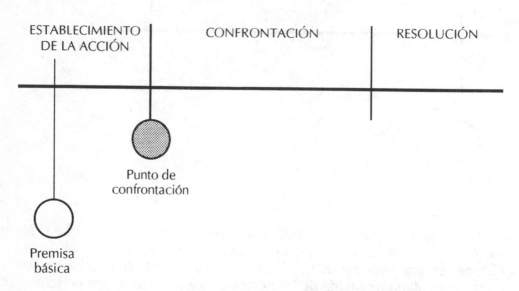

En algunos casos, el guionista puede tener dificultades para distinguir entre la premisa básica y el punto de confrontación. La clave para distinguir la diferencia entre ambas escenas radica en dos aspectos:

1 El tiempo transcurrido desde el comienzo de la historia.
2 El cambio de dirección en la vida del personaje principal.

La escena de la premisa básica se presenta cuando ha transcurrido muy poco tiempo desde el inicio de la historia. En esta escena, el personaje entra en contacto con lo que será el motivo del conflicto principal de la historia *pero su vida no experimenta un cambio radical*. En palabras sencillas, al personaje todavía no le pasa nada durante la escena de la premisa básica, aunque en ella se manifiesten por primera vez los elementos principales del drama.

La escena del punto de confrontación se presenta cuando ha transcurrido aproximadamente una cuarta parte del tiempo real de la historia. En esa escena, el personaje se ve afectado por el conflicto principal de la historia. El impacto es de tal magnitud, que la vida del personaje toma una nueva dirección. A partir de ese momento, el personaje tratará de resolver el conflicto y volver, de ser posible, al estado inicial de la historia.

Por ejemplo, el guión de la película *Juego de lágrimas* (*The crying game*, 1992) –escrito por Neil Jordan[9] y ganador del Oscar al Mejor guión original de 1992– cuenta la historia de Fergus, un terrorista irlandés que participa en el secuestro de Jody, un soldado británico. Fergus es el encargado de vigilar a Jody durante su cautiverio. Con el paso de los días, ambos inician una amistad que se ve truncada cuando el soldado muere accidentalmente.

La premisa básica de *Juego de lágrimas* se presenta en la primera escena del guión. En ella tiene lugar el secuestro de Jody. Fergus entra en contacto por primera vez con quien desatará el conflicto principal de la historia.

En la escena 24, Jody le pide a Fergus que, si llegase a morir, vaya a buscar a Dil –la mujer de la cual está enamorado Jody– y la cuide. Esta escena plantea el conflicto principal de la película. Fergus siente simpatía hacia Jody y su petición es algo más que el último deseo de un condenado: es un compromiso moral.

La escena 24 es el punto de confrontación de la historia de *Juego de lágrimas*. Esta escena establece los elementos del paradigma de asunto de la historia: personaje (Fergus), necesidad principal (cumplir la promesa) y acciones (buscar a Dil).

PUNTO DE RESOLUCIÓN

A partir del punto de confrontación, el conflicto principal de la historia se desarrolla a lo largo de la etapa de confrontación. Esta etapa tiene una

---

[9] Neil Jordan, *A Neil Jordan reader: The crying game, the original screenplay.* New York, Vintage Books, 1993.

duración aproximada de la mitad del tiempo real de la historia y termina en la escena denominada punto de resolución.

El punto de resolución es la escena donde el personaje principal encuentra la clave para resolver completamente el conflicto principal de la historia. A partir de ella da inicio la etapa de resolución.

ESQUEMA

Paradigma de estructura dramática

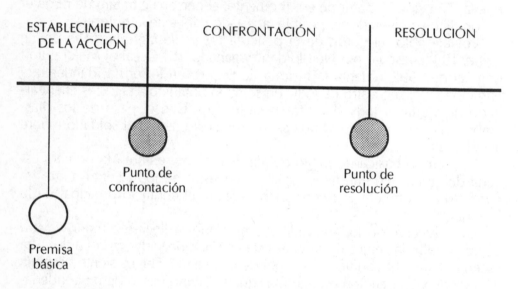

Es importante subrayar que el punto de resolución *no es la escena donde se resuelve definitivamente el conflicto principal de la historia.* Esto sucede en la escena del clímax, durante la etapa de resolución. El punto de resolución es la escena que permite llegar al clímax y al epílogo, partes fundamentales de la resolución de la historia.

Durante la etapa de confrontación en *Juego de lágrimas* suceden los siguientes eventos importantes:

1 Jody, el soldado, muere accidentalmente cuando el ejército llega a salvarlo.
2 Fergus huye a Londres y pierde contacto con los demás terroristas.
3 En Londres, Fergus encuentra a Dil.

4 Fergus se enamora de ella y descubre un secreto que provoca confusión en sus sentimientos.[10]

5 Jude, una de los terroristas, encuentra a Fergus y le pide que participe con ellos en un atentado. Si se niega la vida de Dil corre peligro.

6 Fergus encuentra la solución para salvar la vida de Dil.

En la escena 78, Fergus entra junto con Dil a la estética donde ella trabaja. Allí le corta el cabello y la transforma para que los terroristas no la reconozcan. De esta manera Fergus cumple la promesa que le hizo a Jody de cuidarla.

CLÍMAX Y EPÍLOGO

El clímax es la escena donde se resuelve definitivamente el conflicto principal de la historia. Por lo general, el conflicto comienza a solucionarse a partir del punto de resolución, pero la solución definitiva se presenta durante el clímax. Esta escena debe ser la más emocionante de la historia, pues hasta ese momento existe la duda sobre la solución total del conflicto. El clímax es el punto intermedio de la etapa de resolución.

En *Juego de lágrimas*, la escena 105 corresponde al clímax. En esta escena tiene lugar el enfrentamiento entre Dil y Jude. Esta acción resuelve definitivamente el conflicto principal de la historia.

En la mayoría de las historias, después de la escena del clímax tienen lugar unas cuantas escenas a manera de epílogo. En ellas, el personaje principal se encuentra de nuevo en una situación sin conflicto, similar al principio de la historia. No es posible que el personaje vuelva a una situación exactamente igual a la del principio, pues su vida ha cambiado durante la historia. No obstante, el epílogo muestra una nueva tranquilidad en su vida.

No existe una regla que prohíba que una historia termine en su escena más emocionante. Sin embargo, terminar una historia en clímax es un riesgo, pues el público (espectador, radioescucha o televidente) se puede sentir frustrado al haber sido testigo de una historia que siente inconclusa. Como público, esperamos que la historia nos diga qué pasó después con el personaje, algo parecido al *... y vivieron felices para siempre...*, tradicional en los cuentos de hadas.

---

[10] El secreto de Dil es una clave importante dentro de la historia. Por respeto al autor y a su obra no podemos descubrirlo.

ESQUEMA

Paradigma de estructura dramática

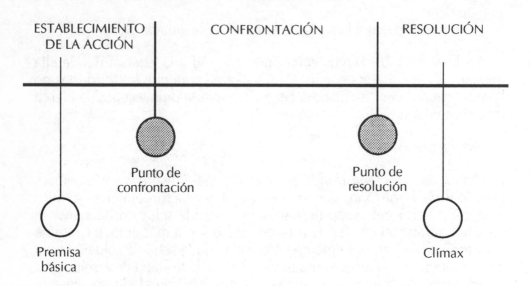

PUNTO INTERMEDIO Y PUENTES

En 1984, Field añadió algunos elementos importantes al paradigma de estructura dramática, con el fin de hacer más clara la estructuración de la etapa de confrontación.[11] En su experiencia como profesor de guionismo, Field encontró que sus alumnos tenían problemas para resolver la etapa de confrontación. Al avanzar en la redacción de esa etapa, los guionistas tendían a desviarse del conflicto establecido en el punto de confrontación.

Este problema dio lugar a que Field determinara tres escenas claves dentro de la etapa de confrontación:[12]

1 Punto intermedio
2 Puente I
3 Puente II

El punto intermedio es una escena que tiene lugar a la mitad de la etapa de confrontación. Al mismo tiempo, esta escena se localiza justo a la mitad de la historia. La función del punto intermedio es enlazar las dos

[11] Syd Field, *The screenwriter's workbook*. New York, Dell Publishing Co. 1984.
[12] *Ibid*. pp. 121-176.

mitades que integran la confrontación. Durante la primera mitad, a partir del punto de confrontación, el conflicto principal se va complicando con conflictos secundarios. A partir del punto intermedio, y hasta llegar al punto de resolución, los conflictos secundarios se van resolviendo al mismo tiempo que el conflicto principal avanza hacia su resolución.[13]

Los puentes son dos escenas que se presentan para enlazar al punto intermedio con los puntos de confrontación y de resolución. El puente I es una escena que se sitúa a mitad de camino entre el punto de confrontación y el punto intermedio. Enlaza a la primera mitad de la confrontación. El puente II tiene la misma función en la segunda mitad de esa etapa. Conecta a la escena del punto intermedio con la escena del punto de resolución.

En *Juego de lágrimas*, la escena 50 funciona como punto intermedio. En esa escena Fergus defiende a Dil de un hombre que le exige dinero. Es la primera vez que Fergus hace algo por cumplir su promesa y esta acción desencadena el romance entre él y Dil.

El puente I se presenta en la escena 29, cuando Jody muere atropellado por un tanque del ejército que llega a salvarlo. El puente II se presenta en la escena 66, cuando Jude se aparece en el cuarto de Fergus y lo amenaza con matar a Dil si no participa en el atentado. La relación entre ambas escenas se da en tanto que al morir Jody, Fergus se libera de los terroristas y al reaparecer Jude, Fergus vuelve a enfrentarse con ellos. Estos dos eventos provocan la acción dramática principal de la historia: cuidar a Dil.

Las estructuras flexibles

El sistema de paradigmas de Syd Field es sólo uno de los varios sistemas que existen para estructurar historias para medios audiovisuales. Aunque ha sido criticado por esquemático, el método de análisis y creación de estructuras dramáticas de este autor funciona de manera clara y sencilla.

El apego estricto a un sistema de construcción de guiones puede limitar la creatividad del guionista. Cada uno cuenta con la libertad que otorga este oficio para realizar sus trabajo y puede, si así lo desea, romper con los esquemas. Los paradigmas no son leyes: son herramientas para ana-

---

[13] Esta estructura supone que el personaje principal de la historia es un ser cuya vida se ve complicada por un conflicto. Si el personaje principal de la historia es un villano o un antihéroe que desencadena un conflicto, durante la primera mitad de la confrontación sus acciones no se ven obstaculizadas. A partir del punto intermedio comienzan a aparecer las dificultades hasta llegar a la dificultad mayor, presentada en el punto de resolución.

Esquema

Paradigma de estructura dramática

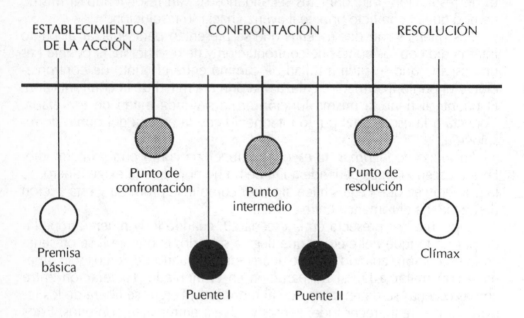

lizar y construir historias, de manera clara y sencilla. Estos dos preceptos –claridad y sencillez– son la *regla de oro* del guionista.

Las estructuras dramáticas son estructuras flexibles. Permiten cambios, adiciones, alteraciones e incluso modificaciones radicales. El guionista no debe esperar nunca que la producción final de su obra sea completamente fiel a las palabras que escribió. El guión no es, en primera instancia, una obra literaria. Aunque muchos guiones han llegado a ser publicados por sus valores literarios, el guionista no debe pensar que esa es la situación común.

Durante la producción de una película, video, programa de radio o de televisión, pueden realizarse muchas modificaciones al guión. El director o el productor pueden eliminar escenas antes o después de haberlas filmado o grabado. Los actores pueden alterar sus líneas de diálogo para decirlas de manera más acorde a su interpretación. Los lugares escogidos para filmar o grabar pueden ser distintos a los señalados en el guión. Estos y muchos otros cambios posibles no son eventos negativos. Simplemente son situaciones comunes de la producción en los medios audiovisuales.

ESQUEMA

Paradigma de estructura dramática del guión de *Juego de lágrimas*

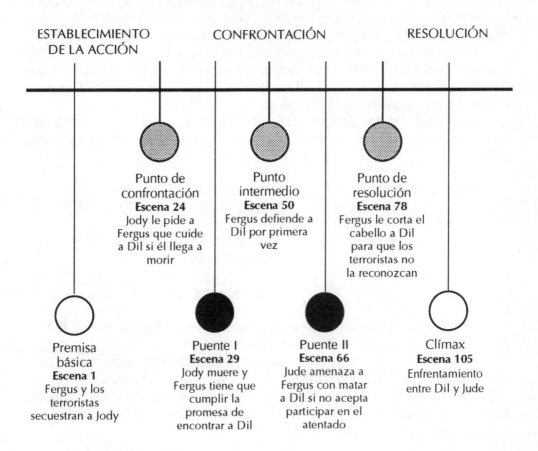

ESTABLECIMIENTO DE LA ACCIÓN

CONFRONTACIÓN

RESOLUCIÓN

Punto de confrontación
Escena 24
Jody le pide a Fergus que cuide a Dil si él llega a morir

Punto intermedio
Escena 50
Fergus defiende a Dil por primera vez

Punto de resolución
Escena 78
Fergus le corta el cabello a Dil para que los terroristas no la reconozcan

Premisa básica
Escena 1
Fergus y los terroristas secuestran a Jody

Puente I
Escena 29
Jody muere y Fergus tiene que cumplir la promesa de encontrar a Dil

Puente II
Escena 66
Jude amenaza a Fergus con matar a Dil si no acepta participar en el atentado

Clímax
Escena 105
Enfrentamiento entre Dil y Jude

Lo anterior se debe tomar en cuenta cuando se analiza la estructura dramática de un producto audiovisual terminado. Los puntos importantes del paradigma de estructura dramática pueden haber sido modificados durante la producción. La única manera de analizar la estructura dramática original es tener a la mano el guión.

El análisis de la estructura dramática de un producto audiovisual terminado

En el ejemplo que utilizamos para explicar cómo funciona el paradigma de estructura dramática –el guión de *Juego de lágrimas* de Neil Jordan– hicimos referencia al número de las escenas donde se presentan las situaciones importantes. Esto es posible sólo si se cuenta con el guión escrito.

En la mayoría de los casos, no es posible tener a la mano el guión para realizar el análisis. Por lo tanto, la manera más sencilla de realizarlo es tomando en cuenta el tiempo real de la historia para determinar el minuto exacto en que aparece cada escena clave.

Por ejemplo, si una película tiene un tiempo real de 120 minutos exactos, la aparición de cada escena clave se debe presentar de la siguiente manera:

Premisa básica	entre el minuto 1 y el 10
Punto de confrontación	alrededor del minuto 30
Puente I	alrededor del minuto 45
Punto intermedio	alrededor del minuto 60
Puente II	alrededor del minuto 75
Punto de resolución	alrededor del minuto 90
Clímax	entre el minuto 95 y el 115

Para productos audiovisuales con mayor o menor duración se deben hacer las equivalencias de tiempo correspondientes. Hay que recordar que el establecimiento de la acción se presenta durante la primera cuarta parte de la historia; que la confrontación abarca la mitad de la historia (a partir del final del establecimiento de la acción) y que la resolución se presenta durante la última cuarta parte de la historia (a partir del final de la confrontación).

Ejercicio 5

El paradigma de estructura dramática

Renta una película, de preferencia alguna cuya historia te haya gustado mucho cuando la viste por primera vez. También puedes grabar un capítulo de un programa dramático de radio o de una serie de televisión para hacer este ejercicio. Realiza un análisis de la película o del capítulo con base en el paradigma de estructura dramática, siguiendo los puntos que se describen a continuación:

1 Describe la escena donde se presenta la premisa básica de la acción principal y señala el minuto exacto en el que se presenta esta escena.
2 Describe la escena donde se presenta el punto de confrontación y señala el minuto exacto en el que se presenta esta escena.
3 Describe la escena donde se presenta el puente I y señala el minuto exacto en el que se presenta esta escena.
4 Describe la escena donde se presenta el punto intermedio y señala el minuto exacto en el que se presenta esta escena.
5 Describe la escena donde se presenta el puente II y señala el minuto exacto en el que se presenta esta escena.
6 Describe la escena donde se presenta el punto de resolución y señala el minuto exacto en el que se presenta esta escena.
7 Describe la escena donde se presenta el clímax y señala el minuto exacto en el que se presenta esta escena.

Es sumamente importante que expliques las relaciones entre los puntos del paradigma. ¿Qué relación existe entre el punto de confrontación y el punto intermedio? ¿Cuál es la relación entre éste y el punto de resolución? ¿Cuál es la relación entre el puente I, el punto de confrontación y el punto intermedio?, etcétera.

Capítulo 3

LA ESTRUCTURA DRAMÁTICA Y EL MEDIO

La importancia del medio

En los capítulos anteriores hemos señalado la importancia de pensar en el medio cuando se construye la estructura dramática de una historia. Aunque los hemos clasificado dentro de la categoría de *medios audiovisuales*, el cine, la radio y la televisión poseen cada uno características que no comparten entre sí. De ahí que sea importante determinar la naturaleza de las diferencias entre estos medios y su impacto en el trabajo del guionista.

La principal diferencia que podemos destacar entre el cine, la radio y la televisión radica en su funcionamiento. El cine es, esencialmente, un medio de registro de imágenes en movimiento y sonidos. Como la fotografía, el cine registra imágenes; a diferencia de ella, el cine proporciona la ilusión de movimiento. El cine también registra sonidos –como la grabación de música– pero estos sonidos son sólo una parte del todo llamado *película* o *filme*.

La radio y la televisión no registran imágenes ni sonidos, los transmiten por medio de ondas electromagnéticas que viajan de una antena a otras, a través del espacio. Estas imágenes y sonidos se pueden registrar por medios electromagnéticos: el video, en el caso de la televisión, y los distintos formatos para grabar audio (acetato, cinta, disco compacto, etcétera), en el caso de la radio.

Por otra parte, el uso del cine es unitario, el público va a las salas cinematográficas a ver, por lo general, una sola película.[1] Esto se debe al tiempo real promedio de una película (dos horas), además de que ir al cine es

---

[1] Esta es la práctica común en nuestros días. Cada vez son menos frecuentes los ejemplos de funciones de cine dobles o múltiples.

una actividad que implica el traslado físico de la gente al lugar en donde se exhibe el filme. Aún la actividad de ver una película en video es, por lo general, unitaria: las películas se alquilan o se venden una por una. Casi nunca vienen dos películas en el mismo cassette.

El uso de la radio y la televisión es múltiple. Estos medios transmiten varios programas, cada uno con un tiempo real más corto, y el público no tiene que salir de casa para escucharlos o verlos. Actualmente, cuando la radio y la televisión transmiten las 24 horas del día, la variedad de productos audiovisuales disponibles es considerablemente mayor a la de la época en que estos medios nacieron.

Lo anterior nos lleva a concluir que, mientras que el guionista dramático de cine trabaja para lograr un producto final único, el guionista dramático de radio o televisión tiene una mayor variedad de opciones. Esto no significa que el trabajo sea más sencillo en un medio que en otro. Simplemente, es un hecho que el guionista debe tomar en cuenta para realizar su trabajo.

La estructura dramática por capítulos

La mayor diferencia estructural que existe en la redacción de guiones para medios audiovisuales es producto de la estructura dramática por capítulos, la división de la historia completa en segmentos. Esta estructura fragmentada no es particular de los medios, pues la literatura la ha utilizado desde hace mucho tiempo.

En los medios audiovisuales, la estructura dramática por capítulos nació en el cine. A principios de siglo xx, cuando el cine se hacía de un lugar dentro de la cultura, hicieron su aparición las primeras *series* o *seriales* cinematográficos, una historia fragmentada en varios capítulos exhibidos en varias sesiones.

La razón de esta práctica era de naturaleza estrictamente comercial. Al exhibir sólo una parte de la historia existía una mayor posibilidad de *enganchar* al público y obligarlo a estar presente en la siguiente función, donde se presentaría la continuación. El día de la exhibición del último capítulo se presentaba el primero de un nuevo *serial*, con lo que se garantizaba la continuidad del proceso.

El cine tomó prestada esta estructura de la prensa del siglo xix. Para asegurar mayores ventas, muchos editores comenzaron a publicar novelas *por entregas* en las páginas de sus diarios. Esta práctica aumentó las ventas de periódicos y volvió cautivos a muchos lectores que esperaban ansiosamente la continuación de su novela favorita.

Al nacer la radio, la estructura dramática por capítulos encontró un nuevo medio para desarrollarse. El hecho de que la radio naciera como un medio eminentemente comercial [2], trajo como consecuencia el *matrimonio* entre la estructura dramática por capítulos y el medio radiofónico.

La estructura por capítulos facilitaba la transmisión de mensajes publicitarios. Los espacios entre un programa y otro podían ser llenados con anuncios comerciales, identificaciones de la estación o anuncios de servicio social. De esa manera la radio cumplía dos funciones: llevar entretenimiento a los hogares y publicitar productos o servicios.

Al nacer la televisión, la estructura dramática por capítulos estaba afianzada firmemente en el medio radiofónico. Su traslado al nuevo medio fue fácil, pues prácticamente toda la programación de la radio se incorporó a la televisión sin cambio alguno. Para esa época, el cine había abandonado prácticamente la filmación de *seriales* porque las películas eran más largas que antes. Sin embargo, los nuevos medios habían encontrado en la estructura por capítulos la forma de construcción dramática más adecuada a su naturaleza.

La capitulación

La capitulación –el proceso de dividir una historia en capítulos– implica estructurar la historia de manera que la fragmentación no signifique una pérdida en la fluidez de la acción. Cada capítulo debe estar interconectado con el anterior y con el siguiente. Además, cada capítulo debe poseer una estructura dramática autónoma, con establecimiento de la acción, confrontación y resolución propios, de manera que sea comprensible en sí mismo. Para lograrlo, hay que tomar en cuenta las siguientes consideraciones:

1 Todos los capítulos deben tener la misma duración
2 La frecuencia de la capitulación debe ser constante
3 Cada capítulo debe estar estructurado por actos

DURACIÓN O TIEMPO REAL DE LOS CAPÍTULOS

La duración promedio de cada capítulo varía dependiendo del medio. En la radio, las duraciones más frecuentes son de cinco, diez, quince y treinta minutos. En televisión, treinta y sesenta minutos son las duraciones más comunes. En cine, aunque son escasos los ejemplos actuales, de diez a treinta minutos es un rango de duración normal.

---

[2] Por lo menos en los Estados Unidos y Latinoamérica.

Frecuencia de los capítulos

Al igual que la duración, la frecuencia varía dependiendo del medio. Las frecuencias diarias o semanales son las más comunes. Pocas veces se encuentran ejemplos de otras frecuencias en los medios audiovisuales.

Estructura dramática de los capítulos por actos

Además de la estructura dramática por capítulos, la radio y la televisión adoptaron el concepto de estructura dramática por actos. Esta forma narrativa posee antecedentes claros en el teatro. Tradicionalmente, las obras teatrales se representan en actos correspondientes a los elementos del paradigma de estructura dramática: establecimiento de la acción, confrontación y resolución.[3] Cada acto es interrumpido por un intermedio breve que permite, en la mayoría de los casos, el cambio de escenografía en el escenario.

La naturaleza comercial de la radio y la televisión aprovechó este tipo de estructura para facilitar la transmisión de anuncios. Además de dividir en capítulos una historia, cada capítulo se puede dividir en segmentos de acción más pequeños. Entre un segmento y otro se pueden transmitir los anuncios.

La estructura dramática por actos se construye tomando en cuenta las escenas claves del paradigma de estructura dramática: premisa básica, punto de confrontación, punto intermedio y punto de resolución. Estas escenas determinan el momento en que la acción cambia y el momento conveniente para hacer un corte comercial.

La estructura dramática por actos tiene implicaciones importantes. El tiempo real de cada capítulo se reduce por los cortes. Esto significa que un capítulo de media hora tiene un tiempo real de entre 20 y 24 minutos, mientras que el tiempo real de un capítulo de una hora varía entre 40 y 48 minutos. Estas consideraciones son muy importantes pues los cortes deben estar señalados en el guión.

En los guiones dramáticos de radio no es necesario señalar lo actos, en los de televisión sí deben señalarse correctamente. Por lo general, los guiones dramáticos de televisión se escriben en dos actos.

[3] Esta estructura corresponde a la del teatro clásico griego. Existen otras estructuras teatrales que dividen la obra en dos, cuatro, cinco o más actos.

PASOS PARA ESTRUCTURAR POR ACTOS UN CAPÍTULO

1 El Acto I debe abarcar desde el inicio de la acción hasta el final del punto intermedio y debe tener dos cortes: uno después de la escena del punto de confrontación y el otro después del punto intermedio.

2 La mayoría de los programas de radio y televisión comienzan con los créditos de producción. Sin embargo, en ocasiones el programa puede comenzar con un segmento de acción. Este segmento –llamado *teaser*– tiene la función de presentar al público la premisa básica de la historia. Sirve para *enganchar* al radioescucha o al televidente y evitar que cambie de estación o de canal. En estos casos, al estructurar el Acto I se debe tomar en cuenta que el *teaser* debe tener una duración máxima de un minuto y debe contener la premisa básica de la historia. El resto del acto se estructura tal como se describe en el punto anterior.

3 El Acto II debe dar comienzo después del corte del punto intermedio. Puede incluir uno o dos cortes: uno después del punto de resolución y otro (opcional) después del clímax, para el epílogo. El corte posterior a los créditos finales del programa –denominado *corte de estación*– no se incluye dentro de la estructura dramática del capítulo.

4 La duración de los segmentos entre cada corte depende del tiempo real del capítulo. En el caso de un capítulo de media hora, con tiempo real de 20 minutos, la estructura en actos y segmentos sería de la siguiente manera:

- un minuto para la escena de la premisa básica (opcional)
- un minuto para los créditos iniciales (no se escriben en el guión)
- cuatro minutos para el segmento inicial del Acto I
- cuatro minutos para segundo segmento del Acto I
- cinco minutos para el segmento inicial del Acto II
- tres minutos para el segundo segmento del Acto II
- dos minutos para el tercer segmento del Acto II (opcional)

Esta estructura se maneja de manera proporcional para capítulos con tiempo real distinto.

La estructura dramática y el cine

El cine fue el primero de los medios audiovisuales que se utilizó para contar historias. Desde la pequeña cinta de los hermanos Lumière titulada *El regador regado* (*L'arroseur arrousé*, 1896), el cine se mostró como un medio efectivo para la narrativa.

La escritura de guiones cinematográficos surgió hasta que el medio se hallaba muy desarrollado. Por su corta duración, su naturaleza *muda* y la sencillez de sus tramas, las primeras películas de ficción no requerían de un guión escrito expresamente para ser utilizado en las filmaciones. En muchas ocasiones, los cineastas o los intérpretes improvisaban la acción al momento de filmar. Incluso los elaborados filmes de Georges Méliès requerían únicamente de la memoria y la imaginación de su autor.

Conforme los filmes se fueron haciendo más largos y las historias más complejas, surgió la necesidad de ordenar los elementos narrativos de la cinematografía. Correspondió al legendario director norteamericano David W. Griffith el honor de acuñar el concepto *guión*[4] para denominar al texto escrito expresamente para la realización de un filme dramático. A partir de ese momento, la actividad del guionista adquirió legitimidad propia.

Como mencionábamos al principio de este capítulo, el trabajo del guionista dramático de cine se centra siempre en un producto audiovisual único. En este sentido, aunque existen inumerables géneros y subgéneros dentro de la cinematografía, una película es, finalmente, una película.

Con lo anterior queremos decir que la estructura dramática funciona de igual manera para cualquier género cinematográfico. Todos los filmes dramáticos poseen estructuras semejantes, por ejemplo: no existen diferencias estructurales entre una película de ciencia ficción y una comedia. Ambas comparten un *esqueleto* básico que contiene a los cuatro elementos de la estructura dramática: personajes, acciones, lugares y tiempo.

Escribir para cine posee inumerables ventajas. El cine es un medio que puede visualizar todo lo que el guionista escriba. Es un medio ideal para la acción y para el desarrollo de historias largas o complejas. Es el medio visual por excelencia, ideal para contar historias en las que las imágenes tengan una gran importancia.

Por otra parte, el cine es un medio caro. Aunque hoy en día no hay límites estrictos para la imaginación del guionista cinematográfico –tomemos como ejemplo la asombrosa recreación de los dinosaurios en el filme *Parque jurásico* (*Jurassic park*, 1993)– la *magia* del cine cuesta

---

[4] Griffith denominó al libreto cinematográfico *screenplay:* obra para la pantalla.

mucho dinero. De ahí que el cine sea el más riesgoso de los medios en términos de logro de resultados.

La estructura dramática y la radio

El drama radiofónico ha luchado por mantenerse vigente en un medio destinado desde hace más de cuarenta años a la transmisión casi exclusiva de música. Podríamos definirlo como *la representación de una historia, adaptada a la radio, donde se utiliza necesariamente el código radiofónico (voces, música, sonidos y silencios).*

Como todos los medios, la radio presenta ventajas y desventajas para el guionista. Este medio permite prácticamente todo ya que los recursos que se necesitan para producir un programa de radio son infinitamente más baratos que los utilizados en el cine y la televisión. Además, la radio posee un gran poder de penetración y sigue siendo el medio de comunicación más importante en muchas partes del mundo, especialmente en aquellas en donde no existe una infraestructura televisiva desarrollada.

La radio es un medio accesible para quien comienza su carrera como guionista. Desde un punto de vista creativo, el drama radiofónico es el tipo de programa que más depende de la habilidad del guionista. En el cine o la televisión, el producto final depende en gran medida de las habilidades del director, del productor o de los actores. En la radio, todo se sostiene en una estructura bien armada y en el buen uso del recurso material y humano que esté al alcance.

Las dificultades se localizan precisamente en este punto: el drama radiofónico exige mayor creatividad al guionista para poder mantener el interés del público. La radio es el reino de la imaginación.

Las particularidades del medio radiofónico

Escribir para radio exige al guionista un proceso de reeducación. Este proceso se entiende como el hecho de dejar de pensar en términos visuales, cuando se está acostumbrado a pensar en imágenes para cine o televisión. Hay muchas cosas que se escriben de manera sencilla en cine o televisión, pero que se complican mucho en radio. Igualmente, hay muchas cosas que se pueden hacer en radio y que serían imposibles o muy caras de hacer en los otros medios.

No se trata solamente de un proceso de traducción de un medio a otro. El guionismo radiofónico a veces implica la reestructuración completa de la idea. Como ejemplo, veamos la siguiente escena típica de un guión de cine:

EXT. - PORCHE DE UNA CASA - NOCHE

JORGE, un hombre de 50 años con aspecto juvenil, camina hacia su casa. Juega con las llaves mientras va caminando. Abre la puerta principal y entra a la casa.

INT. - SALA DE LA CASA - NOCHE

JORGE cierra la puerta, prende la luz y cuelga su saco en un perchero junto a la puerta. Se voltea y se detiene. Sentado en una silla, viéndolo, está MARCO, un tipo desaliñado y con aspecto de maleante, de unos 25 años. MARCO sostiene una pistola calibre .38 y apunta hacia JORGE.

> MARCO
> Vaya, vaya...
> Miren quién llegó.

> JORGE
> (viendo hacia la pistola)
> ¿Qué quieres?

> MARCO
> Creo que usted sabe mejor
> que yo lo que quiero...
> ¿Dónde está Sonia?

> JORGE
> ¡A ella déjala en paz!
> Mira: o te largas de una vez
> o soy capaz de...

Se detiene. Avanza furioso hacia MARCO.

> MARCO
> ¿De qué? ¿de matarme?
> ¡Hágalo si puede viejo imbécil!

CONTINUA

(CONTINUA)

JORGE se pone más furioso. Se abalanza sobre MARCO, lo tira y lo patea en el suelo.

                    JORGE
                ¡Te mataré!
            ¡Te juro que te mataré!

                    MARCO
            (riendo a pesar de los golpes)
            ¡Andele! ¡Máteme de una vez!

MARCO se levanta del suelo. Es mucho más fuerte que JORGE. Lo empuja y lo abofetea. JORGE cae en el sillón.

                    MARCO
                ¿Qué pasa?
            ¿No me va a destrozar
            con sus malditas garras?

La cara de JORGE enrojece. Se levanta y trata de caminar hacia la puerta.

                    JORGE
            ¡Maldito! ¡Te voy a...!

Antes de que pueda dar un paso más, MARCO dispara.

JORGE hace una mueca de dolor. Se toca el pecho sangrante con la mano. Cae al suelo.

MARCO sonríe con la pistola humeante aún en sus manos.

MARCO se guarda la pistola en el pantalón. JORGE está tirado en el suelo, muerto, sobre un charco de sangre. MARCO se agacha, le toma el pulso y se da cuenta de que está muerto. En ese momento su expresión cambia. Se levanta y sale corriendo, sin cerrar la puerta.

Esta escena –escrita en formato de guión de cine– no resulta confusa ni para este medio ni para la televisión. Sin embargo, si estuviera escrita para radio presentaría muchas complicaciones para la caracterización de los personajes, el lugar donde ocurre la acción y aún el hecho de quién mató a quién.

Por ejemplo, si nos cuestionamos en dónde ocurre la acción, la respuesta es obvia: en casa de Jorge. Pero si nos atenemos únicamente al audio ¿existe algo que nos indique esto? absolutamente nada. Con el audio no sabríamos distinguir si la escena sucede en una oficina o en una casa. Por lo tanto, el primer problema a resolver es hacer clara la ubicación del lugar.

Es preciso especificar también que Jorge es el dueño de la casa. De nuevo, si tomamos únicamente el audio, parecería que el dueño de la casa es Marco. Él se encuentra adentro cuando Jorge llega y su primera línea de diálogo parece reafirmar esta idea: *Vaya, vaya... ¡Miren quién llegó!*.

Marco trae una pistola y el guión lo señala. En cine o televisión el problema de la pistola no existe: la pistola se ve desde el primer momento. En radio esto debe establecerse claramente. De no ser así, la confusión es tal que parecería que Jorge fue quien mató a Marco. La última línea de diálogo la dice Jorge *¡Maldito! ¡Te voy a...!* y a continuación se oye el disparo. Durante toda la escena Jorge es quien amenaza a Marco. De nuevo, si tomamos en cuenta solamente el audio, parecería que el asesinato fue cometido por la víctima.

Este ejemplo subraya la importancia de manejar correctamente los elementos del código radiofónico. En el Capítulo 6 (La redacción del guión) explicaremos una manera de solucionar la escena anterior.

Tipos de dramas radiofónicos

Existen inumerables clasificaciones de programas dramáticos de radio. En palabras sencillas, el guionista y escritor sudamericano Mario Kaplún[5] los clasifica en tres grandes tipos:

1 Unitarios
2 Seriados
3 Novelados o Radionovelas

[5] Mario Kaplún, *Producción de programas de radio: el guión y la realización*. Quito, Editorial CIESPAL, Colección INTIYAN, 1978.

Los dramas radiofónicos unitarios se caracterizan porque la historia completa se presenta en un solo capítulo. Los personajes no tienen continuidad posterior. Si pertenecen a una serie, los capítulos se relacionan entre sí temáticamente, todos narran historias con temas parecidos, pero con personajes, acciones, lugares y tiempo distintos. Los radioteatros son un ejemplo de drama radiofónico unitario.

Los dramas radiofónicos seriados presentan, en cada capítulo, una trama independiente que puede ser comprendida sin necesidad de escuchar los capítulos anteriores o posteriores. Sin embargo, existe un grupo de personajes que son permanentes y dan continuidad a la serie. La famosa serie cubana *La tremenda corte* –que inició transmisiones en 1950 y cuyos capítulos grabados aún se retransmiten en varios países– es un ejemplo de este tipo de dramas radiofónicos.

Las radionovelas dramatizan la historia en varios capítulos, con una trama continua. Para comprender toda la historia es necesario escuchar todos los capítulos. Sin embargo, cada capítulo posee una estructura dramática particular que permite comprender el problema básico de la historia, aunque no se hayan escuchado los capítulos anteriores.

Los tres tipos de dramas radiofónicos se estructuran tomando en cuenta los principios de la capitulación y de la estructuración por actos.

La estructura dramática y la televisión

Al analizar la naturaleza de los programas dramatizados de televisión se tiende con frecuencia a compararlos con el cine. No hay nada más equivocado que tratar de encontrar en el programa televisivo a un derivado de la industria fílmica.

Si hay que buscar un antecedente directo, éste es la radio. La naturaleza de la televisión –un medio de transmisión de imágenes y sonidos– provocó que en sus primeros años fuese denominada *la radio con imágenes.*

Al nacer la televisión comercial, a mediados de los años 40, la totalidad de la programación radiofónica que había sido establecida una década antes fue transplantada íntegramente al nuevo medio. Programas musicales, infantiles, de concurso, noticiosos y dramáticos se duplicaron en versiones televisivas. En este medio, los programas creados por la radio adquirieron la dimensión visual.

El drama televisivo

Si hubo algún tipo de programa que llegó a la televisión con largos antecedentes, fue el programa dramático. Los contenidos del drama televisivo estaban claramente establecidos en la radio: intriga amorosa, comedia de situaciones, *thriller* policíaco, suspenso y aventuras. Siguiendo el ejemplo del cine, la radio había echado mano de obras literarias y teatrales de reconocido éxito para adaptarlas al medio.

La televisión copió esta fórmula al cien por ciento y le añadió una dimensión visual. El público podía ahora ver a sus personajes y actores favoritos en la intimidad de su hogar. Hasta principios de los años 60 la mayor parte de la producción televisiva se hacía en vivo. La idea de ver a distancia el evento en el momento mismo en que se estaba llevando a cabo cautivaba a los televidentes.

El gran desarrollo tecnológico del medio y su rápida difusión, fueron los factores principales para que la televisión sustituyera a la radio como el medio de entretenimiento más importante del mundo contemporáneo. El drama televisivo se considera como el más importante de los entretenimientos dentro de la programación diaria de los canales de television.

Tipos de dramas televisivos

Al igual que en el cine y la radio, la clasificación más general en cuanto al contenido de los programas dramáticos televisivos se puede establecer en géneros. Tragedia y comedia son los extremos del drama y debajo de estos dos conceptos se engloba una enorme cantidad de nombres para calificar géneros y subgéneros.

Otra manera de clasificar los programas de televisión es con base en la tecnología utilizada para su producción. Hasta 1956, cuando apareció la cinta de video, los programas televisivos se transmitían en vivo o eran filmados en película cinematográfica para luego ser transmitidos. La cinta de video permitió la grabación electrónica de imágenes y sonidos, así como su reproducción inmediata. Esto representó una gran ventaja con respecto a la película, la cual tiene que ser revelada en laboratorio para apreciar el resultado final.

La cinta de video provocó una revolución en las técnicas de realización televisiva. Por un lado, abarató enormemente los costos de producción y permitió incorporar elementos del lenguaje del cine a los estudios de televisión. Por otro, eliminó la posibilidad de errores, muy frecuentes en las transmisiones en vivo. Hoy en día, podemos clasificar a los programas de televisión en tres tipos, en cuanto a su producción:

1 Programas en vivo
2 Programas filmados (en película)
3 Programas grabados (en cinta de video)

La estructura de los programas televisivos responde a las mismas necesidades comerciales que hicieron que la radio adoptara la construcción dramática por capítulos y actos. Como la radio, la televisión nació esencialmente como un medio comercial, después, el uso le añadió las dimensiones informativa y educativa. De ahí que en lo referente a la televisión comercial, el programa más importante siga siendo el anuncio publicitario.

De acuerdo a Kaplún, podríamos clasificar a los dramas televisivos de manera similar a los dramas radiofónicos:

1 Unitarios
2 Seriados
3 Novelados o telenovelas

Sin embargo, los dramas televisivos son más variados que los radiofónicos. Una clasificación más específica incluye a los siguientes tipos de drama:

1 Series
2 Películas para televisión
3 Teleteatros
4 Telenovelas
5 *Soap operas*
6 Anuncios publicitarios
7 Videos musicales

SERIES

Las series son el derivado más directo de los *seriales* cinematográficos. Las series televisivas se pueden clasificar en dos grandes tipos:

a) Series episódicas
b) Series antológicas

Las series episódicas son las más comúnes en la televisión. Sus características distintivas son las mismas que las de los radiodramas seriados: un grupo de personajes básicos se enfrentan en cada capítulo a nuevas situaciones. Cada capítulo es una unidad dramática independiente, unida a los demás capítulos por los personajes. *Guardianes de la bahía, Papá soltero, Beverly Hills 90210* y *Murphy Brown* son ejemplos contemporáneos de este tipo de series.

Las series antológicas poseen las mismas características de los radio-dramas unitarios: son historias independientes unidas por un tema general. *Mujer: casos de la vida real, Viernes 13: la serie* y *La telaraña* son ejemplos de series antológicas.

PELÍCULAS PARA TELEVISIÓN

La película realizada especialmente para la televisión posee una estructura diferente a la película filmada para ser proyectada en una sala de cine. La primera se estructura en actos, igual que cualquier programa televisivo. Las escenas tienden a ser más variadas y más cortas, además de que el diálogo es un elemento más importante. En términos de lenguaje visual, las películas hechas para la televisión utilizan más tomas cercanas (*close ups, medium shots*) y evitan las tomas lejanas (*long shots* y otro tipo de planos panorámicos) por la limitante del tamaño de la pantalla televisiva.

Aunque la duración de una película realizada para televisión es de aproximadamente dos horas (igual que en cine), los cortes comerciales reducen su tiempo real a una hora 35 minutos, aproximadamente.

TELETEATROS

El teleteatro fue una de las primeras manifestaciones dramáticas en la televisión. Su estructura es semejante a aquella de la serie antológica: en un solo capítulo se cuenta una historia completa. La diferencia radica en que el teleteatro, como su nombre lo indica, es teatro televisado. Las acciones ocurren en pocos lugares, casi siempre grabados en estudio. La acción se ve minimizada por el diálogo y el ritmo general de la historia es más lento que en las series.

TELENOVELAS

Producto directo de la radionovela, la telenovela es la forma de drama televisivo más popular en Latinoamérica.

Como las series episódicas, la telenovela cuenta con un grupo de personajes básicos que se enfrentan a distintas situaciones en cada capítulo. A diferencia de aquellas, la telenovela cuenta una historia lineal a lo largo de varios capítulos. Las distintas situaciones de cada capítulo son variantes de una situación principal. El diálogo es sumamente importante pues es el elemento que proporciona la información relevante al televidente.

El número de capítulos de una telenovela es variable. En los primeros años de la televisión, el promedio oscilaba entre 35 y 60 capítulos de media hora. A principios de los 70, el número de capítulos comenzó a incrementarse hasta llegar a más de 650. Telenovelas como *Simplemente María* (1970), *El amor tiene cara de mujer* (1970) y *Mundo de juguete* (1973) son ejemplos de esa época.

En la década de los 80, la longitud de las telenovelas se acortó a un promedio de 130 capítulos de media hora. Si la telenovela transmite capítulos de una hora de duración, estos se contabilizan como si fueran dos. En años recientes, la tendencia en la televisión mexicana ha sido reducir el número de capítulos. En otros países predomina la telenovela larga.

La telenovela se ha convertido en un gran género que abarca diferentes temáticas. Variantes como la telenovela histórica, la policíaca, la juvenil o la musical, han surgido con el fin de atraer a distintos públicos hacia este género televisivo.

SOAP OPERAS

La *soap opera* es el género de la televisión norteamericana equivalente a la telenovela. Se denomina así porque los primeros patrocinadores comerciales de estos programas fueron los fabricantes de jabón de tocador (*soap*).

A diferencia de la telenovela, la *soap opera* no presenta una trama lineal. Los personajes se enfrentan a un sin número de situaciones a lo largo de muchos años de transmisiones. Algunas *soap operas* han llegado a durar más de 30 años de transmisiones continuas. Los personajes cambian, envejecen, se mueren y la serie continúa.

El éxito de la *soap opera* radica en que, como algunas telenovelas, son un reflejo de la vida cotidiana y de los valores sociales de la cultura que las produce. La trama cambia de acuerdo a los cambios de la vida.

Como en la telenovela, el diálogo es muy importante en la *soap opera*. Los personajes hablan de lo que hacen, de lo que hicieron y de lo que piensan hacer. De esta manera, el televidente sabe que puede dejar de ver el programa varios días; al volver a sintonizarlo los personajes continuarán hablando de lo que todavía no han hecho. En las *soap operas* y en las telenovelas, las acciones son menos significativas que la expresión de ideas, sentimientos y actitudes ante la vida.

ANUNCIOS PUBLICITARIOS

La publicidad hecha a través de los medios audiovisuales es un género que ha evolucionado enormemente desde su nacimiento. La publicidad ha creado elementos estructurales propios: los *jingles* o pequeñas canciones donde se celebran las bondades del producto anunciado son creación completa de los publicistas.

Es justo considerar al anuncio publicitario como un tipo de drama televisivo y radiofónico. De hecho, el anuncio es el tipo de drama más difícil de estructurar dramáticamente por la brevedad de su tiempo real. Más de un minuto es una eternidad para un anuncio. De ahí que los elementos del drama se deban establecer, desarrollar y resolver en el breve espacio de tiempo asignado para ello.

La consigna publicitaria de que *una imagen dice más que mil palabras* es la clave para el desarrollo del guionismo publicitario. La importancia de la imagen en los anuncios es la razón por la que la mayoría de estos no se estructuran utilizando un guión escrito. En vez de ello, los anuncios se diseñan por medio de viñetas o pequeños cuadros dibujados que muestran una secuencia de acción. A esta secuencia de imágenes se le llama *storyboard*.[6]

VIDEOS MUSICALES

Un nuevo espacio para el drama televisivo es el video musical, un producto de la televisión surgido a principios de los años 80. El video musical –también denominado *clip* musical o *videoclip*– surgió en la industria de la música grabada, como apoyo a la comercialización de discos y canciones.

Los videos musicales se consideran dramas televisivos porque, en muchas ocasiones, poseen una estructura dramática. A este respecto, los videos musicales se pueden clasificar en dos categorías:

a) Videos de concepto
b) Videos de interpretación o concierto

Los videos de concepto son los que poseen una estructura dramática. Generalmente ilustran visualmente la letra de la canción. En otras ocasiones, los videos de concepto presentan una historia desconectada o paralela a la letra de la canción.

Los videos de interpretación o concierto presentan al cantante o al grupo interpretando la canción, como si estuvieran en un escenario. No existe en ellos una estructura dramática. En algunas ocasiones, los videos musicales combinan segmentos de interpretación con otros de concepto.

---

[6] El *storyboard* es tema del Capítulo 6: La redacción del guión.

El video musical es, junto con el anuncio publicitario, el tipo de drama televisivo que más se acerca al cine. El video musical concede gran importancia a la imagen, pues el sonido ya está determinado por la pieza musical. El tiempo real de duración de un video musical depende de la duración de la música, de ahí que este tipo de drama televisivo implique un factor de dificultad elevado. Como en el anuncio publicitario, la historia completa debe contarse en un tiempo muy corto.

En la producción de videos musicales, el uso del guión escrito se sustituye por el *storyboard*. Éste es el medio más adecuado para la visualización de imágenes y acción, elementos fundamentales de los videos musicales.

La importancia del diálogo en el drama televisivo

Como se ha señalado varias veces en la clasificación de dramas televisivos, el diálogo es el motor principal de la acción dramática en televisión. Esto se debe principalmente a cuatro factores:

1 La corta duración de los capítulos provoca que la información importante tenga que ser expuesta de manera clara y concisa. En la televisión no hay mucho lugar para la acción física, ni para la inactividad silenciosa.

2 La interrupción constante de los capítulos hace necesario que la información importante sea expresada verbalmente y, de preferencia, repetida un cierto número de veces para que el televidente comprenda claramente la acción.

3 El tamaño pequeño de la pantalla televisiva es un inconveniente para las tomas panorámicas o las acciones alejadas de la cámara. Las grandes escenas sin diálogo se pierden en la pantalla del televisor.

4 A diferencia del cine, el televidente no se encuentra *cautivo* en una sala destinada especialmente para la exhibición del programa. A su alrededor existen un gran número de distractores que obligan a apartar la mirada de la pantalla. El sonido, sin embargo, se sigue escuchando aunque el televidente no vea lo que sucede en el televisor.

Es importante recordar que, a diferencia del cine, la televisión nació con sonido. En este medio, el equilibrio entre imagen y audio es lo que distingue a una buena producción televisiva. En la televisión, la fuerza de las imágenes se da siempre en función a la dimensión sonora.

Capítulo 4

LA ADAPTACIÓN

El proceso de adaptación

Existen dos fuentes principales para la creación de historias para medios audiovisuales. La primera es la imaginación del guionista y la segunda son las obras escritas por otros autores. En el primer caso, el resultado será un *guión original: aquel cuya historia y adaptación al medio son realizados totalmente por el guionista.* En el segundo, el trabajo resultará en un *guión adaptado o guión basado en otros medios: aquel cuya historia es escrita por alguien distinto a quien realiza el guión.*

En cierto modo, todo el trabajo del guionista está centrado en la adaptación. Aunque él mismo sea el autor de la historia, ésta se debe estructurar de manera distinta para cada medio audiovisual. Historias que destacan por sus elementos visuales presentan grandes dificultades al ser adaptadas para radio. Historias que utilizan el recurso del diálogo de manera extensa tienen que transformarse al ser adaptadas al cine o a la televisión.

El tiempo total de la historia (el tiempo que transcurre entre el principio y el final de ésta) es otro factor que afecta de manera importante en este proceso. Una historia cuyo tiempo total es de algunos años puede ser fácilmente adaptada para un largometraje cinematográfico[1], pero tendrá que ser escrita en capítulos para radio o televisión. Una historia cuyo tiempo total sea de un día puede funcionar de igual manera para un cor-

---

[1] El concepto de largometraje ha variado con el tiempo, actualmente se considera como largometraje a un filme con una duración superior a una hora; un mediometraje dura entre treinta minutos y una hora; finalmente un cortometraje dura entre algunos segundos y treinta minutos.

tometraje de cine que para un capítulo de radio de 10 minutos, o uno de televisión de 30 minutos.

Independientemente de las consideraciones anteriores, el trabajo de adaptar historias escritas por autores distintos al guionista tiene particularidades importantes de destacar. Hay que recordar que al realizar una adaptación *se debe pensar siempre en el medio al cual se está adaptando la historia.*

Lo anterior es la clave para entender muchas de las discusiones que existen alrededor de las adaptaciones de historias de cualquier tipo al cine, la radio o la televisión.

En muchas ocasiones se compara el producto audiovisual con la fuente original. Aunque a veces la comparación es positiva, en la mayoría de los casos el resultado es opuesto. El libro es comparado con la película, o la obra de teatro es comparada con la adaptación radiofónica y, comúnmente, la apreciación de la adaptación es negativa.

Esta práctica es injusta hacia el trabajo de adaptación, pues ninguna historia puede ser adaptada con total fidelidad a la fuente original. El principal factor que imposibilita la adaptación fiel de una historia es el tiempo. En la literatura, el escritor no tiene mayor límite que el que él mismo se imponga para terminar su obra. En los medios audiovisuales, el tiempo para contar una historia siempre es limitado. De ahí que se tengan que eliminar personajes, escenas o diálogos de la historia original. En los medios no hay tiempo suficiente para contar la historia completa.

Aún en las estructuras por capítulos, la adaptación implica eliminación. Las artes representacionales –como el teatro, la ópera y el ballet– son los únicos ejemplos, además del guionismo, en los que el tiempo es un factor limitante.

Tratar de mantenerse fiel a la fuente original puede ser motivo de dolores de cabeza para el guionista. Lo mejor es respetarlo en lo posible, pero sentirse libre para modificar cualquier aspecto de la historia que pueda crear problemas en el proceso de adaptación.

Las fuentes de la adaptación

Se consideran fuentes de la adaptación:

1 Novelas, cuentos cortos o largos, ensayos y otros ejemplos de prosa literaria.
2 Poemas, letras de canciones y otros ejemplos en verso.
3 Obras de teatro, en prosa o en verso, dialogadas o musicales.

4 Operas, ballets y otras obras no teatrales escritas para ser interpretadas en escena.
5 Notas, artículos, reportajes y ensayos periodísticos.
6 Historietas (*comics*) y fotonovelas.
7 Guiones.
8 Premisas o personajes tomados de películas, series radiofónicas o televisivas.

Cada una de estas fuentes presenta diversos grados de dificultad para ser adaptadas a los medios audiovisuales.

NOVELAS, CUENTOS CORTOS O LARGOS, ENSAYOS
Y OTROS EJEMPLOS DE PROSA LITERARIA

La prosa literaria es, junto con el teatro, la fuente más antigua de inspiración para la adaptación. Como en el caso de las historias originales, un factor importante a considerar es el tiempo total de la historia que se va a adaptar. Historias como *Lo que el viento se llevó* de Margaret Mitchell, o *La guerra y la paz* de León Tolstoi, tienen en común un tiempo total de varios años. Estas historias sólo pueden ser adaptadas con fidelidad en películas muy largas o en series radiofónicas o televisivas de varios capítulos de duración. Los cuentos son más adecuados para cortometrajes o series cortas, aunque alguno de ellos puede extenderse y ser material para un guión largo.

Otro factor importante radica en el estilo literario de la obra que se piensa adaptar. Novelas como *Ulises* de James Joyce, o la obra completa de Gabriel García Márquez, presentan grandes dificultades cuando son trasladadas al guión por el estilo particular con el que fueron escritas.

En el caso de *Ulises*, Joyce utilizó un estilo narrativo denominado *corriente de conciencia* que implica, entre otras cosas, el libre fluir de los pensamientos del personaje. Este estilo es muy poco visual, algo indispensable para el cine y la televisión. García Márquez es muy visual en su narrativa, pero sus imágenes –consideradas como pertenecientes al realismo mágico– ofrecen una particular resistencia a ser materializadas. Cuando son vistas en cine o televisión, estas imágenes pierden con frecuencia la fuerza que poseían en la novela o el cuento.

En general, entre más descripción de personajes, acciones y lugares tenga la obra literaria, mayor facilidad tendrá el guionista para adaptarla a guión.

POEMAS, LETRAS DE CANCIONES Y OTROS EJEMPLOS EN VERSO

La adaptación de poemas y canciones sólo representa problema si se pretende ser fiel a la estructura original en verso. En caso de que el poema o canción cuenten una historia, la adaptación no presenta ninguna diferencia con la adaptación de la literatura en prosa.

OBRAS DE TEATRO, EN PROSA O EN VERSO, DIALOGADAS O MUSICALES

El teatro es la fuente de adaptación que más se acerca a las características del guión. Ambos comparten una estructura dramática, ambos tienen a la escena como unidad narrativa y ambos tienen un tiempo limitado para contar la historia completa.

Quizá la mayor diferencia que existe entre el libreto teatral y el guión sea el mayor número de escenas posible en el segundo. El teatro está limitado en la cantidad de escenas que puede presentar por los inconvenientes físicos del cambio de escenografías y decorados. Los medios audiovisuales tienen la posibilidad de cambiar de escena en un instante, sin que esto represente mayor problema. Además, los medios audiovisuales pueden presentar lugares reales, mientras que el teatro está limitado a lo que se construye en el escenario.

El traslado de una obra teatral a cine, radio o televisión implica, por lo general, un proceso de *apertura* del material original. En los medios audiovisuales es posible mostrar escenas que en la obra teatral sólo son sugeridas mediante el diálogo. Este proceso puede llegar al caso de que en la versión para medios audiovisuales existan más escenas nuevas que originales.

ÓPERAS, BALLETS Y OTRAS OBRAS NO TEATRALES
ESCRITAS PARA SER INTERPRETADAS EN ESCENA

De modo semejante al teatro, las óperas, ballets y otros tipos de obras representacionales poseen grandes similitudes con el guión. Sin embargo, como los poemas o canciones, la adaptación de este tipo de obras puede presentar dificultades si se quiere ser fiel a la estructura original. Esto no quiere decir que sea imposible adaptar un ópera o ballet a los medios audiovisuales: el ejemplo de *Carmen* de Carlos Saura (1983) es prueba de lo contrario. Lo única que hay que tomar en cuenta es que la fidelidad es más difícil de lograr.

Notas, artículos, reportajes y ensayos periodísticos

Otra fuente para la adaptación es el trabajo periodístico. La adaptación de este tipo de material al guionismo dramático implica, por lo general, un trabajo de construcción muy parecido a la creación de una historia original. Como el periodismo trata con la realidad, la dramatización convierte al material original en ficción.

Las posibilidades son múltiples y existen muchos ejemplos. El guión de la película *Fiebre de sábado por la noche* (*Saturday night fever*, 1977) fue escrito a partir de un artículo periodístico. Muchas de las dramatizaciones del programa televisivo *Mujer: casos de la vida real* son, como el título lo indica, inspiradas en casos reales, muchos de ellos publicados en la prensa.

Historietas (*comics*) y fotonovelas

El manejo de la estructura dramática de las historietas y fotonovelas es muy semejante al de los medios audiovisuales. En la historieta y la fotonovela, al igual que en el cine y la televisión, la imagen es un elemento primordial. Los elementos gráficos breves para indicar sonidos se manejan en las historietas de igual manera que en la radio. La brevedad de los diálogos y el uso de otros recursos del lenguaje audiovisual como la edición, los ángulos visuales y el aparente movimiento de la acción, hacen de las historietas y fotonovelas un modo de expresión intermedio entre la palabra y la imagen.

Las historietas y fotonovelas son otra fuente de adaptación para el guionista. Las telenovelas mexicanas basadas en las historietas de Yolanda Vargas Dulché y Guillermo de la Parra, o los filmes inspirados en *comics* norteamericanos son un ejemplo de ello. Su estructura fragmentada los hace ideales para la adaptación a capítulos. Su narrativa esencialmente visual los convierte en una de las fuentes de adaptación más flexibles para el trabajo del guionista.

Guiones

Aunque parezca extraño, los guiones pueden servir como fuente para la adaptación. La ventaja de adaptar un guión ya escrito radica en la duración –considerablemente más corta– del proceso. Como el guión ya está estructurado para un medio audiovisual, el factor tiempo ya está tomado en cuenta de antemano.

Quizás la mayor dificultad radique en el cambio de medio. Por lo general, la adaptación a cine o televisión de una historia escrita originalmente para radio es un proceso que implica notables modificaciones estructurales. Lo mismo se puede decir del proceso inverso (la adaptación a radio de un guión de cine o televisión).

En el cine, no es raro encontrar ejemplos de adaptaciones de otros guiones. El guión de la película *Perfume de mujer* (*Scent of a woman*, 1992), fue adaptado del guión de la película italiana *Profumo di donna* (1975). El guión de *Atracción fatal* (*Fatal attraction*, 1987), escrito por Adrian Lyne, está basado en otro guión del mismo título escrito por Lyne varios años antes.

En las telenovelas mexicanas esta práctica es ya antigua. La telenovela *Corazón salvaje* ha sido objeto de tres versiones distintas (1967, 1974 y 1993), además de las correspondientes a cine y a radio. Otras telenovelas han tomado, en mayor o menor proporción, personajes y situaciones de otras telenovelas: *María Mercedes* (1992) de *Rina* (1978) y *Principessa* (1985) de *El amor tiene cara de mujer* (1970), por mencionar sólo algunas.

PREMISAS O PERSONAJES TOMADOS DE PELÍCULAS, SERIES RADIOFÓNICAS O TELEVISIVAS

No es raro que los medios audiovisuales se *alimenten* de sí mismos para sobrevivir. Este aparente canibalismo ha existido desde los primeros días del cine, la radio y la televisión. La fórmula es sencilla: cuando una película o un programa tienen éxito, los personajes y su historia se convierten en una inversión segura para siempre.

La década de los 90 es vista por muchos analistas de los medios como una época en la que este auto-consumo se ha agudizado. Se habla de agotamiento de las fórmulas y escasez de creatividad. Se dice que quienes producen para los medios audiovisuales repiten lo que vieron y escucharon durante su infancia. Nostalgias aparte, lo cierto es que cada vez es más común la práctica de escribir guiones basados en premisas o personajes tomados de películas, series radiofónicas o televisivas del pasado.

Esta práctica no implica modificar un guión previamente escrito, sino que los personajes y la premisa básica de su historia se toman como pretexto para escribir nuevas situaciones para personajes ya familiares. El cine norteamericano de los años 90 está plagado de ejemplos: *La familia Addams* (*The Addams family*, 1992), *Los Picapiedra* (*The Flinstones*, 1994), *El fugitivo* (*The fugitive*, 1993) y las seis películas de *Viaje a las estrellas* están inspiradas en personajes e historias de la televisión de los años 60. A la inversa, algunas películas se han convertido en series de televisión: *Un equipo muy especial* (*A league of their own*, 1992) y *Casada con la mafia* (*Married to the mob*, 1988), son dos ejemplos.

A menor escala, en México también se ha practicado esta modalidad. La serie de televisión *Nosotros los Gómez* (1981-1987) tuvo como premisa a dos personajes creados para las películas *Nosotros los pobres* (1947), *Ustedes los ricos* (1948) y *Pepe el toro* (1952).

Ventajas y desventajas de la adaptación

La adaptación a guión de historias escritas para otros medios es un proceso que tiene ventajas considerables:

1 El guionista no tiene que preocuparse por crear la historia. Los personajes y la acción dramática ya están establecidos.
2 Es más sencillo eliminar que añadir. Normalmente, el proceso de adaptación implica la eliminación de diversos elementos de la historia original (personajes, diálogos, escenas, etcétera).
3 Al no tener que escribir la historia, el guionista puede concentrarse en los recursos que le ofrece el medio para el cual la está adaptando.
4 El guionista tiene la posibilidad de *abrir* el material original para crear escenas, situaciones o personajes que no existían en la historia.

Por otra parte, la adaptación puede presentar las siguientes desventajas:

1 La *sombra* del autor original puede ser difícil de sobrellevar. Si el autor o la obra originales tienen un gran prestigio, esto puede representar una presión al trabajo del guionista.
2 La historia puede ser, en sí misma, difícil de adaptar. Hay que recordar que los medios audiovisuales poseen limitantes importantes (tiempo, importancia de la imagen, importancia de la acción, etcétera). Estos elementos hay que tomarlos en cuenta antes de adaptar una historia.
3 Las decisiones que tome el guionista con respecto a la eliminación o adición de personajes, diálogos o escenas, tienen que evaluarse con respecto a su impacto dentro de la estructura dramática de la historia. Toda modificación provocará un reajuste de la estructura original.

Ejercicio 6

La adaptación

Con base en una historieta o fotonovela, realiza el siguiente ejercicio:

1 Después de haberla leído, diagrama los paradigmas de personaje, asunto y estructura dramática de la historia.
2 Determina al menos un cambio en los elementos básicos de la estructura dramática original (personajes, lugares, acciones o tiempo).
3 Escribe la historia completa, con las modificaciones que decidiste, sin consultar la fuente original. Haz énfasis en la descripción de personajes, lugares y acciones.
4 Escribe un reporte breve en el que evalúes el ejercicio. ¿Cuál fue la mayor dificultad que encontraste al adaptar la historia? ¿Qué elementos en común tienen la historia original y la historia que escribiste? ¿Qué elementos son distintos?

Capítulo 5

LA REDACCIÓN DE LA HISTORIA

El método

HASTA ESTE CAPÍTULO hemos analizado los elementos y variantes de las estructuras dramáticas para medios audiovisuales. Es hora de dar el siguiente paso y comenzar a escribir historias.

Para todas las actividades del quehacer humano existen métodos. Un método es una serie de pasos a seguir con el fin de lograr un resultado final. En cierta medida, los métodos son como los guiones: son estrategias de acción que persiguen la realización de un objetivo.

El método que proponemos en este libro no es, ni pretende ser, el único método para escribir guiones dramáticos. Es, ante todo, la conjunción de varias estrategias propuestas por quienes practican esta actividad. El objetivo del método es hacer que cualquier persona que se acerque por primera vez al guionismo pueda redactar un guión de manera profesional, en un tiempo corto. La garantía la encontramos en todos los guionistas que han sido entrenados en este oficio siguiendo tal método.

La mayoría de los ejemplos que se presentan a partir de este capítulo fueron redactados por alumnos que tuvieron su primera experiencia como guionistas en el salón de clases. En muchos casos, sus guiones fueron producidos en cine, radio o televisión. Todos son guiones con calidad profesional y todos fueron escritos en un período menor a cuatro meses. Estas experiencias nos demuestran que el método funciona.

El método consta de los siguientes pasos:

1 Determinar el personaje principal y el asunto de la historia.
2 Redactar la propuesta.

3 Redactar un análisis completo del personaje principal.
4 Redactar la sinopsis de la historia.
5 Redactar el tratamiento de la historia.
6 Dividir la historia en escenas.
7 Redactar el guión.

El método se aplica de igual forma a guiones originales que a guiones adaptados. No limita la creatividad, sino que la encauza hacia un objetivo preciso: escribir un guión con calidad profesional. Este es el reto que debe tener en mente todo guionista.

Determinar el personaje principal y el asunto de la historia

Una vez que se tiene la determinación de escribir un guión, lo más difícil es definir con exactitud qué escribir.

Por lo general se piensa que una idea, o una cierta imagen en la mente son suficientes para darnos una historia completa. Las siguientes premisas son algunos ejemplos:

- *Es una historia de amor entre dos adolescentes.*
- *Son las aventuras de un niño que es muy inteligente.*
- *Es la historia de una maleta que se pierde en un aeropuerto.*
- *Es una historia sobre el bien y el mal.*
- *Comienza en una fiesta de halloween...la historia viene luego.*

Ninguna de estas ideas funciona a la hora de proponer una historia para un guión, porque una idea es sólo una idea. Para convertir una idea en una buena historia es necesario dramatizarla y expandirla para que diga realmente lo que se quiere expresar.

Durante esta etapa de la creación dramática es posible que surja la duda sobre qué se debe crear primero: los personajes, las acciones, los lugares o el tiempo. Cuando se analiza una historia ya escrita salta a la vista que todos estos elementos son inseparables y se determinan unos a otros. Sin embargo, al crear una historia no se puede empezar por las acciones, ni por los lugares, ni por el tiempo. Se debe empezar creando al personaje principal.

El personaje principal es el protagonista de la historia. Él o ella es quien tiene una necesidad que satisfacer, realiza las acciones encaminadas a resolver esta necesidad, en los lugares y tiempo determinados por el autor de la historia.

El primer paso para escribir un guión es *crear a un personaje que tiene una determinada necesidad y que realiza ciertas acciones –físicas y/o emocionales– para resolverla*. En términos de estructura dramática, este primer paso implica determinar el paradigma de asunto de la historia.

En esta etapa los detalles no son necesarios; estos irán surgiendo conforme se avance en el proceso de construcción de la historia. Lo importante en esta etapa es definir de qué se va a tratar la historia.

¿Se va a tratar de un niño que quiere ser grande y que le pide a una *máquina de deseos* que le cumpla su sueño?, como en *Quisiera ser grande* (*Big*, 1988).

¿O de un par de amigas que durante un viaje matan a un hombre y deciden huir para no entregarse a la policía?, como en *Un final inesperado* (*Thelma & Louise*, 1991).

¿O de un extraterrestre que es abandonado en la Tierra durante un viaje de expedición y que tiene que encontrar la manera de regresar a casa?, como en *E. T. – El extraterrestre* (*E. T. – The extraterrestrial*, 1982).

¿O de una telefonista, bailarina ocasional de danzón, que tiene que ir a Veracruz a buscar a su compañero de baile que desapareció misteriosamente?, como en *Danzón* (1991).

De cualquier manera, el tema debe ser propuesto en términos del paradigma de asunto.

Pasos para determinar el personaje principal y el asunto de una historia

1 Elige tu idea y escríbela en tres o cuatro oraciones, de acuerdo al paradigma de asunto.

2 Determinar quién será el personaje principal no debe causarte mayor problema. Aplica el paradigma de personaje al momento de establecer sus elementos esenciales de personalidad.

3 Para determinar la necesidad del personaje recuerda que, con frecuencia, las historias tratan sobre un personaje en conflicto. La necesidad se expresa en términos de la resolución del conflicto.

4 En ocasiones, puedes encontrar dificultades para definir con exactitud la acción principal del personaje. Esto sucede con frecuencia en historias en donde las acciones son de carácter emocional o intelectual, o bien, cuando las acciones son múltiples o complejas. En estos casos, es recomendable sustituir la determinación de la acción principal con la consecuencia de esta acción. Por ejemplo:

> La necesidad principal de mi personaje es descubrir
> si dentro de los sueños uno es capaz de soñar...[1]

Las acciones que puede realizar el personaje son inumerables. Una opción recomendable es establecer la consecuencia de las posibles acciones:

> ...mi personaje termina confundiendo la realidad con los sueños.

5 Es recomendable escribir por separado lo que va a hacer el personaje, siempre en términos de acción o de las consecuencias de la acción. Evita los detalles y se lo más general que puedas. Este proceso puede tomarte dos o tres páginas.
6 Una vez hecho lo anterior, hay que reducir la idea a unos cuantos párrafos y después a unas cuantas oraciones. Léela, revísala y si no estás a gusto escríbela de nuevo cuantas veces sean necesarias.
7 Recuerda que lo importante es que tu idea se exprese claramente en términos del paradigma de asunto. El objetivo de esta etapa es responder a la pregunta: *¿De qué se trata la historia?*

DETERMINAR EL PERSONAJE PRINCIPAL Y EL ASUNTO DE UNA HISTORIA ADAPTADA

Al determinar el personaje principal y el asunto de una historia adaptada, el guionista posee más elementos de información que al escribir una historia original. Si el guión va a ser adaptado, éste es el momento adecuado para tomar decisiones sobre las posibles modificaciones de la historia. La idea es facilitar la adaptación al medio.

En esta etapa, el guionista que adapta una historia puede modificar a los personajes, las acciones, los lugares o el tiempo de la historia original. Hacer estos cambios en la primera etapa permite tener más control sobre la construcción dramática de la historia en las etapas siguientes.

La propuesta

El guión dramático es una herramienta para la realización de un producto final: una película, un programa de radio o un programa de televisión. En este sentido, la redacción del guión es un paso importante, pero no el

[1] Historia propuesta por Manuel Ernesto Vega, en febrero de 1991. Citada con permiso del autor.

único. La materialización de las palabras escritas por el guionista depende de muchos factores.

A menos de que el guionista sea también el responsable de la producción o de la realización del filme o programa, siempre habrá una o varias personas a las que hay que convencer de la viabilidad de la historia.

Los procedimientos varían dependiendo del medio y del tipo de relación entre el guionista y los responsables de la producción. En ocasiones el guionista realiza su trabajo y luego lo propone a quienes pueden producirlo. En otras, es contratado para desarrollar una historia a partir de una idea previamente generada. Algunas veces, el guionista trabaja para modificar algo que ya está escrito, en otras, debe transformar algunos elementos de la historia en plena producción de la misma.

En todos estos casos, el guionista tiene que redactar una propuesta. *La función principal de ésta es lograr que quien la lea visualice la historia completa, a partir de unas cuantas palabras.*

Es claro que el objetivo principal de una propuesta es vender la idea a quienes pueden producirla. En este sentido, una propuesta clara –que explique en pocas palabras el asunto principal de la historia– tiene asegurada, por lo menos, la atención de quienes tienen el poder de decisión en la producción de los medios audiovisuales.

Generalmente, a quien debe convencer la propuesta es al productor, él es la figura más importante dentro de los medios audiovisuales en términos de poder. Ya sea en cine, radio o televisión, el productor es quien decide qué, cuándo, cómo y dónde llevar a cabo un proyecto.[2]

En cine y en televisión, la propuesta debe convencer también al director, él es el responsable de visualizar el guión. Si el director está convencido de las posibilidades dramáticas de la historia propuesta, el guionista ha ganado un aliado en su labor.

Finalmente, el principal convencido debe ser el guionista. Si la propuesta funciona con él en términos de claridad, debe funcionar con el resto de la gente. Si al leer la propuesta el guionista visualiza la historia completa, la propuesta debe tener éxito.

---

[2] Los guionistas de Hollywood tienen un término muy particular para la propuesta de una historia: *pitching*. Como en el beisbol, los guionistas tienen que *lanzar* la historia para que alguien –generalmente el futuro productor– la reciba. El proceso de vender la idea de una historia ha llegado a ser tan sofisticado que incluso existen libros sobre cómo convencer a un productor para que acepte una historia. Algunos guionistas incluso *lanzan* la propuesta con técnicas novedosas: un video actuado donde se presentan los elementos básicos del paradigma de asunto de la historia.

Ejercicio 7

La propuesta

Este es el primer ejercicio que tiene como objetivo final la redacción de un guión dramático:

1 Consulta el ejercicio 4 (el paradigma de asunto) y utilízalo como modelo para determinar el asunto principal de tu historia.
2 Redacta tu propuesta en una sola oración que contenga los tres elementos del paradigma de asunto: personaje, necesidad, acción física y/o emocional, o consecuencias de la acción.
3 Para la presentación:

   a) Primero escribe el título de tu historia, al centro de la página, subrayado y entre comillas. Puede que no sea el título definitivo, pero tener un título ayuda a identificar el proyecto.
   b) En el siguiente renglón, también al centro, escribe:

   guión original de y tu nombre, si la historia es original, o *guión de*, tu nombre, *basado en*, el nombre de la historia original, *de* y el nombre del autor original.

   c) Deja dos espacios y, en un sólo párrafo, redacta la propuesta. El modelo de redacción debe ser parecido al siguiente:

   Es la historia de (nombre y breve descripción del personaje), *que para lograr* (su necesidad), *tiene que* (acciones que realiza).

   d) Deja dos espacios y utiliza un renglón para describir brevemente el medio para el cuál propones la historia (cine, radio o televisión) y el tiempo real aproximado de la misma (en minutos).

4 Listo. Este es el primer paso en el proceso de escribir guiones.

EJEMPLO

Propuesta para guión dramático de una historia original[3]

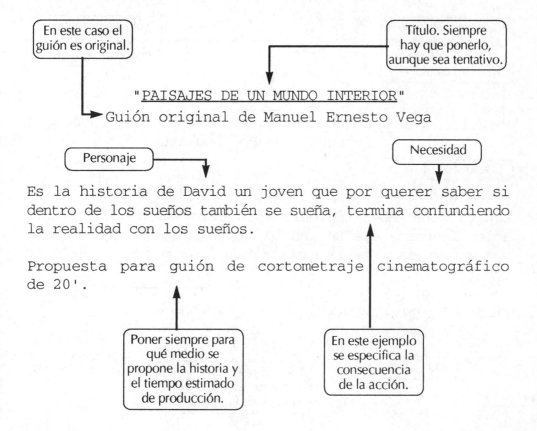

En este caso el guión es original.

Título. Siempre hay que ponerlo, aunque sea tentativo.

"PAISAJES DE UN MUNDO INTERIOR"
Guión original de Manuel Ernesto Vega

Personaje

Necesidad

Es la historia de David un joven que por querer saber si dentro de los sueños también se sueña, termina confundiendo la realidad con los sueños.

Propuesta para guión de cortometraje cinematográfico de 20'.

Poner siempre para qué medio se propone la historia y el tiempo estimado de producción.

En este ejemplo se especifica la consecuencia de la acción.

---

[3] Propuesta redactada por Manuel Ernesto Vega, en febrero de 1990. Citada con permiso del autor.

EJEMPLO

Propuesta para guión dramático de una historia adaptada[4]

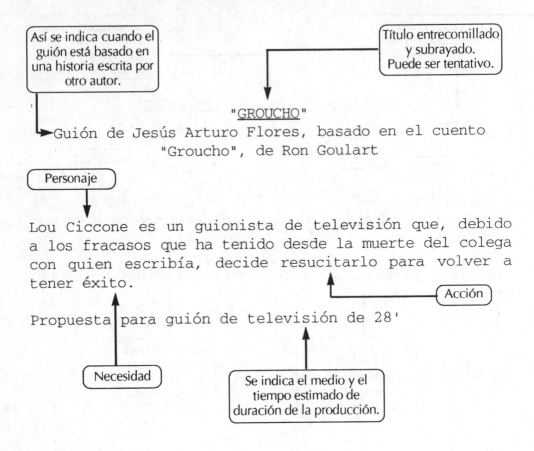

> Así se indica cuando el guión está basado en una historia escrita por otro autor.

> Título entrecomillado y subrayado. Puede ser tentativo.

"GROUCHO"

Guión de Jesús Arturo Flores, basado en el cuento "Groucho", de Ron Goulart

> Personaje

Lou Ciccone es un guionista de televisión que, debido a los fracasos que ha tenido desde la muerte del colega con quien escribía, decide resucitarlo para volver a tener éxito.

> Acción

Propuesta para guión de televisión de 28'

> Necesidad

> Se indica el medio y el tiempo estimado de duración de la producción.

[4] Propuesta redactada por Jesús Arturo Flores, en febrero de 1989. Citada con permiso del autor.

El análisis del personaje principal

Después de determinar el personaje principal y el asunto de la historia, el siguiente paso dentro del proceso creativo es realizar un análisis exhaustivo del personaje principal. Para realizarlo es útil recordar los elementos que integran el paradigma de personaje de Field: vida interior y vida exterior.

ESQUEMA

Paradigma de personaje

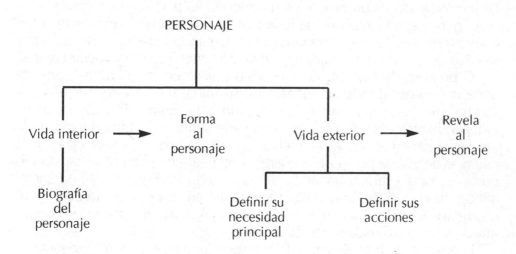

La vida interior es la que forma al personaje. Está determinada por su biografía, por lo que ha vivido hasta el momento en que comienza la historia.

La vida exterior es la que revela al personaje. Está determinada por lo que vive el personaje a partir del comienzo de la historia, por su necesidad principal y por las acciones que emprenda para satisfacerla.

El paradigma de personaje establece que todo personaje tiene, al comienzo de la historia, una vida previa que se verá modificada por los acontecimientos de la historia.

La metodología para la creación de personajes propuesta por Linda Seger (1990) es otra herramienta útil para el trabajo del guionista en esta etapa. Los pasos del método de Seger son los siguientes:

1 Determinación del personaje principal.
2 Investigación sobre el personaje.
3 Definición del carácter del personaje.
4 Creación del contexto biográfico.
5 Comprensión profunda del carácter del personaje.
6 Creación de las relaciones entre el personaje y otros personajes.

El primer paso –la determinación del personaje principal– ya ha sido explicado anteriormente en este mismo capítulo. A continuación procederemos a ampliar la información sobre los siguientes pasos.

Investigación sobre el personaje

La investigación es un proceso muy importante para la creación de cualquier personaje. La mayoría de las veces, escribir significa internarse en un nuevo territorio. La experiencia creativa demanda investigación para estar seguros de que los personajes y el contexto tienen sentido y *suenan* reales.

El proceso de investigación es visto por algunos guionistas como la parte más divertida y emocionante de su trabajo. Para otros, es una pesadilla que hace más difícil la creación o la adaptación de historias. Independientemente de ello, es importante subrayar la importancia de la investigación en el proceso creativo. Lo que hay de cada personaje en el guión es apenas *la punta del iceberg*: es un pequeño porcentaje de todo lo que el guionista sabe sobre él. El guionista debe estar consciente de que el trabajo de investigación que realice resultará en una mayor riqueza y profundidad de sus personajes, aún cuando mucha de esta información nunca aparezca directamente en el guión.

El proceso de investigación debe responder a las siguientes preguntas:

- ¿Qué necesito saber sobre el contexto de mis personajes?
- ¿Conozco su cultura?
- ¿Conozco los valores, creencias y actitudes que son parte de su cultura?
- ¿He conocido, hablado y pasado tiempo con gente de esa cultura?
- ¿Comprendo las similitudes y diferencias entre su cultura y la mía?
- ¿He pasado el tiempo suficiente con gente distinta como para no crear estereotipos?
- ¿No hago la definición de mis personajes con base en una o dos pláticas?
- ¿Estoy familiarizado con la ocupación de mis personajes?
- ¿Tengo una idea clara de lo que esa labor significa para ellos?

- ¿Comprendo cómo se sienten haciendo lo que hacen?
- ¿Conozco su vocabulario lo suficiente como para sentirme cómodo al escribir sus diálogos?
- ¿Conozco dónde viven mis personajes?
- ¿Conozco la experiencia de vivir en ese lugar?
- ¿Tengo idea del clima, las actividades, los sonidos, olores y ritmos de ese lugar?
- ¿Comprendo que ese lugar es distinto al mío?
- ¿Comprendo el efecto que tiene ese lugar sobre mis personajes?
- Si mi historia está ubicada en otra época ¿conozco los suficientes detalles históricos sobre ese periodo en términos de lenguaje, condiciones de vida, vestimenta, relaciones, actitudes, valores y creencias?
- Al investigar a mis personajes ¿he solicitado ayuda de gente conocedora de los temas que están en mi historia?

Definición del carácter del personaje

La definición de un personaje es un proceso que involucra la observación, el cuestionamiento, el recordar experiencias propias y el inventar otras. El carácter está compuesto de consistencias, pero también de paradojas: hay detalles del carácter de una persona que se salen de la lógica atribuida a su comportamiento. De ahí la riqueza de un carácter, que siempre debe ser tridimensional, nunca *plano*.

Ya sea que el personaje esté inspirado en alguien que conoces, en alguien que observes, o en ti, el primer paso es atribuirle al personaje características generales. Hay etapas para crear personajes, aunque no necesariamente en orden:

1 Tener la primera idea a través de la observación o la experiencia.
2 Crear los primeros rasgos generales de personalidad.
3 Encontrar el punto central del carácter del personaje para crear las consistencias.
4 Encontrar los detalles de carácter que se salen de las consistencias, para crear las paradojas.
5 Añadir emociones, actitudes y valores para redondear su personalidad.
6 Añadir detalles que hagan al personaje un ser único y específico.

Mucho del material que utilizan los guionistas para crear personajes proviene de la observación. Esta habilidad está al alcance de todas las personas, aunque muchas veces no hagamos uso de ella. A través de la observación podemos formarnos una idea de las características generales de nuestros personajes. Una observación cuidadosa nos puede llevar a los pequeños detalles que hacen única a la persona.

Las experiencias personales también son una fuente de información valiosa para construir la personalidad de un ser ficticio. En cierta medida, el personaje que se crea debe ser consistente con lo que uno conoce. De ahí que nadie sepa más que uno mismo sobre el personaje que uno está creando.

En resumen, la creación de un personaje implica la formación de un ser único:

1 A través de la observación y la experiencia se comienza a vislumbrar la idea de un personaje.
2 Los primeros rasgos generales comienzan a definir el carácter del personaje.
3 El guionista define las consistencias del carácter del personaje, para que éste adquiera sentido.
4 Al añadir detalles y paradojas de carácter, el personaje adquiere una dimensión única.
5 Las emociones, actitudes y valores profundizan el carácter del personaje.
6 Los detalles finales hacen del personaje un ser único y especial.

Creación del contexto biográfico

Cuando nos encontramos por primera vez con alguien, la curiosidad inicial nos mueve a tratar de averiguar el pasado de la persona. ¿De dónde es? ¿por qué se mudó a esta ciudad? ¿por qué decidió tomar ese trabajo? ¿en qué ha trabajado? ¿cuándo se casó? ¿dónde estudió?

Somos curiosos en cuanto al pasado porque sabemos que detrás de cada decisión se esconde una historia que puede ser interesante. El estado actual de una persona es resultado de decisiones y eventos ocurridos en el pasado. Las decisiones que ha tomado determinarán las que tome en el presente y en el futuro.

Una biografía de un personaje debe incluir la siguiente información:

1 Fisiológica: edad, sexo, apariencia, defectos físicos, cuestiones hereditarias.
2 Sociológica: clase social, ocupación, educación, vida familiar, religión, posturas políticas, actividades rutinarias, diversiones.

3 Psicológica: ambiciones, frustraciones, rechazos, temperamento, vida sexual, actitudes ante la vida, complejos, habilidades, coeficiente intelectual, valores y estándares morales.

Un aspecto esencial en la creación de la biografía de un personaje es evitar perderse en detalles que pueden ser intrascendentes. Frank Pierson, autor del guión de la película *Tarde de perros* (*Dog day afternoon*, 1975) señala que:

lo que el guionista necesita saber sobre los personajes es lo que los actores necesitan saber para interpretar su papel. Lo más importante es la memoria sensorial. No es tanto lo que les pasó, sino como se sienten con respecto a ello. Es necesario mostrar esas emociones, porque son lo que un personaje trae consigo a la escena. [5]

Al desarrollar la biografía de tus personajes tienes que preguntarte:

- Mi trabajo con la biografía ¿es un proceso de descubrimiento?
- ¿Tengo el cuidado de dejar que la biografía fluya, más que imponer hechos irrelevantes?
- Los hechos que introduzco en la biografía ¿son consistentes con el personaje que he creado?
- ¿He tratado de reducir la información de manera que en una sola oración diga lo más posible?
- Los eventos de la biografía ¿afectan la necesidad y las acciones presentes del personaje?

Comprensión profunda del carácter del personaje

Algo que es muy importante dejar en claro es que no es necesario ser psicólogo para comprender lo que mueve y motiva a un personaje. Así como la construcción de un personaje requiere definir su físico y su conducta, también es importante comprender el motor interno del personaje: su psicología.

La gente es algo más que un sistema. Existen ciertos patrones consistentes de conducta y actitudes que están gobernados por la psicología de cada persona. Comprender que la gente es igual en términos de ciertas necesidades básicas, y diferente en términos de cómo responden a la vida,

---

[5] Frank Pierson, citado en Linda Seger, *Creating unforgettable characters*. New York, Henry Holt and Company, 1990, p.49.

puede ser una clave para crear personajes más *redondos*, con rasgos interesantes tanto en su vida interior como en su vida exterior.

El carácter de un personaje está definido por varios aspectos:

1 Su biografía o vida interior: eventos pasados, circunstancias externas o rasgos heredados de personalidad.
2 El inconsciente: elementos que han impreso una huella en su carácter, aunque no se recuerden conscientemente.
3 Las diferencias de personalidad: la manera individual de experimentar la vida.
4 Las anormalidades: los pequeños rasgos patológicos de la conducta que son visibles en todas las personas.[6]

Al conocer las fuerzas internas del carácter, es posible crear personajes más comprensibles y fuertes. Para ello hay que preguntarse:

- ¿Qué incidentes traumáticos del pasado de mi personaje afectan su conducta actual?
- ¿Existen influencias positivas o negativas del pasado que pudieran tener efecto en el presente?
- ¿Qué fuerzas inconscientes influyen en el carácter de mi personaje?
- ¿Qué tipo de personajes he creado como protagonistas, antagonistas e incidentales?
- ¿Estoy obteniendo contraste y conflicto de las relaciones entre estos personajes?
- ¿No estaré haciendo a mis personajes demasiado buenos o malos, demasiado simples, demasiado normales o blandos?
- ¿Hay algo un poco anormal en ellos?
- Esas pequeñas anormalidades ¿son sólo detalles para enriquecer el carácter de mis personajes o son muestra de conductas patológicas?
- Si las anormalidades son sobresalientes ¿es eso lo que deseo?
- ¿Qué tipo de conflicto provocan estas anormalidades?

---

[6] Linda Seger (1990) señala los siguientes tipos de anormalidades de la personalidad: extrovertidas (manía, paranoia y psicopatología) e introvertidas (depresión, esquizofrenia y ansiedad neurótica).

Creación de las relaciones entre el personaje y otros personajes

Es muy raro que los personajes existan solos. Generalmente existen en un contexto de relaciones con otros personajes. La mayoría de las historias se centran en la interacción entre los personajes. En muchas historias, la dinámica entre los personajes puede ser tan importante como el carácter individual de los mismos.

Las historias que se basan en la relación entre personajes enfatizan la *química* que existe entre ellos. Cada personaje se crea seleccionando los rasgos que proporcionen combinación y contraste. Se pueden clasificar las historias como una combinación de los siguientes elementos:

1 Personajes que tienen algo en común que los atrae y los mantiene juntos.
2 Personajes que viven un conflicto que amenaza con separarlos.
3 Personajes contrastantes cuya relación se basa en la oposición de personalidades.
4 Personajes que tienen el potencial de transformarse mutuamente.

El crear una relación dinámica y fuerte entre los personajes de la historia ayudará a que ésta sea más interesante. Al establecer las relaciones entre tus personajes pregúntate:

- ¿Hay conflicto entre mis personajes?
- ¿Este conflicto se expresa en términos de acción, actitudes y valores?
- ¿Poseen mis personajes el potencial de transformarse mutuamente?
- ¿Entenderá el público cuál es la razón de sus relaciones?
- ¿Es clara la atracción entre ellos?
- ¿Es claro el impacto de uno sobre otro?

El drama es, esencialmente, relacional. Rara vez una historia se trata sobre un personaje aislado. Los personajes interactúan y se relacionan. Los conflictos y contrastes proporcionan el drama a los personajes y comprueban que las relaciones pueden ser tan memorables como el carácter individual de un personaje.

Ejercicio 8

El análisis del personaje principal

Al igual que el ejercicio anterior, este ejercicio tiene como objetivo final la redacción de un guión dramático. Los pasos para realizar el análisis del personaje principal de la historia que estás escribiendo, sea original o adaptada, son los siguientes:

1 Diagrama y explica brevemente el paradigma de personaje del personaje principal de tu historia, sigue los puntos que se describen a continuación:

   a) Realiza el diagrama para explicar de manera gráfica el paradigma.
   b) Determina la vida interior de tu personaje en rasgos muy generales.
   c) Determina cuál es su necesidad principal, de acuerdo a la propuesta.
   d) Determina la naturaleza y el tipo de acciones que realizará para satisfacer su necesidad principal, de acuerdo a la propuesta.
   e) Si las acciones son múltiples o complejas, determina las consecuencias de las acciones, de acuerdo a la propuesta.

2 Una vez realizado lo anterior, redacta un ensayo de no más de cinco cuartillas a espacio y medio, en el que analices a tu personaje principal de acuerdo a la metodología explicada en este capítulo. Este ensayo servirá para que profundices en la vida interior de tu personaje. Los puntos que deberás desarrollar en el ensayo son los siguientes:

   a) Investigación sobre el personaje.
   b) Definición del carácter del personaje.
   c) Creación del contexto biográfico.
   d) Comprensión profunda del carácter del personaje.
   e) Creación de las relaciones entre el personaje y otros personajes.

3 Si estás adaptando una historia, desarrolla los puntos de acuerdo a la información que te proporciona la misma historia. Sin embargo, no te limites exclusivamente a esa información. Recuerda que tienes toda la libertad para desarrollar a tu personaje, independientemente de que éste haya sido creado por otro autor.

EJEMPLO

Análisis del personaje principal de una historia original

"AMALIA MARGARITA" [7]

La historia se lleva a cabo en un pequeño poblado rural de la sierra de San Luis Potosí, llamado Tancuilín Matlapa.

La vida de esta pequeña comunidad gira alrededor de la agricultura. Los productos son variados y satisfacen las necesidades de consumo de esa y otras poblaciones vecinas.

Todos los hombres trabajan la tierra y las mujeres se dedican al hogar, con excepción del cura de la iglesia, el dueño del estanquillo, la vieja yerbera, el doctor del pueblo, el cantinero y la maestra.

Por estar localizado en la sierra de San Luis Potosí, Tancuilín posee un clima templado. Su vegetación es sólo justo la necesaria: pequeños arbustos, hierbas silvestres, árboles de copa grande e infinidad de florecitas. En esta porción de la sierra se localiza una red de pequeños ríos que riegan los campos y abastecen de agua a la población de Tancuilín, la que escasamente cuenta con los servicios más básicos.

La mayoría de los habitantes viven en el pueblo, alrededor de una gran plaza con bancas blancas, nogales y una fuente al centro de gran tamaño. Amalia y su familia viven en las afueras, como a tres kilómetros de distancia, en las tierras que su padre trabaja para un poderoso agricultor.

La cultura en este lugar no ha cambiado mucho de la que se tenía a principios de siglo. Los hombres trabajan para sus familias, las mujeres aprenden las tareas del hogar y se casan a temprana edad.

[7] Análisis del personaje de *Amalia Margarita* para el guión del mismo nombre. Escrito por Claudia Chapa, en septiembre de 1992. Citado con permiso de la autora.

Las tradiciones y creencias de la gente de Tancuilín podrían calificarse como las de cualquier poblado mexicano: son un pueblo sumamente religioso, pero pachanguero; con leyendas y mitos que los envuelven y con gran arraigo por su tierra.

Cada año se celebra una feria para iniciar la temporada de cosechas. La feria está patrocinada por el presidente municipal y por todos los agricultores que utilizan las tierras de esa región para cultivar sus productos.

La cantina del pueblo es un centro de reunión exclusivo para los hombres del pueblo. Asistir a la iglesia los domingos y escuchar la radio por las tardes son dos actividades realizadas por la mayoría de las mujeres.

Hablando específicamente de mi personaje principal, Amalia Margarita es una niña alegre y extrovertida, con un sentido de la vida muy simple y a la vez fascinante. Amalia tiene ese carisma que hace que las personas sientan un cariño especial hacia ella.

Es una niña sumamente inocente, con una perspectiva de la vida muy pura y blanca. Ella cree en lo que la gente dice y hace, y no es suspicaz. En sí, es una persona sencilla y tierna.

Físicamente es una jovencita sumamente delgada, de estatura mediana y con una expresión decaída en el rostro. De caderas angostas y cuerpo poco desarrollado para sus 14 años, Amalia se ve ligeramente enferma, aunque su actividad constante demuestre lo contrario.

Ha sido una niña enfermiza, aunque sus enfermedades no han sido muy graves. Para Amalia, las enfermedades no han sido un impedimento para gozar de la vida. Simplemente son parte de su naturaleza. Ella creció tomando lo que la vida y el campo le ofrecían y se ha asegurado de aprovecharlos al máximo.

Si algo le falta a Amalia es garbo. Se mueve como potrillo de meses y le gusta andar saltando de un lugar a otro. Definitivamente, Amalia no se preocupa por empezar a comportarse como toda una señorita.

De carácter dinámico e innovador, siempre está inventando algo novedoso dentro de sus actividades diarias:

nuevas formas de cocinar, de sacudir los muebles o de barrer. Esto exaspera un poco a su madre, quien batalla porque Amalia haga las cosas tal y como ella quiere. En este sentido, Amalia tiene un carácter bien definido: acepta que le digan cómo son las cosas, pero sólo ella decide cómo hacerlas.

Como Amalia es una jovencita dedicada al aprendizaje de las tareas del hogar, su vida gira alrededor de su casa y de su amistad con la pequeña Lupita hasta el momento en que conoce a Fausto Nicolás.

Amalia adora a su padre y escucha los consejos que éste le da. Su mamá se dedica a indicarle las labores del hogar. Aunque no existe entre ellas una relación fría, su madre es un personaje más lejano emocionalmente. Quizás sea porque su relación está basada en el cumplimiento de las tareas. Su madre demuestra mayor preferencia por sus hijos varones.

Para divertirse, Amalia gusta de pasear por la orilla del río y cazar renacuajos. También le gusta cortar flores y trepar a los árboles, aún cuando siempre anda con vestido. Ir a la iglesia no le disgusta, pues encuentra divertidos los rituales religiosos. Le gusta la solemnidad que hay en el templo.

Algo curioso en la personalidad de Amalia Margarita es su apariencia descuidada. No le importa andar siempre con los mismos huaraches y su vestido de olanes verdes. Su madre tiene que regañarla para que el domingo se arregle para ir a misa. Al conocer a Fausto, Amalia comienza a arreglarse a su modo: se coloca una florecita en el cabello, sin importarle si éste está limpio o no.

Después de conocer a Fausto, Amalia comienza a descuidar las tareas del hogar y su amistad con Lupita. Se pasa las horas divagando y fantaseando sobre el atractivo amigo de su hermano. A Lupita la trae loca con la misma tonada: que él es el hombre de su vida y que enamorarse es lo más maravilloso del mundo. Amalia se siente privilegiada al descubrir en ella un gusto por el sexo opuesto que su amiga aún no experimenta.

Cuando está frente a Fausto, Amalia no puede evitar mover constantemente los brazos. Esto lo hace aún cuando no diga una sola palabra. Es su manera de ponerse nerviosa. Ante él es espontánea y sumamente natural. En su cabeza no hay frases ya pensadas ni poses estudiadas. Ella es simplemente ella.

Ejemplo

Análisis del personaje principal de una historia adaptada

"SOFIA NAVA" [8]

Mi historia la quise ubicar en un pueblo pequeño —Ciudad Guerrero, Chihuahua— alrededor de los años cincuenta por dos razones: la primera, porque las características de mi personaje se acoplan perfectamente a las de una mujer joven de esa época, siempre apegada a las labores del hogar y sin estudios profesionales; la segunda, porque en ese tiempo los medios de comunicación eran muy rudimentarios en las zonas rurales y eso es fundamental para el desarrollo de la historia.
El lugar donde se desarrolla la historia queda cerca de donde viví de pequeña. Conozco mucho sobre sus costumbres, actividades económicas. Sin embargo, realicé algunas entrevistas para poder ubicarme de manera más clara en ese contexto.
Sofía Nava nació en el pueblo de Guerrero, al sur del estado de Chihuahua, el primero de marzo de 1933. Fue la hija mayor del matrimonio formado por Eduardo Nava, dueño de una gran huerta productora de manzana y nuez llamada "El milagro", y de Carmen González, hija de

---

[8] Análisis del personaje de *Sofía Nava*, para el guión *Ausencia viva*, basada en el cuento *La salud de los enfermos* de Julio Cortázar. Escrito por Angélica Meouchi, en marzo de 1993, Citado con permiso de la autora.

una familia acomodada de la ciudad de Chihuahua. Doña Carmen siempre quiso vivir bien y relacionarse sólo con los de su clase, por lo que tuvo problemas cuando se casó y se fue a vivir a Guerrero. Cuando Sofía tenía dos años y medio nació su único hermano, Alejandro el 29 de septiembre de 1935.

Su niñez la vivió dentro de "El milagro" y esto fomentó en Sofía un gran amor por la naturaleza. Le gustaba correr por la huertas y pasar horas nadando en una pequeña pileta de piedra que su padre había construido para ella y su hermano.

Siempre tuvo muy pocas amigas ya que era demasiado introvertida y un poco insegura. El carácter de su madre siempre fue muy dominante y la hacía sentirse inferior. Desde que nació Alejandro, Doña Carmen demostró una marcada preferencia hacia él, misma que mantuvo a lo largo de toda su vida. Alejandro era muy parecido físicamente a ella y compartía sus mismos gustos. Por esto, Sofía prefería la compañía de su conejo "Viviano" y de sus pájaros "Chafis" y "Poli".

Sus estudios de primaria los realizó en la única escuela del pueblo, el colegio "Guía del niño". Más tarde realizó un curso breve de comercio, en un pequeño colegio privado.

Sofía siempre sintió una gran admiración por su padre que la quería y ayudaba mucho. Todas las mañanas, desde muy temprano, Sofía lo acompañaba a recorrer las huertas y checar los tubos de riego. Para Sofía, su padre era su mejor amigo, su confidente; con él platicaba acerca de sus dudas y sus fantasías.

Siempre tuvo muy buena voz y de niña soñaba con ser cantante famosa. La única persona que lo supo fue su padre y sólo a él le permitía escucharla cantar. Sofía cantaba boleros y rancheras, el tipo de canciones que más le gustaba a su padre.

La relación con su madre fue normal, es decir, no muy fría pero nunca como con su padre. Su mamá y ella tenían enfrentamientos con frecuencia. Doña Carmen siempre estuvo a disgusto por la manera de ser de su hija. Consideraba a Sofía como muy introvertida, insegura y algunas veces poco femenina. Sofía quería de verdad a su madre, pero hubiera preferido que fuese menos frívola y un poco más condescendiente.

Con Alejandro, Sofía compartió pocos momentos de su niñez, a pesar de que siempre vivieron juntos. Alejandro prefería salir a jugar con sus amigos, ya que él era más sociable.

A los 18 años, Sofía sufrió la pérdida de su padre debido a un ataque cardíaco. A partir de ese momento su vida cambió. Su madre, que nunca supo de negocios, no sabía qué hacer y por miedo a perderlo todo le pidió a sus dos hermanos mayores que se fueran a vivir a "El milagro". Para ellos no fue problema ya que el mayor, Rafael, había enviudado muy joven y la menor, Catalina, era soltera.

Rafael siempre quiso mucho a su hermana y a sus sobrinos, por lo que la idea de ayudarlos le pareció excelente. Catalina —Catita para la familia— también quería mucho a Doña Carmen, a pesar de tener caracteres muy diferentes. Con sus sobrinos era como una segunda madre.

La llegada de los tíos a la huerta fue de gran ayuda para Sofía. En ellos encontró apoyo y afecto, pero jamás como el que su padre le dio.

Alejandro, que tuvo que asumir la "jefatura" de la familia a los 16 años, se dedicó a estudiar y prepararse para poder llenar el hueco dejado por su padre. Esto llenaba de orgullo a su madre quien esperaba que se hiciera un hombre de bien. A los 20 años se fue a estudiar a Estados Unidos. Esto significó un duro golpe para Doña Carmen quien, por un lado, estaba orgullosa de que su hijo se preparara en el extranjero, y por el otro no soportaba la pena de estar separada de él.

A partir de esas fechas Doña Carmen empezó a tener problemas de salud. Un día, el doctor Reyes, médico del pueblo, le informó que padecía diabetes y que estaba tan avanzada que tenía que inyectarse insulina diariamente.

Sofía tiene ahora 24 años. Es alta, delgada pero de complexión fuerte. Su cabello es castaño claro, largo y rizado. Sus ojos son grandes y un poco separados, como los de su padre. Tiene la manía de morderse las uñas.

En sus ratos libres, Sofía escucha música, principalmente boleros. Le encanta caminar por la huerta cuando se siente triste o abrumada por la rutina. Aunque va a misa cada ocho días, su vida espiritual no es muy fuerte. Cree en Dios pero no le llama la atención rezar todo el día ni tener fanatismos por el estilo.

Su relación con los jóvenes del sexo opuesto es muy limitada. Aunque no lo sabe, Sofía espera encontrar a un hombre como su padre. La enfermedad de su madre la ha hecho aún más solitaria, pues tiene que atenderla todo el día. Doña Carmen está todo el día en cama y no le gusta estar sola. Como Alejandro está fuera, Sofía también se siente responsable de la huerta.

Psicológicamente, Sofía Nava es insegura, introvertida, un poco conformista y tranquila. No ha llegado a aceptar la muerte de su padre, por lo que inconscientemente rechaza la idea de que algún día tendrá que fallecer su madre y se quedará sola. Ya ha tenido noches de pesadillas con los funerales de su padre, de su madre y de su conejo "Viviano".

Es muy soñadora como lo indica su signo zodiacal, piscis, y su capacidad de imaginación es grande. De vez en cuando escribe cuentos, crea personajes y situaciones ficticias en donde ella se ve reflejada de otra manera: una Sofía triunfadora, sin complejos, perfecta. Sofía sueña con eso tal vez para evadir su realidad de alguna manera.

A pesar de esto, Sofía nunca ha hecho nada por mejorar su estado de vida actual. En el pueblo todos la conocen, pero nadie, a excepción del doctor Reyes, visita frecuentemente la casa.

En el aspecto sentimental, Sofía recuerda a Antonio, un amigo de Alejandro de la misma edad de ella, al que conoció cuando tenía 19 años. Sofía y Antonio fueron novios durante dos meses, pero nadie lo supo por su temor al rechazo de su madre. Antonio estaba realmente interesado en Sofía y era correspondido en cierta medida por ella, pero el miedo de enfrentar a Doña Carmen fue más grande. Sofía tenía miedo de empeorar la salud de su madre.

Antonio se dio por vencido al darse cuenta de que Sofía nunca cambiaría su actitud. Sofía todavía es virgen y tiene muchas dudas con respecto a su sexualidad, pero por miedo y vergüenza se las calla y no se atreve a preguntar.

La sinopsis

Muchos guionistas afirman que escribir un guión es un proceso semejante al de tener un hijo. Después de llevar dentro de uno el germen de la historia, llega el momento de *dar a luz*.

Cuando la estructura dramática, los personajes y un poco de diálogo[9] se han *cocinado* lo suficiente en la mente, el guionista siente la necesidad urgente de tomar una hoja de papel o sentarse frente a la computadora y comenzar a escribir. Es en este momento cuando nace la sinopsis.

Ya sea minuciosa o muy general, la redacción de la sinopsis es un trabajo que requiere escribir la historia completa. El método que planteamos en este libro permite llegar a esta etapa con un mayor control sobre las palabras que se han de escribir. A esta altura, el guionista ya tiene definida las estructuras de su personaje principal y del asunto de la historia. En esta etapa, el guionista debe definir la estructura dramática completa.

La sinopsis se puede definir como un *boceto detallado de la historia, escrito de manera narrativa, en tiempo presente y en tercera persona*. Generalmente, la sinopsis se escribe para que alguien la lea, ya sea el productor, el director, el actor o el profesor del curso de guión. Por ello debe ser breve, al mismo tiempo que debe narrar la historia completa con los detalles más importantes.

---

[9] La creación del diálogo es un tema que se explica con mayor amplitud al final de este capítulo.

Una sinopsis cumple con dos funciones básicas, una para con el trabajo del guionista y la otra para con quien la va a leer. Para el guionista, la sinopsis es una herramienta útil en el desarrollo de la historia, ya que es un guión en potencia. Le sirve como referencia para no salirse de la estructura, evitando así muchos problemas al escribir el guión final. Para el lector, la sinopsis le ayuda a conocer la historia y evaluar su calidad como futuro proyecto para los medios audiovisuales.

La redacción de la sinopsis es una práctica común en cine, poco frecuente en televisión y menos frecuente en radio. Sin embargo, para el guionista principiante es un paso importante que le permite visualizar la historia completa. Independientemente de las prácticas profesionales de cada medio, la sinopsis es un paso del método que garantiza un desarrollo profesional del guión.

Recomendaciones para la redacción de la sinopsis

Aunque no existe una receta única para redactar la sinopsis de un historia, conviene tomar en cuenta las siguientes recomendaciones:

1 Recuerda que el paradigma de asunto de la historia que determinaste en la primera etapa es tu guía de acción principal.
2 Piensa en el medio para el cual escribes la historia: ¿Es una historia muy visual, llena de acción? entonces puede ser adecuada para cine o televisión. ¿Es una historia en donde predominan los diálogos y los sonidos? la radio es el medio más apropiado. ¿Existe un equilibrio entre acción y diálogos? la televisión es la mejor opción.
3 Toma en cuenta el tiempo total de la historia (el tiempo que transcurre entre el principio y el final de la misma). Entre mayor sea el tiempo total, mayor será el tiempo real y más larga será la sinopsis.

Pasos para estructurar la sinopsis

Para estructurar la sinopsis, lo más recomendable es determinar el paradigma de estructura dramática de la historia, tomando como base el paradigma de asunto. La manera más aconsejable de llevar a cabo este proceso es la siguiente:

1 Aunque parezca extraño, lo primero que debes determinar es el final de tu historia. Saber en qué termina la historia te ayudará a estructurar todos los elementos hacia un objetivo definido.

2 El siguiente paso es determinar el principio de la historia: ¿en qué comienza la historia? ¿cuál es la situación que define la premisa básica?

3 A continuación, hay que determinar el punto de confrontación y el punto de resolución: ¿cuál es la situación que desencadena el conflicto? ¿cuál es la situación que presenta la clave para resolverlo?

4 En esta etapa no hay que preocuparse por determinar el clímax, el punto intermedio o los puentes.

Ejercicio 9

La sinopsis

Después de haber determinado el paradigma de estructura dramática de tu historia, procede a redactar la sinopsis de la siguiente manera:

1 Escribe la historia completa, de manera narrativa.
2 Escribe en tiempo presente y en tercera persona.
3 Evita hasta donde sea posible utilizar:

a) Palabras complicadas, tecnicismos, extranjerismos o cualquier otro tipo de lenguaje que no sea claro y fácil de comprender.
b) Pensamientos o descripción del interior de los personajes. En vez de ello, describe cómo se manifiestan estos pensamientos o estados de ánimo.
c) Comentarios o pensamientos del autor, en el caso de las adaptaciones.

4 Para la presentación:

a) Para redactar el encabezado sigue las instrucciones presentadas en el ejercicio 7: La propuesta. Sustituye la palabra *Guión* por *Sinopsis*.
b) Deja dos espacios después del encabezado y redacta la sinopsis a espacio y medio.
c) Utiliza las páginas que sean necesarias. Sin embargo, recuerda que la sinopsis debe ser breve. Sintetizar la historia en una sola página es lo más recomendable.

Ejemplo

Sinopsis de una historia original

"UN SUEÑO PROFUNDO" [10]
Sinopsis original de Martha Patricia López.

Luisa, una estudiante, llega a su escuela por la mañana. Se encuentra con Mario, su novio, y se sienta a platicar con él. Luisa quiere que Mario la lleve al baile de gala de su club, pero él no puede. Después de discutir un rato, Luisa se va muy enojada. En el camino al salón de clases, Luisa tira el anillo que le regaló Mario.

En el salón, Luisa se entera de que reprobó un examen. Al terminar la clase, sale furiosa y entra a un baño para refrescarse la cara. Antes de salir del baño, Luisa se ve en el espejo y piensa en voz alta que quiere estar sola y que todos la dejen en paz. Dicho esto se tranquiliza y se va.

Al salir, Luisa no se percata de que no hay gente en los alrededores. Al llegar al salón donde tomará la siguiente clase, Luisa se extraña al no ver a nadie. Al no encontrar señas de dónde pueden estar el grupo, Luisa sale rumbo a la cafetería de la escuela.

En el camino, Luisa ve que no hay nadie en los pasillos. Al llegar a la cafetería se da cuenta de que su deseo se ha cumplido y que ahora está sola.

Por un momento Luisa es feliz y vaga por la escuela sintiéndose libre. Al poco rato comienza a desesperarse y corre hacia un teléfono público. Trata de llamar a alguien pero el teléfono no da línea.

Triste, se dirige hacia el portón principal de la escuela. Al llegar frente al portón se da cuenta de que afuera la vida sigue su curso. Trata de correr

---

[10] Sinopsis redactada por Martha Patricia López, en octubre de 1992. Modificada para este libro por Maximiliano Maza. Citada con permiso de la autora.

hacia la calle, pero algo invisible la detiene y no le permite avanzar.

La gente entra y sale de la escuela sin que nada anormal se perciba en el ambiente. Luisa ha desaparecido y nadie parece darse cuenta de que ella estaba allí. Un muchacho patea descuidadamente el anillo que Luisa tiró. Se agacha a recogerlo y se lo guarda en el bolsillo del pantalón antes de seguir su camino.

Ejemplo

Sinopsis de una historia adaptada

"AURA" [11]
Sinopsis de Sara Rangel, basada en
el cuento "Aura", de Carlos Fuentes.

Felipe Montero, un historiador sin trabajo, camina lentamente por la calle buscando una casa. En el periódico ha aparecido un anuncio que ofrece un empleo interesante. Después de un rato, encuentra la casa que busca: es una mansión vieja del centro de la Ciudad de México. Felipe toca a la puerta varias veces hasta que ésta se abre sola, lentamente. Entra a un patio sombrío, lleno de plantas y musgo que encierran un aroma muy peculiar. A lo lejos se escucha la voz de una mujer que le dice que suba.

Felipe llega a una recámara muy extraña iluminada por veladoras. Se acerca a la cama en la que está recostada una pequeña y enjuta anciana que se pierde entre los edredones sucios y viejos. La anciana extiende su mano temblorosa hacia Felipe.

Felipe le explica que ha llegado por el anuncio del periódico. La anciana, Consuelo, le dice que el trabajo

---

[11] Sinopsis redactada por Sara Rangel, en octubre de 1992. Modificada para este libro por Maximiliano Maza. Citada con permiso de la autora.

consiste en ordenar y publicar las memorias de su marido, el General Llorente, antes de que ella muera.

En ese momento aparece Aura, una joven vestida de verde. Felipe no se explica cómo entró sin hacer ruido. Después de ver a Aura, Felipe acepta el trabajo. Aura lleva a Felipe hasta su habitación, donde él decide descansar hasta la hora de la cena.

Aunque en el comedor se han puesto cuatro cubiertos, Felipe y Aura cenan solos, en silencio. Al terminar Felipe alarga su mano hacia Aura y le ofrece un llavín. Aura rehuye el contacto de Felipe, pero acepta el regalo.

Tras la cena, Felipe va a la recámara de Consuelo. Allí la encuentra rezando y gritando frente a un altar. De repente, la anciana se desploma al suelo tosiendo. Felipe la recoge y la coloca sobre la cama. Consuelo le pide disculpas. Ya repuesta, le entrega la llave del archivo de su esposo. Felipe saca el primer folio de las memorias del general y se retira a su cuarto.

A la mañana siguiente, mientras se afeita, Felipe escucha el maullido lastimero de un gato. Al asomarse al pasillo ve a Aura. La sigue, pero al dar una vuelta la pierde de vista.

A la hora de la comida, Felipe encuentra a Aura y a Consuelo en el comedor. Hay cuatro platos sobre la mesa. Al terminar de comer, Consuelo y Aura comienzan a platicar. Felipe intenta intervenir en la conversación, pero las mujeres lo ignoran. De repente, ambas se quedan en silencio, aunque mueven los labios como si hablaran. Un momento después, se levantan de la mesa dejando a Felipe sentado. Felipe las sigue hasta la recámara de Consuelo.

Asomado a través de la puerta entreabierta, Felipe ve a Consuelo bailando vestida con una túnica azul. Repentinamente, aparece Aura con el segundo folio de memorias del general. Aura se acerca a Felipe y lo besa. Deja los documentos en el piso y sobre éstos el llavín que le regaló Felipe.

Felipe se levanta extrañado y comienza a leer los papeles. De repente, Felipe tira las hojas y corre al comedor en busca de Aura. La encuentra con la mirada perdida, degollando mecánicamente a un macho cabrío. Felipe regresa a la recámara de Consuelo, abre la puerta de golpe y observa que la anciana imita los movimientos hechos por Aura.

Felipe decide ir a la habitación de Aura. Al entrar, se da cuenta de que Aura se ha convertido en una mujer madura. A pesar de ello, Felipe la abraza y baila con ella. Finalmente, pasan la noche haciendo el amor.

Al día siguiente, Felipe cuestiona a Aura sobre sus motivos para permanecer junto a Consuelo. Aura lo calla diciendo que esa noche lo espera en la recámara de la anciana, porque ésta saldrá y los dejará solos.

En la noche, Felipe ve a Consuelo salir vestida de novia. Antes de cruzar la puerta, la anciana se despide de él. Felipe va a la recámara de Consuelo y saca el tercer folio de memorias junto con una viejas fotografías. Hecho esto se encierra en el baño y lee los textos hasta el final. Ve también las fotos en donde aparecen el general y Consuelo. Felipe se da cuenta que el joven militar de las fotografías es él mismo y que la joven Consuelo es la propia Aura. La última fotografía los muestra a ambos sentados en una banca.

Aturdido, Felipe camina de una lado a otro, consulta su reloj y va en busca de Aura. Al encontrarla la abraza y la besa. No le importa que el cuerpo que tiene en sus brazos sea el de una anciana con el rostro desgajado. Felipe recorre con manos temblorosas el cuerpo de Consuelo y ésta lo abraza con ternura.

El tratamiento

El tratamiento es la etapa del método en la que el guionista debe adaptar completamente la historia a las características específicas del medio para el cual escribe. En este sentido, el tratamiento es *una sinopsis completamente detallada de la cual surge el guión.*[12]

El tratamiento es un procedimiento que surgió durante los primeros años de la industria cinematográfica y que es utilizado ampliamente en la radio y la televisión. Antiguamente, las historias desarrolladas para el cine se denominaban *scenario*. Este término, de raíces teatrales, aún se sigue utilizando en Europa para referirse al guión cinematográfico y televisivo.

Cuando se originó el término *tratamiento* el guionismo original no era la práctica común en el cine. A los escritores se les pedía que realizaran el *tratamiento* de novelas, cuentos y obras de teatro. Aunque en esencia el término denota la adaptación de una historia a un medio determinado, en la actualidad es utilizado tanto para referirse a una historia original, como para una adaptada.

El que un tratamiento sea más completo que una sinopsis no significa sólo que incluya más detalles y descripciones. En realidad, el tratamiento es un boceto del guión final.

En cine y televisión, el tratamiento implica una visualización precisa de cómo será presentada la historia en la pantalla. En la radio, el tratamiento de una historia necesita determinar la combinación de voces, música, sonidos y silencios que se utilizará para contarla.

Todo tratamiento puede incluir, aparte de una descripción detallada de la acción, especificaciones técnicas que el guionista considere importantes como: ángulos de cámara, sonidos específicos o intenciones de actuación. Sin embargo, es importante recordar que el trabajo de realización del guión es la labor principal del director, en el caso del cine, y del productor, en la televisión y la radio. Por lo tanto, es recomendable evitar al máximo la *intromisión* del guionista en terrenos ajenos a su labor.

Recomendaciones para la redacción del tratamiento

Como en todos los pasos del método, la elaboración del tratamiento requiere de economía de palabras y funcionalidad. Aunque no existe un límite establecido para la longitud de un tratamiento, cuatro páginas a doble espacio son más que suficientes.

---

[12] Stewart Bronfeld, *Writing for film and television.* New Jersey, Spectrum Book, 1983, p. 65.

Antes de elaborar el tratamiento de tu historia, debes tomar en cuenta el proceso que has venido realizando. Para hacer la propuesta tuviste que determinar el personaje principal y el asunto de tu historia. Posteriormente, realizaste un análisis profundo de tu personaje principal, con el fin de comprender mejor su conducta y sus acciones. A continuación, determinaste el paradigma de estructura dramática de la historia completa y definiste el final, la premisa básica, el punto de confrontación y el punto de resolución. Este proceso te llevó a la redacción de la sinopsis: la narración de la historia completa. A partir de este punto, el proceso que sigue es ampliar y definir con detalle lo que realizaste en la sinopsis.

Ejercicio 10

El tratamiento

Para redactar el tratamiento de tu historia, los pasos a seguir son los siguientes:

1 Examina la historia. ¿Cuál es su escena inicial? ¿dónde se lleva a cabo? ¿en un automóvil? ¿en la sala de la casa del personaje? ¿en un cementerio? En la sinopsis no era necesario ser muy específico. Piensa un momento cuál sería, en términos dramáticos, el lugar más adecuado para comenzar el tratamiento de tu historia. Recuerda que la primera escena es muy importante, pues en ella se presenta la premisa básica de tu historia.
2 Ya escogiste el lugar de la escena inicial. Ahora, ¿qué está haciendo el personaje? Si la primera escena sucede en una oficina, ¿está trabajando? ¿tomando café? ¿es de día o de noche? Esquematiza la acción ya que luego puedes cambiar de idea. Recuerda que debes dramatizar tu historia en cuatro páginas, a doble espacio. No en ocho, ni en cinco, cuatro páginas.
3 Ya decidiste tu acción inicial: el personaje haciendo algo en un lugar determinado. Ahora siéntate frente a la máquina o la computadora, toma la primera hoja, o abre el archivo, y escribe el encabezado de la misma manera que lo hiciste en la sinopsis. Sustituye la palabra *Sinopsis* por *Tratamiento*.
4 Deja un espacio doble y comienza a escribir la acción narrativa de tu historia. La narración de la escena donde se presenta la premisa básica de tu historia debe ocupar la primera media página.

5 Escribe en tercera persona y en tiempo presente, por ejemplo:

"Es de noche. Un automóvil da vueltas sigilosamente alrededor del parque. Se detiene de repente y apaga las luces...."

6 Siempre que se mencione un personaje, escribe su nombre con mayúsculas, por ejemplo:

"...LAURA se baja del auto. Es una mujer rubia, ya no tan joven."

7 Si el personaje no tiene un nombre propio, y es la primera vez que se menciona, también se escribe con mayúsculas, por ejemplo:

"En la esquina, una VENDEDORA DE FLORES cierra su puesto."

8 Tomando el ejemplo anterior, la acción inicial quedaría más o menos de la siguiente manera:

"LA SOSPECHA"
Tratamiento original de Maximiliano Maza.

Es de noche. Un automóvil da vueltas sigilosamente alrededor del parque. Se detiene de repente y apaga las luces. LAURA se baja del auto. Es una mujer rubia ya no tan joven. En la esquina una VENDEDORA DE FLORES cierra su puesto. Al verla, LAURA se acerca a ella y le compra unas rosas. En eso, UN HOMBRE y UNA MUJER salen de un edificio de departamentos. LAURA paga a la VENDEDORA y corre a esconderse detrás de su auto.

9 Este es sólo el primer párrafo. Aún no se termina la acción inicial. Sólo la has establecido. Estás desarrollando la premisa básica.

10 Continua escribiendo la acción inicial, dramatizándola en términos generales. Recuerda que escribir un tratamiento implica un sentido de dirección, movimiento y acción, de principio a fin.

11 Si es necesario, utiliza un poco de diálogo, pero no mucho. Recuerda que estás contando la historia, todavía no es el guión.

12 Una vez que hayas descrito la acción inicial, en media página, a doble espacio, utiliza el resto de la primera página para que, en un par de párrafos, describas la acción que conduce al punto de confrontación. El personaje, LAURA, podría haber visto a la pareja salir del edificio; después entrar ella misma y esperar el elevador.

13 Cuando hayas terminado de escribir la acción que conduce al punto de confrontación, habrás completado una página escrita, la cuál corresponderá al establecimiento de la acción de tu guión.

14 Al principio de la página dos, escribe la escena en donde se presenta el punto de confrontación, de la misma manera que lo hiciste con la primera escena de la acción inicial. ¿Dónde ocurre? Descríbelo. Si el personaje toma el elevador, ¿a qué piso sube? ¿qué va a suceder?

15 Vamos a suponer que LAURA toma el elevador, sube al quinto piso y, al abrirse la puerta, se encuentra con un cadáver. Este el el punto de confrontación. Describe la escena en media página.

16 Otra vez, no hay que ser muy específico ni muy detallista. Simplemente describe la acción –lo que pasa– en términos generales.

17 Ahora todo está listo para entrar a la confrontación. Ésta es una unidad dramática, con una extensión de la mitad del guión. Durante la confrontación, el personaje se enfrentará con obstáculos para lograr su objetivo.

18 Si conoces bien la necesidad del personaje, puede crear obstáculos para el logro del objetivo. Tu historia se debe tratar de un personaje, motivado por una necesidad, sobreponiéndose a los obstáculos en busca de su objetivo.

19 Medita sobre el desarrollo de la confrontación. ¿Hacia dónde va la historia? ¿qué le sucede al personaje del punto de confrontación al punto de resolución? Escoge dos o tres obstáculos importantes para generar conflicto en la progresión de la historia. En la historia del ejemplo, los obstáculos podrían ser que LAURA se convirtiera en la principal sospechosa del asesinato y no tuviera coartada para comprobar su inocencia. Además, como iba siguiendo a su esposo y él la engañaba, éste podría no querer atestiguar a su favor.

20 Escribe la acción de la confrontación en una página. Enfócate en el personaje enfrentándose a los obstáculos. Se general y evita los detalles excesivos.

21 Cuando termines, habrás escrito dos páginas y media. Ahora hay que escribir el punto de resolución. ¿Cuál es el punto de resolución, al final de la confrontación? Descríbelo, dramatízalo. Escríbelo en

media página. Utiliza un poco de diálogo, si es necesario.¿En qué forma el punto de resolución mueve la acción hacia la resolución?

22 Es importante que mantengas la historia enfocada hacia el punto de resolución. No pongas especificaciones. Tenderás a añadir detalles; por ello, cuida los detalles para el final.

23 Te darás cuenta que a estas alturas tiendes a caer en los detalles antes de decidir exactamente qué pasa (qué tipo de carro se utiliza, la locación, etcétera). Deja que la acción transcurra, el tratamiento no necesita mucho detalle, excepto en las escenas que hemos señalado.

24 Después de escribir el punto de resolución, dedica la página restante a redactar la resolución. ¿Qué pasa en ella? ¿qué le sucede al personaje principal que resuelve la historia? ¿cómo termina? Escribe generalidades. El personaje ¿vive o muere? ¿es culpable o inocente? Recuerda que dentro de la resolución debe haber un clímax y un epílogo.

25 Cuando hayas finalizado lo anterior, tendrás listo el tratamiento, dramatizado en cuatro páginas:

- media página para describir la acción inicial (premisa básica).
- media página para describir la acción general del establecimiento de la acción.
- media página para describir la acción del punto de confrontación.
- una página para describir la acción general de la confrontación.
- media página para describir la acción del punto de resolución.
- una página para describir la acción de la resolución.

26 Puedes necesitar escribir dos o tres veces el tratamiento hasta que quedes a gusto con él. Tu primer esfuerzo puede tomarte unas diez páginas, luego cinco. Redúcelo a cuatro páginas.

27 Recuerda que si tu guión es para cine o televisión, debes pensar en imágenes. Si tu guión es para radio, debes pensar siempre en sonidos que crean imágenes mentales.

EJEMPLO

Tratamiento de una historia original

"EL CABALLERO AZUL" [13]
Tratamiento original de Mario Luis Pacheco.

Es de noche en el bosque, en el tiempo de caballeros y dragones. ERICK, un muchacho de unos trece años corre por entre las ramas y hojas tiradas en el suelo lodoso. Por la forma en que voltea constantemente hacia atrás da la impresión de que huye de algo. De repente se escucha un crujido seco. ERICK cae en un pozo profundo.

Dentro del pozo, en penumbras, la pequeña figura de ERICK es cubierta por una sombra. Es VILOM, un brujo de magia blanca. ERICK se mueve instintivamente hacia atrás. VILOM le dice que el peligro ha pasado y que SIBILA la hechicera no lo encontrará allí. ERICK le dice que ella quería quitarle el brazalete. VILOM le explica que su brazalete es la mitad de otro que ella tiene. Al unirlos, la hechicera puede tener control sobre la magia perfecta.

PREMISA BÁSICA

En un moderno hospital, ISABEL, de doce años, está en la cama jugando a caballeros y dragones. Junto a ella su PAPA y el doctor platican sobre la operación de anginas de la niña.

En la cueva, ERICK se ha puesto muy enfermo. VILOM le dice que para salvarse debe tomar el brazalete y repetir las palabras escritas en un pergamino.

En la noche, ISABEL está en su cuarto jugando sola. En el juego descubre que en el castillo de una hechicera hay un pergamino. En su castillo, SIBILA ve a ERICK, por medio de una roca negra. Lanza un maleficio para que el niño aparezca en su castillo. ISABEL y ERICK pronuncian las palabras del pergamino al mismo tiempo, desde dos lugares y tiempos distintos.

ESTABLECIMIENTO DE LA ACCIÓN

[13] Tratamiento redactado por Mario Luis Pacheco, en marzo de 1989. Citado con permiso del autor.

Se hace una oscuridad total. Una línea de luz cruza de un lado a otro. Parece como si una compuerta se estuviera corriendo a través de un riel. Es la puerta del closet del cuarto de ISABEL que se abre. ISABEL está asustada y mira atenta hacia el interior del closet. La puerta termina de abrirse y aparece ERICK, pálido y asustado. ERICK e ISABEL se quedan viendo con asombro.

Después del susto, ERICK e ISABEL se explican lo que sucedió. ERICK ha viajado en el tiempo y tiene que regresar. Un ruido los interrumpe: es una ENFERMERA que va a entrar al cuarto. ERICK se esconde de nuevo en el closet. La ENFERMERA entra y le dice a ISABEL que viene a darle su medicina. Al inclinarse sobre la cama, se le cae un brazalete idéntico al de ERICK de la bolsa de su bata. La ENFERMERA lo recoge. Su aspecto es sospechoso.

PUNTO DE CONFRONTACIÓN

ERICK se da cuenta de que la enfermera es, en realidad, SIBILA. Al salir ésta del cuarto ERICK le dice a ISABEL que SIBILA ha venido a buscarlo y que tiene que ayudarlo a volver a su tiempo para lograr que su pueblo escape a la maldición de la hechicera. La única forma de volver es juntar los brazaletes y repetir las palabras que están inscritas en ambos. ISABEL y ERICK salen del cuarto.

En el camino, ERICK toma una jeringa para utilizarla como arma. En ese momento se da cuenta que su mano se está desvaneciendo. Si no se dan prisa, ERICK desaparecerá por completo.

De repente, ISABEL ve venir a SIBILA frente a ellos. Al pasar frente a la puerta de un quirófano, SIBILA es jalada por un MEDICO que le dice que la están esperando para una operación. ISABEL y ERICK los siguen y se esconden en un cuartito junto al quirófano.

CONFRONTACIÓN

En el quirófano ha nacido un bebé. El MEDICO le dice a SIBILA que corte el cordón umbilical pero ésta no sabe que hacer. El MEDICO le quita las tijeras y SIBILA saca el brazalete y se lo amarra con un listón al cuello. El brazalete comienza a brillar, señal de que su otra mitad está cerca. SIBILA sonríe y se asoma por una ventana al cuartito donde están escondidos ERICK e ISABEL. El brazalete de ERICK brilla intensamente y trata de salir de la muñeca del niño. ERICK lo detiene y gatea hacia la puerta. De repente cae: su brazo se ha desvanecido.

ISABEL levanta a ERICK y corre junto con él hacia otro cuarto, seguidos por SIBILA. En la habitación hay TRES ANCIANOS dormidos. ERICK dice a ISABEL que se concentre para que los brazaletes se junten, porque sólo así funcionará la magia.

CONFRONTACIÓN

Al entrar SIBILA al cuarto encuentra a ERICK e ISABEL tomados de la mano. El brazalete se desprende de su cuello y vuela a juntarse con el de ERICK. ERICK los toma y repite las palabras pero no pasa nada. Al ver esto SIBILA corre hacia ERICK. ISABEL alcanza a jalarlo y lo saca del cuarto, mientras uno de los ANCIANOS dormidos se despierta y le pega un bastonazo a SIBILA.

ISABEL y ERICK se meten en el elevador de la ropa sucia. SIBILA llega y, al ver que han bajado, se transforma en una esfera oscura y se mete por el conducto del elevador.

Entre las sábanas y toallas sucias, ERICK trata de comprender qué fue lo que salió mal cuando, de repente, la esfera en la que se convirtió SIBILA traspasa la pared del déposito de ropa sucia y se coloca amenazante frente a ERICK e ISABEL.

PUNTO DE RESOLUCIÓN

ERICK junta los brazaletes y pide que aparezca un dragón. Las toallas y sábanas vuelan por el aire. Un par de sopletes para desinfectar se unen flotando a la figura que se ha convertido en un dragón lanza-llamas. La esfera contraataca y destruye al dragón, al mismo tiempo que se convierte otra vez en SIBILA.

ERICK, desesperado, trata de juntar una vez más los brazaletes pero estos salen volando por los aires. SIBILA intenta tomarlos pero se topa con una barrera invisible que los protege.

SIBILA grita a ERICK que ahora sí va a ser suyo pues no podrá escapar por el tiempo y que ella será dueña de los brazaletes. En ese momento, ISABEL se da cuenta de que los brazaletes no han funcionado porque lo que se les ha pedido son deseos egoístas. ISABEL le dice a ERICK que no desee salvarse, sino salvar a su pueblo. Sólo así la magia tendrá efecto.

Al oir esto, SIBILA comienza a transformarse de nuevo en una esfera negra. ERICK e ISABEL juntan sus manos y repiten las palabras en voz alta deseando salvar al pueblo de ERICK. En ese momento aparece un CABALLERO ANDANTE envuelto en neblina azul. El caballero saca su espada y parte en dos la esfera, la cual se desvance rápidamente. ISABEL y ERICK se abrazan contentos y el CABALLERO AZUL desaparece tal como llegó.

Después de un momento, ERICK dice a ISABEL que es hora de regresar a velar por la paz de su pueblo. La niña le da un beso de despedida y ERICK desaparece en un rayo de luz violeta.

FIN

RESOLUCIÓN

Ejemplo

Tratamiento de una historia adaptada

"<u>BERNARDA</u>" [14]

Tratamiento de Gabriela Reyes, basado en la obra teatral "La casa de Bernarda Alba" de Federico García Lorca.

Es una tarde de otoño. BERNARDA y sus tres hijas, MARTIRIO, DOLORES y ADELA, tejen en la sala. La SIRVIENTA sirve el té y, cuando nadie la observa, le entrega una carta a ADELA por la espalda. BERNARDA voltea a verlas con brusquedad. ADELA derrama el té sobre el tejido mientras sus hermanas se miran sonriendo. BERNARDA se levanta enfurecida. Les grita que son tan inutiles que no merecen otra cosa que el destino que ella les ha decidido: ser unas solteronas, MARTIRIO y DOLORES lloran, mientras ADELA corre a encerrarse a su cuarto.

PREMISA BÁSICA

Esa noche, BERNARDA lee en su recamara. Su ventana está abierta. De pronto oye un ruido, toma una vela y se asoma a la puerta. Ve una sombra que cruza apresuradamente el jardín. BERNARDA toma una escopeta y sale al patio, pero no ve a nadie. Cuando regresa a su récamara escucha un murmullo. Camina hacia el corral y ve una luz de vela que ilumina la oscuridad. Dentro del corral están ADELA y PEPE besándose. BERNARDA abre por completo la puerta del corral con un golpe de escopeta. Temblando de furia, BERNARDA apunta hacia PEPE y dispara. El tiro falla y PEPE logra huir. ADELA grita. MARTIRIO y DOLORES llegan atraídas por el escándalo. BERNARDA las regresa a su recámara, pero estas no obedecen y se quedan allí sin hacer nada.

ESTABLECIMIENTO DE LA ACCIÓN

[14] Tratamiento redactado por Gabriela Reyes, en febrero de 1993. Citado con permiso de la autora.

BERNARDA se voltea y le dice a ADELA que es una perdida. ADELA responde que ella es la mujer de PEPE y que no se arrepiente de habérsele entregado. BERNARDA, furiosa, le grita a ADELA que matará a ese hombre que ha manchado el honor de su familia. Dicho esto sale tras de PEPE. Se oye un disparo. MARTIRIO grita que PEPE ha muerto. ADELA llora desesperada y corre a encerrarse en el corral de enfrente. BERNARDA llega y exige a ADELA que abra. ADELA no responde. Con la ayuda de la SIRVIENTA, BERNARDA tira la puerta del corral. ADELA está con una soga al cuello, a punto de colgarse. BERNARDA destroza la soga de un balazo. Toma a ADELA del brazo y la arrastra por todo el patio hasta llegar a un cuarto oscuro. Allí la encierra con llave. DOLORES y MARTIRIO miran asustadas. BERNARDA les ordena irse: allí no ha pasado nada.

PUNTO DE CONFRONTACIÓN

Al día siguiente en el cuarto oscuro, ADELA sigue encerrada. Su llanto se escucha hasta la sala, donde BERNARDA le dice a MARTIRIO y a DOLORES que "ahora ya conocen el fin de las mujerzuelas". Se escucha un fuerte ruido en el cuarto donde está encerrada ADELA. BERNARDA llega y abre la puerta, ADELA está tratando de forzar la cerradura. BERNARDA la golpea y le dice que nunca debió pecar y que ahora tiene que pagar su culpa.BERNARDA sale del cuarto y le oredena a la sirvienta que no le sirva alimento a ADELA en una semana.
Una mañana tocan a la puerta. Es un hombre llamado CRISTOBAL que pregunta por BERNARDA. BERNARDA sale, lo ve y se desvanece. CRISTOBAL se acerca para sujetarla. BERNARDA lo observa con debilidad y cierra los ojos. Lo recuerda joven y se recuerda a ella misma entre sus brazos.

CONFRONTACIÓN

BERNARDA abre los ojos y vuelve a la realidad. Le grita a CRISTOBAL que se largue. CRISTOBAL le dice que él no quiso que las cosas pasaran de esa manera. BERNARDA se niega a seguir escuchando y cierra la puerta. CRISTOBAL sigue insistiendo por varios días, hasta que BERNARDA decide recibirlo. Por fin, CRISTOBAL la convence de que fue el padre de ella quien lo mandó encarcelar por más de 20 años. CRISTOBAL se despide de BERNARDA. Antes de salir le pide que no repita con sus hijas lo mismo que hizo su padre con ellos. BERNARDA se queda sola y llora por primera vez. Lentamente va hacia el cuarto donde está encerrada ADELA, abre la puerta y ordena a ADELA que salga. ADELA mira a su madre con sorpresa, quiere decir algo, pero BERNARDA se va. Llegan MARTIRIO y DOLORES. MARTIRIO le dice a ADELA que PEPE está vivo. ADELA abraza a sus hermanas.

CONFRONTACIÓN

Esa noche hace frío. BERNARDA está en su cuarto. Saca del ropero una caja de música vieja. Dentro hay cartas y fotografías. BERNARDA lee las cartas y ordena cuidadosamente las fotos, Se queda largo rato contemplando sus recuerdos. Luego se queda dormida. Sueña con CRISTOBAL y con su PADRE, revive en el sueño la separación. De repente un ruido la despierta. Se asoma por la ventana y ve a PEPE entrar por la ventana al cuarto de ADELA. BERNARDA se levanta, toma la escopeta y sale al jardín. En el cuarto de ADELA, PEPE le pide que huyan juntos. ADELA acepta, ante la mirada asombrada de sus hermanas. Juntos salen por la ventana y allí se encuentran con BERNARDA.

PUNTO DE RESOLUCIÓN

BERNARDA y PEPE se enfrentan. ADELA le grita que los deje en paz. Justo en el momento en que BERNARDA va a disparar, aparece CRISTOBAL y le quita la escopeta. BERNARDA lo golpea pero él la abraza. BERNARDA llora y, vencida, se derrumba en sus brazos. CRISTOBAL le dice que la ama y que no repita la misma historia. PEPE aprieta la mano de ADELA. BERNARDA dice a CRISTOBAL que nunca logró olvidarlo. ADELA se acerca a BERNARDA y la abraza. MARTIRIO y DOLORES se unen al abrazo. BERNARDA les pide perdón. ADELA dice que la historia no se volverá a repetir.

Es de día y en el jardín de la casa se celebra una fiesta. MARTIRIO y DOLORES están muy arregladas y los hombres las miran con admiración. ADELA y PEPE pasean por el jardín abrazados. La SIRVIENTA atiende a los invitados. CRISTOBAL se acerca a BERNARDA la toma de la mano y le pone un anillo. BERNARDA lo besa. En el fondo ADELA y PEPE se besan. BERNARDA los observa por un segundo y le dice a CRISTOBAL que regresa en seguida.

BERNARDA va al corral, toma la escopeta y regresa hacia donde está CRISTOBAL. El se asusta. BERNARDA le dice que se calme. Lo único que quiere es que se deshaga de la escopeta.

FIN

RESOLUCIÓN

La división en escenas

En el Capítulo 2 (Análisis de la estructura dramática) determinamos que la construcción dramática de una historia escrita para medios audiovisuales se lleva a cabo mediante escenas. También definimos que la escena es *un lugar en donde uno o varios personajes llevan a cabo acciones, en un tiempo determinado*. En la escena se conjugan los cuatro elementos básicos de la estructura dramática: personajes, acciones, lugares y tiempo.

En cine y televisión, la cantidad y variedad de las escenas son factores determinantes para la producción. Como cada escena implica un lugar distinto en donde se tendrá que filmar o grabar una acción, la delimitación clara de las escenas es de vital ayuda para determinar la cantidad y tipo de lugares que se necesitarán.

En radio, dividir la historia en escenas ayuda a establecer con precisión qué tipo de recursos radiofónicos se necesitarán para la producción. A diferencia del cine y la televisión, la radio caracteriza y ambienta las escenas mediante sonidos. Determinar la cantidad y tipo de lugares de la historia, ayuda al guionista radiofónico a establecer cuáles son los sonidos indicados para cada unidad de acción. Aunque el guión dramático de radio no se escribe por escenas, la división en escenas de la historia facilita el trabajo del guionista.

El número de escenas determina también el tiempo real de la historia. Entre mayor sea el número de escenas de una historia, mayor será el tiempo real de la película o del programa. Además, la división en escenas ayuda a establecer el ritmo de la narración. Al dividir la historia, el guionista puede determinar la duración de cada escena y visualizar el ritmo entre una escena y otra.

Es importante recordar una vez más que el guión es una herramienta para la producción en los medios audiovisuales. Como toda herramienta, el guión tiene una función utilitaria: debe servir para el logro de un objetivo final, sea éste una película, un programa de radio o de televisión. En este sentido, la división clara de la historia en escenas es un paso que ayuda al guión a ser una herramienta útil.

La división en escenas hace que la historia se adapte definitivamente al medio. Es el paso inmediato a la redacción del guión.

Delimitación de la escena

La variación de cualquiera de los elementos básicos de la estructura dramática traerá como consecuencia un cambio de escena. De manera esquemática podemos establecer que una escena cambia a otra cuando:

1 Cambia el lugar.
2 Cambian los personajes, aunque el lugar permanezca.
3 Cambian *significativamente* las acciones, aunque el lugar y los personajes permanezcan.
4 Cambia el tiempo, aunque el lugar, los personajes y las acciones permanezcan.

De lo anterior podemos concluir que el cambio de lugar es el determinante más significativo para el cambio de escena. Cada nuevo lugar representa un nuevo espacio para la acción. En términos de producción significa un escenario o locación distinta.[15]

Un determinante más complejo son los personajes. Los personajes no pueden desligarse de las acciones, pues son ellos quienes las realizan. Si los personajes abandonan el lugar, pero éste permanece y otros personajes llegan, aunque el lugar permanezca tenemos dos escenas diferentes. Los nuevos personajes realizarán otras acciones. Por lo tanto, no podemos incluirlos en la escena anterior.

Aún más complejo es el cambio de escena por cambio de acción de los personajes. En este caso, tanto el lugar como los personajes permanecen, pero las acciones cambian *significativamente*. Esto quiere decir que el cambio de acción debe ser muy notorio. Por ejemplo: dos personajes platican en un restaurante, de repente, se levantan y van hacia el teléfono cerca de los baños, allí hacen una llamada telefónica. La llamada telefónica es una acción significativamente distinta, que rompe la continuidad de la acción realizada hasta el momento. Esta acción delimita una nueva escena, aunque el lugar y los personajes sean los mismos.

El cambio de tiempo es un determinante que está implícito en cada cambio de escena. Como una historia se desarrolla a lo largo de un tiempo, cada cambio de lugar o de acción lleva implícito un cambio de tiempo. Sin embargo, puede suceder que lugares, personajes y acciones se repitan en una historia sin cambio aparente. En estos casos, el factor que determina el cambio de escena es el cambio de tiempo. Por ejemplo: dos personajes discuten su separación en un parque, inmediatamente, vuelven a aparecer discutiendo su separación, en el mismo parque y con las mismas palabras, pero ya ha pasado un año. El tiempo que pasó determina que ambas son escenas distintas.

---

[15] La realización de un filme o de un programa de televisión puede implicar la construcción de escenarios (*sets*) o la localización de lugares reales (locaciones). En los *sets*, el control sobre la producción (sonido, iluminación, etcétera) es mayor que en las locaciones, porque los *sets* se construyen especialmente para la producción de filmes o programas.

El aspecto más sutil del tiempo como determinante del cambio de escena lo explica Eugene Vale al hablar sobre los *lapsos de tiempo*. Según Vale, para que una historia se pueda contar completamente, tendrían que coincidir el tiempo total y el tiempo real de la misma. Esto significa que si el tiempo total de una historia es de dos semanas, la película, el programa de radio o de televisión *tendrían que durar también dos semanas ininterrumpidas*. Como esto es imposible (nadie tendría el tiempo suficiente para ver o escuchar una historia en tiempo real) lo que vemos o escuchamos de la historia es *una selección de sus momentos más importantes*. Lo que no vemos o escuchamos está contenido en los lapsos de tiempo.[16]

Lo anterior significa que si una acción es interrumpida por un lapso de tiempo, por muy breve que éste sea, esa interrupción determina un cambio de escena. Por ejemplo: un personaje se sienta frente a una máquina de escribir y pone la primera hoja en el rodillo, teclea las primeras letras y comienza una carta, se presenta una transición breve y el personaje ya está firmando la carta. Como no se muestra la redacción completa de la carta, sino que la acción es interrumpida por un lapso de tiempo, aunque el personaje, el lugar y la acción permanezcan, el cambio de tiempo determina el cambio de escena.

Elementos de identificación de la escena

Para identificar una escena, hay que determinar los siguientes elementos:

1 Si la escena sucede en un interior o en un exterior.
2 El lugar en sí mismo.
3 Si la escena sucede de día o de noche.

El primer determinante sirve como información para la producción.[17] Como la realización de un producto audiovisual implica construir *sets* o conseguir locaciones para filmar o grabar, el saber cuántos y cuáles lugares son interiores o exteriores facilita el trabajo de producción.

Un interior es un lugar cerrado en donde sucede una acción de la historia. Un exterior es lo contrario, un lugar abierto. Si el lugar es intermedio, como un pasillo techado pero abierto, el guionista puede optar por

[16] Eugene Vale, *Técnicas del guión para cine y televisión*. México, Gedisa Editorial, 1988, pp. 51-54.
[17] Como puede notarse, estas consideraciones son indispensables para el trabajo en cine y televisión. En radio, la división en escenas no posee una función tan específica. Sin embargo, es un procedimiento útil para identificar algunos elementos necesarios para la producción.

definirlo como interior o exterior, o bien, incluirlo como interior/exterior. Tanto *sets* como locaciones pueden ser exteriores o interiores.

El segundo determinante es el lugar físico en donde sucede la acción. La definición del lugar puede ser escueta (*casa, calle, avión*) o precisa (*casa de Laura, escuela rural, edificio en ruinas*). Lo recomendable es describir el lugar con el menor número de palabras posible.

El tercer determinante también sirve como información vital para la producción. Así como es importante saber si la acción sucede en un interior o en un exterior, el equipo de producción necesita saber si la acción sucede de día o de noche para tomar decisiones con respecto a la iluminación. Tanto los *sets* como las locaciones pueden utilizarse de día o de noche.

Día y *Noche* son etiquetas genéricas para calificar el tiempo en que sucede una escena. Si la historia lo pide, se puede determinar con mayor precisión este tiempo: *madrugada, seis de la mañana, mediodía*. Sin embargo, lo importante es señalar con claridad qué condiciones de iluminación se necesitan para la escena. El día implica luz natural y la noche, luz artificial u oscuridad.

Los siguientes ejemplos de identificación de escenas son típicos en la redacción de un guión:

INTERIOR - CASA - DIA

EXTERIOR - PARQUE - NOCHE

INT. - RECAMARA DE SILVIA - DIA

EXT. - TERRENO BALDIO - AMANECER

INT. - CUARTO ROJO - SEIS DE LA TARDE

INT./EXT. - PASILLO FRENTE AL HOTEL - NOCHE

Factores que determinan la duración de la escena

Ninguna de las escenas de una historia es igual a otra. Algunas escenas ocupan un fragmento de una página del guión, mientras otras se extienden a lo largo de varias páginas. En una película, programa de radio o televisión, una escena puede durar unos segundos, mientras otras duran varios minutos.

Existen muchos factores para determinar la duración de una escena. Algunos de ellos son tan subjetivos como el *sentido del ritmo dramático* que tenga el guionista. Este sentido, le *señala* al guionista el momento adecuado para introducir un cambio, del mismo modo que el *sentido musical* le indica al músico el momento adecuado para variar el ritmo de una pieza. En estos aspectos el guionista debe desarrollar un instinto parecido al del cocinero: aunque la receta indique ciertas medidas para los ingredientes, cada cocinero tiene su propia sazón. Este sentido es interno y se desarrolla con la práctica.

Sin embargo, existen factores fácilmente identificables que permiten determinar la duración de una escena. Algunos de estos factores son:

1 El momento de la historia en donde se presenta la escena. Generalmente las primeras escenas de una historia tienden a ser más largas porque en ellas hay que ubicar al público con respecto a los personajes, las acciones, los lugares y el tiempo.

2 El tipo de acción que se lleva a cabo en la escena. Los diálogos consumen más tiempo y más páginas del guión que las acciones físicas. Una pelea se puede describir en una sola línea, mientras que el diálogo se tiene que escribir completo.

3 Dentro de las acciones físicas, hay algunas que son más lentas que otras. Un relojero que repara un reloj realiza una actividad lenta. Un corredor realiza una acción rápida.

4 El número de personajes que participan en una escena. Entre más personajes participen en la acción, más larga tiende a ser la escena.

5 La cantidad de acciones simultáneas que tengan lugar en la escena. Entre más diversas sean éstas, mayor duración tendrá la escena.

6 La importancia dramática de la escena. Las escenas claves del paradigma de estructura dramática tienden a ser más largas que las demás.

Recomendaciones para la división en escenas de una historia

La principal recomendación que podemos hacer en este sentido, es revisar cuidadosamente el proceso seguido hasta esta etapa. Tanto en la sinopsis como en el tratamiento se han establecido las escenas principales de la historia. La idea de esta etapa no es añadir escenas que no estén contempladas, sino verificar que la acción dramática de la historia sea comprensible con las escenas ya establecidas.

Existe un principio de tipo económico en la redacción de todo guión: entre menos escenas tenga, mejor. Una historia cargada de escenas puede representar problemas para la producción. Para lograr una redacción económica hay que revisar la función dramática de cada escena que escribimos.

Cada escena de la historia debe tener una razón dramática de existir. Con frecuencia, los guionistas se preocupan porque la historia sea comprensible y tienden a escribir escenas donde no pasa nada más que la transición de una escena importante a otra.

En nuestra experiencia como profesores de guionismo, a este problema lo denominamos *el problema de los pasillos*. En casi todas las historias, el personaje se tiene que trasladar de un lugar a otro. Frecuentemente, en el traslado el personaje pasa por pasillos. El guionista preocupado porque su historia sea comprensible, tiende a escribir muchas escenas donde se muestra el traslado del personaje a través de los pasillos. Estas escenas son innecesarias, porque es suficiente mostrar al personaje llegando al lugar que va.

El *problema de los pasillos* se puede presentar en muchas otras circunstancias, siempre es ocasionado por la preocupación del guionista porque las acciones queden claras. El consejo es simple: escribe sólo lo necesario. Recuerda que existen los lapsos de tiempo: esos espacios que dejan implícitas muchas acciones que no son dramáticamente necesarias.

Ejercicio 11

La división en escenas

Para redactar la división en escenas de tu historia, los pasos a seguir son los siguientes:

1 Toma como base el tratamiento que escribiste. En él ya están definidas tres escenas: la premisa básica, el punto de confrontación y el punto de resolución.
2 Divide el resto del tratamiento en escenas. Toma en cuenta lugares, personajes, acciones y tiempo. Determina primero las escenas correspondientes al punto intermedio, los puentes y el clímax.
3 Identifica a cada escena tomando en cuenta:

a) Si sucede en interior o en exterior.
b) El lugar físico en donde se desarrolla la acción.
c) Si sucede de día o de noche.

4 Determina el número total de escenas de tu historia.

5 Evalúa si ese número es adecuado para el tiempo real estimado. Aunque no existe una regla que especifique cuántas escenas debe tener una historia según el tiempo, calcula un tiempo aproximado de un minuto por escena.

6 Si el cálculo produce más escenas de las que esperabas, revisa lo que has escrito. Determina si no tienes escenas que presenten el *problema de los pasillos*. De ser así, elimínalas.

7 Si después de lo anterior aún consideras que la historia es larga, determina cuántas escenas son muy cortas. Al tiempo calculado, resta la mitad del tiempo de las escenas cortas. Por ejemplo: si determinaste que tienes 50 escenas (50 minutos), pero 30 son muy cortas, resta 15 minutos al cálculo inicial. Tu historia tiene un tiempo real aproximado de 35 minutos.

8 Ahora siéntate frente a la máquina o la computadora, toma la primera hoja, o abre el archivo. Deja un margen izquierdo de 2.5 cm y un margen derecho de 1.5 cm.

9 Escribe el encabezado general de la historia de la misma manera que lo hiciste en el tratamiento. Sustituye la palabra *Tratamiento* por *División en escenas*.

10 Después del encabezado general de la historia, deja dos espacios y escribe, con mayúsculas y subrayado, el encabezado de identificación de la primera escena. El encabezado consta de cuatro elementos:

a) Número de la escena (no se subraya).

b) Indicación que señala si la escena sucede en interior o exterior. En el primer caso se escribe la palabra INTERIOR o la abreviatura INT.; en el segundo, la palabra EXTERIOR o la abreviatura EXT.

c) Identificación breve del lugar donde se desarrolla la acción: PARQUE, RECÁMARA DE LUIS, IGLESIA, etcétera.

d) Identificación del tiempo en el que transcurre la escena: DÍA o NOCHE. Indicaciones muy específicas como AMANECER o SEIS DE LA MAÑANA sólo se utilizan si es importante que la escena tenga lugar en un tiempo preciso.

Entre el número de la escena y el encabezado de identificación de la misma se debe dejar un tabulador de 0.5 cm.

11 Deja un espacio sencillo y a continuación describe la acción de la primera escena, tomando como base la descripción que hiciste en

el tratamiento. Esta descripción se escribe a renglón seguido, a partir del tabulador y hasta el margen derecho de la hoja. La descripción debe contener:

a) Descripción de personajes, lugares y acciones.
b) Nombres de los personajes en mayúsculas.

La descripción no debe contener:

a) Diálogos.
b) Nombres de los personajes en minúsculas.

12 Tomando el ejemplo del ejercicio 10, la primera escena de esa historia quedaría de la siguiente manera:

"LA SOSPECHA"
División en escenas por Maximiliano Maza.

1   EXT. - PARQUE - NOCHE

Un automóvil da vueltas sigilosamente alrededor del parque. Se detiene y de repente apaga las luces. LAURA se baja del auto. Es una mujer rubia ya no tan joven. En la esquina una VENDEDORA DE FLORES cierra su puesto. Al verla, LAURA se acerca a ella y le compra unas rosas.

13 Deja dos espacios y continua con la siguiente escena. En el ejemplo del ejercicio 10, después que LAURA compra las flores, UN HOMBRE y UNA MUJER salen de un edificio. Esta es otra escena, porque el lugar, los personajes y las acciones son distintos. El lugar puede estar frente al parque, pero la acción dramática que sucede allí es diferente. La escena sería la siguiente:

2   EXT. - EDIFICIO DE DEPARTAMENTOS - NOCHE

UN HOMBRE y UNA MUJER salen.

14 A continuación, LAURA paga a la VENDEDORA y se esconde. Esta acción nos devuelve al lugar de la primera escena. Sin embargo, como ya hubo una interrupción de la acción, la nueva acción de LAURA forma parte de la tercera escena:

3   EXT. - PARQUE - NOCHE

LAURA paga a la VENDEDORA y corre a esconderse detrás de su auto.

15 El ejemplo completo quedaría de la siguiente manera:

"LA SOSPECHA"
División en escenas por Maximiliano Maza.

1   EXT. - PARQUE - NOCHE

Un automóvil da vueltas sigilosamente alrededor del parque. Se detiene y de repente apaga las luces. LAURA se baja del auto. Es una mujer rubia ya no tan joven. En la esquina una VENDEDORA DE FLORES cierra su puesto. Al verla, LAURA se acerca a ella y le compra unas rosas.

2   EXT. - EDIFICIO DE DEPARTAMENTOS - NOCHE

UN HOMBRE y UNA MUJER salen.

3   EXT. - PARQUE - NOCHE

LAURA paga a la VENDEDORA y corre a esconderse detrás de su auto.

16 En las siguiente páginas encontrarás la división en escenas de un fragmento de *El caballero azul,* historia que presentamos como ejemplo de tratamiento de una historia original.

EJEMPLO

Fragmento de la división en escenas de una historia original

"EL CABALLERO AZUL" [18]
División en escenas por Mario Luis Pacheco.

1

INT.- CRIPTA EN LA CASA DE VILOM, EPOCA DE CABALLEROS Y DRAGONES - TARDE

> La acción ocurre dentro de una costrucción. Las escenas que ocurren dentro, pero que se ven desde afuera también se denominan *Interior.*

VILOM, un brujo de edad avanzada, sostiene en su mano un brazalete luminoso. ERICK, un niño de trece años, está frente a él. VILOM explica a ERICK cómo fue que SIBILA la hechicera robó el otro brazalete. Se escuchan ruidos de cascos de caballos y la tierra comienza a temblar, VILOM le grita a ERICK que huya con el brazalete. La puerta de la cripta se abre abruptamente y ERICK sale corriendo hacia la enceguecedora luz de afuera.

2

EXT. - BOSQUE DE ARBOLES Y PINARES ALTOS - TARDE

> La acción ocurre fuera de una costrucción. Las escenas que ocurren fuera, pero que se ven desde dentro también se denominan *Exterior.*

El sonido del galope de los caballos aumenta. ERICK corre nerviosamente entre las ramas secas. Un crugir de ramas y ERICK cae dentro de un pozo. La sombra de ZARDOM se dibuja a la orilla de donde cayó el niño.

> El personaje aparece en la escena por eso su nombre se escribe con mayúsculas.

[18] División en escenas redactada por Mario Luis Pacheco, en abril de 1989. Citada con permiso del autor.

3   INT. – CUEVA, CASA DE ZARDOM – NOCHE

ERICK está acostado enfermo. ZARDOM es un
brujo de ojos expresivos, ZARDOM le dice a
ERICK que Sibila no lo encontrará allí.
ERICK se asusta al escuchar el nombre de la
hechicera. ZARDOM lo tranquiliza: Vilom lo
envió a cuidarlo pero no comprende por qué
lo persigue Sibila. ERICK le explica que
Vilom fabricó dos brazaletes que unidos
producen la magia perfecta y mantienen unido
a su pueblo. Sibila robó uno de los
brazaletes y ahora busca apoderarse del
otro. ZARDOM dice a ERICK que lo ayudará a
cuidar el brazalete, pero que primero debe
descansar.

4   INT. – CUARTO DE HOSPITAL, EPOCA MODERNA –
TARDE

La identificación del lugar puede ser breve o específica. En las primeras escenas es mejor ser específico. Si el lugar ya apareció antes, se puede ser más breve.

ISABEL, una niña de doce años, está sentada
en la cama. Sobre sus piernas hay varios
libros con figuras de dragones. Junto a
ellos está un estuche de madera con el
símbolo de unas montañas blancas. A un lado,
en una mesita, un tablero con varias figuras
de caballeros y monstruos. ISABEL acerca la
figura de un dragón a la de un caballero y
ordena a éste último que desee algo mágico.

5   INT. – CONSULTORIO – TARDE

Todas las escenas se numeran sobre el margen izquierdo de la página.

El PAPA de Isabel habla con el DOCTOR sobre
la operación de anginas que tendrá la niña.
El doctor dice que no hay motivo de
preocuparse por la fiebre que tiene Isabel.

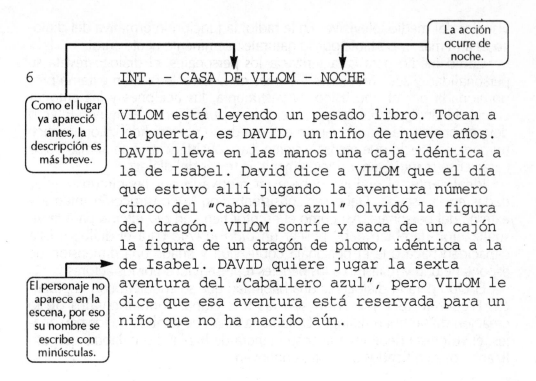

6   <u>INT. – CASA DE VILOM – NOCHE</u>

> La acción ocurre de noche.

> Como el lugar ya apareció antes, la descripción es más breve.

VILOM está leyendo un pesado libro. Tocan a la puerta, es DAVID, un niño de nueve años. DAVID lleva en las manos una caja idéntica a la de Isabel. David dice a VILOM que el día que estuvo allí jugando la aventura número cinco del "Caballero azul" olvidó la figura del dragón. VILOM sonríe y saca de un cajón la figura de un dragón de plomo, idéntica a la de Isabel. DAVID quiere jugar la sexta aventura del "Caballero azul", pero VILOM le dice que esa aventura está reservada para un niño que no ha nacido aún.

> El personaje no aparece en la escena, por eso su nombre se escribe con minúsculas.

El diálogo

Escribir diálogos es, a juicio de muchos guionistas, una de las partes más difíciles de la creación de una historia. Nadie puede decir con exactitud qué es lo que distingue a un buen diálogo, pero todos podemos identificar con relativa facilidad un diálogo bien escrito.

El diálogo forma parte esencial de los personajes. A través del diálogo se manifiestan las acciones y las emociones que queremos expresar en la historia. En este sentido, todo diálogo cumple con dos funciones:

1 Proporcionar información al público sobre los lugares, personajes, acciones y tiempo.
2 Caracterizar a los personajes para que cada uno se distinga como un ser individual.

El diálogo es una de las fuentes de información más importantes dentro de una historia. En el cine, su valor informativo se combina equitativamente con el de la imagen, los sonidos, la música y el silencio. En la televisión, el valor informativo del diálogo aumenta por las limitaciones visuales del medio televisivo. En la radio, la función informativa del diálogo es aún más importante por su naturaleza eminentemente aural.

Como medio para caracterizar a los personajes, el diálogo revela su personalidad y sus emociones. Además de la caracterización externa proporcionada por el tipo físico, la vestimenta, las acciones y las entonaciones del actor, el diálogo proporciona un *puente* entre el mundo interno del personaje y la manifestación externa de su personalidad. Lo que dice un personaje es lo que piensa y siente. Las consistencias y paradojas de su carácter se manifiestan, principalmente, a través del diálogo.

Idealmente, el diálogo debe estar motivado por las circunstancias dadas en la escena. Debe ser consistente con la construcción interna y externa del personaje. Así como el escritor tiene un *ojo interno* para la visualización, también debe poseer un *oído interno* para el diálogo. Esta capacidad hace que el personaje cobre vida y añade una dimensión de espontaneidad y realismo a los papeles representados por los actores.

El *oído* para el diálogo es una habilidad que se adquiere con la práctica. Escuchar, leer y escribir son las tres etapas fundamentales de la creación de un buen diálogo. Durante la etapa de análisis de los personajes, el guionista debe investigar su manera de hablar, las palabras que utilizan y los significados que éstas conllevan.

La función informativa del diálogo

El diálogo posee un alto valor como fuente de información de la historia. En los medios audiovisuales, este valor es distinto al valor del diálogo en el teatro. En una obra teatral, el diálogo proporciona toda la información necesaria para comprender la historia. En los medios audiovisuales, la función informativa del diálogo se comparte con otros elementos: la imagen, los sonidos, la música y el silencio.

Aunque el diálogo es la fuente de información más sencilla de utilizar por el guionista, es la manera más cansada de recibir información para el público. Este hecho debe ser considerado cuidadosamente al escribir una historia para medios audiovisuales. La importancia del diálogo como fuente de información puede verse disminuida cuando se abusa de esta función.

Los medios audiovisuales poseen una gran cantidad de recursos informativos, de entre los cuales el diálogo es uno más. Un diálogo verdaderamente efectivo es aquel que proporciona la información necesaria, en el momento adecuado, de manera combinada con otras fuentes de información.

El siguiente ejemplo ilustra un manejo adecuado de la función informativa del diálogo:

"UMBRA"
Guión original de Pedro Humberto Alonzo.[19]

14   INT. - VERACRUZ. CAFE "LA PARROQUIA" - NOCHE

El tradicional café del puerto más antiguo de
México. El lugar está lleno de gente. La marimba se
escucha al fondo, mezclada con el murmullo del
lugar. Ocasionalmente un mesero camina malabareando
entre las mesas con una jarra humeante de café.
LARRY está tomando una malteada y comiendo una
torta, mientras ABE bebe a sorbos lentos su café
con leche. Ambos se ven cansados, sobre todo ABE.

                    ABE
          ¿Por qué me siento tan mal?
              ¿Qué me pasa?

                   LARRY
          (viendo hacia todos lados)
             Se me hace que yo sé.

LARRY se agacha para susurrar.

                   LARRY
            (mirando fijamente a ABE)
             Te atacan los vampiros.

ABE lo mira extrañado.

                    ABE
              ¿Cómo vampiros?

                   LARRY
       Es una metáfora pero bien canija...

                              CONTINUA

[19] Fragmento del guión escrito por Pedro Humberto Alonzo, en noviembre de 1992. Citado
con permiso del autor.

(CONTINUA)

LARRY saca de su mochila un libro y lo pone en la mesa quitando los vasos.

                    LARRY
          Mira. En el libro dice que
          un vampiro no puede entrar
          a tu casa si tú no lo invitas.

                    ABE
      (siguiéndolo sin entender nada)
                    Ajá

                    LARRY
              (emocionado)
      ¡Y luego no seleccionan a cualquiera!
        Tiene que ser una víctima muy especial,
     con mucha vida... Lo peor es que la víctima
     no se da cuenta de que se la están fregando.

ABE mira a LARRY como si éste se hubiera vuelto loco.

                    LARRY
          ¡No me mires así! Espérate...
              (voltea alrededor)
          El arma mayor del vampiro es que
          es invisible. Solamente un amigo
       o alguien muy cercano te puede salvar
        porque es el único que se puede dar
                cuenta de lo que pasa.

LARRY llama al mesero haciendo sonar la cuchara en el vaso.

                                        CONTINUA

(CONTINUA)

LARRY
(excitado)
¡Ve la metáfora!
La sangre no es sangre.
Te chupan la vida.

ABE
(recordando)
"Es de la pasión de lo que se alimentan"

LARRY
¡Exacto! Por eso seleccionan a sus víctimas,
porque hay muy poca gente apasionada.

El MESERO llega y sirve más café en el vaso de ABE.
LARRY comienza a dibujar un rostro de mujer en una
servilleta.

LARRY
(concentrado en el dibujo)
Uno los atrae. Se te acercan y te seducen
hasta que los invitas a tu casa. Y una vez
que entran ya no hay manera de sacarlos.

LARRY termina el dibujo y arruga la servilleta.

LARRY
(continúa)
Te dejan débil. Es más: te dicen que te aman
y que te necesitan. ¿Cómo los vas a dejar si
los desgraciados no tienen nobleza?

ABE
Entonces a ti también te atacan.

LARRY
Sí. Debo de tener alguno por allí.

CONTINUA

(CONTINUA)

El MESERO se acerca y deja la cuenta sobre la mesa. ABE saca unos billetes y los deja junto a la servilleta arrugada.

> ABE
> ¿Y cómo te defiendes?

> LARRY
> Debes tener un amigo que te proteja.
> Es la única manera de defenderte
> porque tú solo no te das cuenta
> de lo que te pasa. Sólo te vas
> debilitando hasta morir...

ABE se levanta bruscamente y tira sin querer el vaso de LARRY. Ambos caminan entre el bullicio de la gente. En la mesa, los restos de la malteada humedecen la servilleta que se va desenrollando poco a poco hasta mostrar el rostro que dibujó LARRY. La mujer del dibujo tiene unos colmillos largos, como de vampiro (...)

En la escena anterior, la función informativa del diálogo está utilizada de manera adecuada, en combinación con otros elementos de información. La escena es larga y está centrada principalmente en el diálogo, pero los personajes no dejan de hacer cosas que complementan y dan dimensión a sus palabras.

En la escena, Abe está preocupado por su salud y Larry tiene una teoría. Él cree realmente que los vampiros existen, aunque no necesariamente en la forma tradicional. Para Larry los vampiros se alimentan de la pasión humana y desgastan al ser apasionado hasta consumirlo. El diálogo proporciona información de varios niveles: nos explica la naturaleza apasionada de Abe y Larry, al mismo tiempo que nos informa de la teoría de Larry acerca de los vampiros.

Pero el diálogo no lo es todo en la escena. Las acciones de Larry refuerzan sus palabras. Larry voltea obsesivamente a todos lados como si estuviera buscando algo. Dibuja una mujer en la servilleta, misma que se convierte –por efecto del líquido derramado– en un vampiro. Abe, a su vez, pasa de la incredulidad al interés a través de sus acciones. Sin las acciones, el diálogo sería una fuente de información incompleta e inútil.

La función de caracterización del diálogo

La segunda función importante del diálogo en una historia es caracterizar a los personajes. No hay nada que refleje más la personalidad que el diálogo. A través de las palabras, el personaje no sólo proporciona información sobre la historia sino que nos dice quién es y cómo piensa, sus sentimientos y actitudes ante la vida.

Una manera de comprobar si el diálogo que escribes refleja el mundo interior de tus personajes es leer lo que has escrito, tapando cuidadosamente los nombres de los personajes en cada línea de diálogo. Si logras diferenciar a los personajes a través de sus líneas podrás estar seguro de que el diálogo muestra sus distintas personalidades.

Que el diálogo caracterice a los personajes no significa que estos deban estar hablando constantemente de sí mismos. Aunque el diálogo se refiera a situaciones externas y aparentemente banales, el diálogo debe corresponder a lo que diría el personaje si existiese en la vida real.

El siguiente ejemplo ilustra la función de caracterización del diálogo:

```
                    "LECCION"
          Guión original de Amanda Ortíz.[20]


FADE IN:


1    INT. - RECAMARA - NOCHE

     LUISA está recostada en su cama cambiando los
     canales de la televisión con el control remoto. El
     ruido del agua del lavabo del baño se alcanza a oír
     a cada cambio de canal.

                                              CONTINUA
```

[20] Fragmento del guión escrito por Amanda Ortíz, en mayo de 1989. Citado con permiso de la autora.

(CONTINUA)

2   INT. - BAÑO - NOCHE

ALEJANDRO, el esposo de LUISA, se afeita
cuidadosamente frente al espejo empañado.

3   INT. RECAMARA - NOCHE

LUISA deja el control remoto sobre la cama y toma
una cajetilla de cigarros de encima del buró.
Prende el cigarro en el momento en que ALEJANDRO
sale del baño.

ALEJANDRO se acerca y la besa tiernamente, al mismo
tiempo que le quita el cigarro suavemente y lo
deposita en un cenicero, junto a la cajetilla.

                        LUISA
                     (tranquila)
             ¿Sabes? Me ofrecieron coordinar
               la campaña del candidato...
             El miércoles tengo junta para
                  nombrar al comité.

ALEJANDRO se voltea bruscamente y se queda sentado
en la cama, de espaldas a LUISA.

                      ALEJANDRO
                      (molesto)
             ¿Qué te pasa? ¿No me habías dicho
              que no te interesaba meterte de
             lleno en eso? Una cosa es estar de
               voluntaria pero coordinadora...

                        LUISA
           ¡Yo nunca te dije que no me interesaba!

                                        CONTINUA

(CONTINUA)

                    ALEJANDRO
            No importa. No vas a
            aceptar ¿lo oyes?

LUISA apaga furiosa la colilla del cigarro en el
cenicero. Se levanta de la cama y se sienta en el
tocador.

                    LUISA
        ¿Pero quién te crees para decirme
          qué debo hacer con mi vida?
          Te recuerdo que desde que no
          trabajas necesitamos dinero.

ALEJANDRO se acerca a ella conciliador.

                    ALEJANDRO
            Discúlpame mi amor, pero
          no me gusta ese ambiente
            para ti. Eso es todo.

LUISA va hacia el buró y trata de sacar otro
cigarro pero la cajetilla está vacía.

                    ALEJANDRO
                    (irónico)
            ¿Otro cigarrito? ¿A poco
              ya se te acabaron?

LUISA abre el cajón del buró para buscar otra
cajetilla.

                    ALEJANDRO
          Luisa, estás fumando mucho
            y ya sabes que odio que
            la cama huela a cigarro.

                                        CONTINUA

(CONTINUA)

```
                    LUISA
             ¡Ya déjame en paz!
        ¡En lugar de estarme contando los
        cigarros que me fumo deberías hacer
        algo para conseguir dinero! ¿no crees?
```

LUISA comienza a buscar cigarros por todo el
cuarto. ALEJANDRO se acuesta tranquilo en la cama y
toma el control remoto. En la televisión aparece el
candidato rodeado de reporteros. ALEJANDRO le saca
la lengua y cambia de canal. LUISA se pone una bata
y sale del cuarto, azotando la puerta.

En esta escena, el diálogo no sólo proporciona información sino que expresa la tensión interna que viven los personajes. Aunque Luisa y Alejandro tratan de ser amables el uno con el otro, la situación que viven los hace explotar a cada instante. El diálogo refleja una tensión dramática que las acciones solas no alcanzan a manifestar completamente. A través de las palabras, los personajes se revelan ante nosotros tal como son y nos dicen más de lo que se dicen entre ellos mismos.

Es importante subrayar que el proceso de escribir buenos diálogos es resultado de la práctica constante. No existe una receta única. El guionista debe desarrollar las habilidades de escuchar, leer y escribir. Este proceso garantiza que el trabajo de escribir diálogos se convierta en una actividad creativa y apasionante. Uno de los pasos más satisfactorios del proceso de escribir guiones es hacer que nuestros personajes *hablen* por sí mismos y que reflejen su individualidad con sus propias palabras.

Problemas comunes al escribir diálogos

Es común que el escritor tenga problemas al tratar de escribir diálogos. Las líneas pueden parecer cortantes, poco realistas, e incluso muy teatrales. Para ayudar a identificar y evitar estos problemas, a continuación se presenta una serie de situaciones que pueden hacer difícil la redacción de diálogos, así como algunas alternativas de solución.

DIÁLOGO DEMASIADO LITERAL

Este es el diálogo que suena demasiado obvio y muy artificial. Por ejemplo:

```
MARIANA aparece en la puerta y JORGE sonríe.
```

```
                    JORGE
        Mariana, estoy encantado de verte.
         Te quiero mucho. Te he esperado
                 por mucho tiempo.
```

Este tipo de diálogo es muy incómodo de oír. No emociona en absoluto. Sería más efectivo que él estuviera demasiado emocionado como para hablar. El podría acercarse a ella, abrazarla y no decir nada. Entonces, después de una pausa, podría decir:

```
                    JORGE
        No podía aguantar las ganas de verte...
```

Y después abrazarla.

Las acciones dicen más que mil palabras, y de esta manera, con este diálogo corto y realmente emocionado se puede construir un bonito contrapunto a la acción. De esta manera, tanto Mariana como el público entienden lo que Jorge siente por ella. Se puede ser sutil *jugando en contra* de lo trillado, buscar la comprensión por medio de actitudes externas que reflejen el sentir de los personajes.

DIÁLOGO MUY CORTANTE

Es un tipo de diálogo brusco, lleno de frases cortas o de líneas de una sola palabra. Por ejemplo:

```
                    MARIO
               Tengo hambre.
```

```
                    SANDRA
               Yo también.
```

```
                    MARIO
               Vamos a comer.
```

> SANDRA
> O.K.

> MARIO
> ¿Pizza?

> SANDRA
> Sí, está bien.

Una solución al problema es proporcionar un motivo creíble al diálogo. Los personajes necesitan una motivación y una intención para hablar. Necesitan un patrón preestablecido de pensamiento y conducta. Mario, por ejemplo, podría estar buscando en el refrigerador algo para comer antes de decir:

> MARIO
> Oye, no hay nada en el refri.
> ¿Quieres que salgamos a cenar algo?

> SANDRA
> ¡Ay sí porque me muero de hambre!

> MARIO
> ¿Qué tal te caería una pizza?

> SANDRA
> Me adivinaste el pensamiento.

En esencia el diálogo es el mismo, sólo que añade un apoyo más sólido a la realidad presentada por la escena. Si apoya a las acciones y reacciones, el diálogo se vuelve más fluido.

DIÁLOGO MUY REPETITIVO

El diálogo se vuelve repetitivo cuando un personaje dice lo mismo, aunque cambie las palabras. De esta manera, el personaje da información redundante, sobre algo poco importante:

> ARTURO
> Me la pasé muy bien en este viaje.
> Es uno de los mejores que he tenido.

CARLOS
Me alegro que lo hayas disfrutado.

ARTURO
Fue tan agradable estar lejos.
Ha sido un viaje magnífico.

Si se examina el problema de la repetición, ésta puede provenir de uno o dos problemas:

1 El escritor no sabe lo que el personaje debería decir después y por ello vuelve al diálogo anterior.
2 El escritor teme que el público no *capte* un punto específico a menos de que el personaje lo enfatice en su diálogo.

Una solución a la redundancia en el diálogo es revisar el guión y motivar claramente cada línea, o borrar completamente la línea. Esta es una manera en que podría mejorarse el diálogo anterior:

CARLOS
Te la debes de haber pasado muy padre.
¡Nunca te había visto tan animado!

ARTURO
¡Fue increíble! Lástima que sólo
fueron unos cuantos días.

El simple intercambio de orden afecta a la totalidad del diálogo. Arturo está reaccionando primero ante la demostración verbal de la emoción de Carlos.

Para puntualizar lo que el espectador debe captar, es útil desarrollar una pequeña acción en la escena, antes del diálogo. Posteriormente, una línea de diálogo, dicha en forma casual, puede resultar más efectiva.

DIÁLOGO MUY LARGO

El diálogo muy largo se lee como si fuera un editorial o un discurso filosófico. Provoca estática en la acción y frecuentemente va acompañado con problemas de redundancia y solemnidad. Examina el siguiente ejemplo:

MARGARITA
(a ANA)
¡Te corrieron porque eres mujer,
no por otra razón! Si fueras hombre
te habrían ascendido. ¡No dejes
que te hagan eso! ¡Ve y pelea por
lo que tú crees! Te puedo asegurar que a
mí no me lo hubieran hecho. Recuerdo que
cuando era más chica, mi madre siempre
me decía que me cuidara de tipos como ellos.
Tienes que sobreponerte y hacerles saber
que tú no vas a soportar ese tipo de trato.

El discurso tiende a dominar la acción visual e incorpora muchas ideas diferentes entre sí, sin hacer pausas para transiciones o reacciones. Es más útil intercalar reacciones e indicaciones de actuación al final de cada bloque de ideas. Esto hace que el discurso parezca más corto y tenga un impacto más inmediato. He aquí una forma en que podría quedar:

MARGARITA
(a ANA)
¡Te corrieron porque eres mujer!
Si fueras hombre te habrían ascendido.

ANA trata de no prestar atención. No está de humor
para oír el regaño de MARGARITA.

MARGARITA
(continúa)
¡No dejes que te hagan eso!
¡Ve y pelea por lo que tú crees!

ANA no dice nada. MARGARITA ve que ella no sabe qué
hacer. Se acerca a su amiga y le habla más calmada
pero firme.

MARGARITA
(continúa)
Siempre desconfié de tipos como ellos.
Tienes que sobreponerte y demostrarles
que tú no vas a aguantar que te traten así.

```
Una PAUSA, y luego ANA alza los ojos y ve a su
amiga. La ha convencido.
```

La idea es integrar reacciones y diálogo dentro del largo discurso, a la vez que eliminar en lo posible el exceso. Los discursos largos no siempre son un problema. Podría ser posible, por ejemplo, que Margarita esté tan ofuscada que impregne su diálogo de ira y frustración. La reacción podría ser tan dramáticamente imperativa e inmediata para la naturaleza del personaje, que el discurso podría funcionar por sus propios méritos.

DIÁLOGO DEMASIADO SIMILAR

Muchas veces dos o más personajes suenan igual: sus patrones de diálogo son indistinguibles entre sí. Una vez que esto sucede, se pierde la individualidad del personaje. ¿Puedes distinguir entre estos dos personajes?:

```
                    MARIA
              Hey, ¿viste la pelea?


                   EDUARDO
         Sí, vi la pelea. Se dieron duro ¿no?


                    MARIA
         Sí, se dieron duro. ¿Ganaste algo?


                   EDUARDO
            No. No lo que necesitaba.
```

Los personajes suenan idénticos y son muy redundantes. Una manera de contrarrestar el problema se logra proporcionando un poco de riqueza psicológica a la escena. Los personajes deben reexaminarse en términos de motivaciones, intenciones, y sentido de urgencia. Las dimensiones psicológicas pueden proporcionar un diálogo con más *cuerpo*. Puesto que María y Eduardo son dos seres diferentes, sus pensamientos y actitudes internas pueden –y deben– expresarse con estructuras de diálogo totalmente distintas. He aquí una forma en que la escena podría funcionar:

```
                    MARIA
              (tanteando terreno)
               ¿Viste la pelea?
```

EDUARDO se encoge de hombros y evasivo contesta:

                    EDUARDO
          Sí. Se dieron duro...
          golpe tras golpe...

                    MARIA
          (interrumpiéndolo)
       ¡No estoy hablando de eso Eduardo!
          ¿Ganaste algo?

Silencio. Luego:

                    EDUARDO
          Esta vez no...
       (cambia el tono a más animado)
          ¡Pero para la próxima vas
       a ver cómo nos hacemos ricos!

Cuando se está creando un diálogo hay que recordar que los personajes son seres humanos únicos, con habilidad para interactuar a los niveles más altos de sutileza y complejidad. Recuerda el consejo de cubrir los nombres de los personajes cuando leas el guión. Así te darás cuenta de si están *dibujados* con dimensión. Si no puedes distinguir entre los bloques de diálogo, analiza cuál es el problema y redacta de nuevo las líneas.

DIÁLOGO DEMASIADO CEREMONIOSO

Este es el diálogo que suena como si saliera de un libro de historia, de un poema, o de un texto de gramática, pero no de una persona. Este es un ejemplo:

                    ALEX
       Es mi responsabilidad comentarte mi
       interpretación del evento. Tú eres la
       única persona que podría aceptar esa
       perspectiva. Me debes escuchar.

A menos de que Alex tenga un severo problema de pedantería, sería más efectivo que fuese más coloquial y fuera al grano:

ALEX
¡Escúchame!

Y ya. No temas ser breve en el diálogo; esa es la forma en que la gente habla. Es muy útil leer el diálogo en voz alta para escuchar al personaje. Si el texto es muy ceremonioso, se puede aligerar la escena. Esto puede proporcionar un sentido más espontáneo a las acciones y reacciones del personaje. Trata de colocar a los personajes en diferentes conflictos. Te sorprenderá ver cuánto aprendes sobre ellos.

DIÁLOGO SERMÓN

Este es un problema relacionado con los diálogos *muy literales, redundantes, largos* o *ceremoniosos*. Los personajes tienden a sonar muy formales y sueltan frases plagadas de ideas temáticas o nociones filosóficas. De esta manera, el personaje se convierte en una *boca ideológica* más que en un ser humano. El siguiente es un ejemplo:

PABLO
¿Ves lo que pasa cuando los criminales
salen libres? O se quedan en la cárcel,
o amenazan a las fibras más íntimas de
la sociedad. Esta clase de cosas no pasaría
si tuviéramos legisladores más fuertes y
leyes más estrictas.

Si un personaje debe hablar con fuerza y convicción, no tiene por qué sonar como un editorial. Pablo podría decir lo mismo de la siguiente manera:

PABLO
La basura se tira al basurero
para proteger a la sociedad.
No me importa lo que diga la ley

La naturaleza exacta del diálogo depende de la acción desarrollada en la escena y de la consistencia de los motivos y conductas del personaje a lo largo de la historia.

DIÁLOGO DEMASIADO INTROSPECTIVO

Este problema está relacionado con aquel personaje que está solo y que habla en voz alta. Este *cliché* es típico:

```
                    JULIA
                (a sí misma)
    ¡Oh, cómo quisiera estar con él ahora!
```

Eso es suficiente para darle escalofrío a cualquier escritor. ¿Cuántas veces se habla uno a sí mismo en la vida real? Prácticamente nunca. Y cuando lo hacemos no es con oraciones completas y lógicas. La lógica es la antítesis de la emoción. Las convenciones dramáticas de un monólogo de Shakespeare son muy distintas a las expresiones del realismo cinematográfico, radiofónico o televisivo. Tiene más sentido que el personaje tome ventaja del momento privado a través de una convención netamente visual. Julia, por ejemplo, podía haber tomado una foto de su novio, cerrar los ojos, e inmediatamente recuperar la compostura. Una vez más, la acción vale más que las palabras.

DIÁLOGO DEMASIADO INCONSISTENTE

Esto significa que el personaje dice algo que *no va* con la personalidad que haz creado para él. En algunos casos, esta inconsistencia se debe a la falta de transiciones adecuadas para la escena. Este es un ejemplo de un diálogo errático o de actitudes que cambian demasiado rápido para ser creíbles:

```
                    DIANA
         Quiero que ambos me escuchen...


                    HECTOR
            ¡No! Raquel y yo tenemos
            cosas mejores qué hacer.


                    DIANA
        Lo que te voy a decir es por su bien...


                    HECTOR
            Está bien, dime.
```

La transición es demasiado rápida. Funcionaría mejor si se construye la escena incluyendo las acciones y reacciones adecuadas:

DIANA
(enojada)
¡Quiero que me oigan!

HECTOR
¡No!

HECTOR ve de reojo la mirada de dolor de su hermana. Luego, más suave, trata de explicarle.

HECTOR
(continúa)
Raquel y yo tenemos
cosas importantes qué hacer...

DIANA está determinada a hablar con ellos. Trata de disimular la tensión en su voz.

DIANA
Te digo que es por su propio bien...

Una larga PAUSA. HECTOR se recuesta en el sofá y sonríe a DIANA.

HECTOR
O.K. hermanita,
¿qué nos tienes que decir?

DIANA se para frente a HECTOR. Suspira profundamente.

El problema de un diálogo inconsistente puede ser manejado analizando las actitudes y la conducta internas del personaje. Algunas veces, la solución radica en manejar más tiempo de transición en el diálogo. Otras veces, es necesario desarrollar más el carácter del personaje en el guión.

Diálogo con falta de información

En ocasiones, por querer ser breves al escribir diálogos caemos en la falta de información necesaria para la comprensión de la escena. Aunque el diálogo no debe ser la única fuente de información para la acción, es necesario revisar si el personaje dice todo lo que debe decir. El siguiente es un ejemplo:

BETTY
¡Apúrate porque te
deja el avión!

CLAUDIA
¡No las encuentro
por ningún lado!

BETTY levanta la maleta.

BETTY
¿Ya buscaste en
el neceser?

CLAUDIA
¡Te digo que no
las encuentro!

BETTY
Déjalo. Yo te las
mando por correo.

¿Qué busca Claudia con tanta ansiedad como para correr el riesgo de perder su vuelo? Nunca se sabrá. A menos que el guionista haya construido deliberadamente la escena para dejar al público inquieto, la escena anterior carece de la información necesaria para ser comprensible. El diálogo podría solucionarse con un simple cambio:

BETTY
¡Apúrate porque te
deja el avión!

CLAUDIA
¡No encuentro mis
tarjetas por ningún lado!

BETTY levanta la maleta.

BETTY
¿Ya buscaste en
el neceser?

CLAUDIA
¡Te digo que no
las encuentro!

BETTY
Déjalo. Yo te las
mando por correo.

Así de sencillo. Recuerda que una de las funciones importantes del diálogo es proporcionar al público información que no se puede –o es más complicado– dar por otros medios. El diálogo debe ser claro y debe informar adecuadamente.

DIÁLOGO CRÍPTICO

Este es el problema de diálogo que se presenta cuando sólo el guionista entiende lo que dicen los personajes. De nuevo, el diálogo críptico es un problema si no se escribe deliberadamente en esa forma. El siguiente ejemplo muestra las dificultades de entender un diálogo *cerrado* para el público:

GERARDO
Permanecemos en la esfera
de lo imposible y nos
aferramos a ella.

ADRIANA
¡No es cierto! Nuestras
razones son válidas aquí
y en todas partes.

GERARDO
Es inútil. Parece que
vamos de regreso a donde
estábamos al principio.

ADRIANA
Yo no lo veo así. Para mí es
muy claro: o nos atrevemos ahora
o nos quedaremos sin saber
que pudo haber pasado.

Para Adriana y para el guionista pudo haber sido muy claro, pero para el público un diálogo como éste necesita de una aclaración urgente. La siguiente podría ser una solución, si el sentido del diálogo lo permite:

GERARDO
Estamos luchando inútilmente.
No nos van a hacer caso, Adriana.

ADRIANA
¡No es cierto! Tenemos la
razón y lo vamos a demostrar.

GERARDO
Es inútil. Por más que le doy
vueltas al asunto no sé para
dónde avanzar.

ADRIANA
Yo no lo veo así. Para mí es
muy claro: o nos atrevemos ahora
o nos quedaremos sin saber
qué pudo haber pasado.

Aún no sabemos de qué están hablando, pero el diálogo ha quedado mucho más claro. Gerardo está indeciso sobre algo que tienen que decir o hacer y Adriana está convencida de que deben seguir adelante. La última línea de Adriana ha quedado sin cambios, pero en el nuevo contexto es más comprensible.

DIÁLOGO X

En ocasiones hay diálogos que parecen escritos con el fin de llenar espacio en las páginas del guión. Si recordamos que una virtud importante en todo guión es la economía de palabras, este tipo de diálogos atenta contra este principio. El diálogo X es aquel que no aporta nada a la acción y que, con frecuencia, es un *cliché* utilizado en la vida real cuando uno no tiene nada qué decir. El siguiente es un ejemplo típico:

                    PATTY
          ¡Buenos días! ¿Cómo
              has estado?

                  ALEJANDRA
              Muy bien ¿y tú?

                    PATTY
            También. Bonita
          mañana ¿no crees?

                  ALEJANDRA
            Muy bonita. Bueno,
      me da gusto haberte saludado.

                    PATTY
        A mí también. Hablamos.

                  ALEJANDRA
          Sí, hablamos. Bye.

Es imperdonable gastar tiempo y papel en escribir diálogos vacíos. Aunque en la vida real este tipo de intercambios suele presentarse, un guión no acepta fácilmente diálogos que no vayan a ningún lado. Lo mejor en estos casos es evaluar la función dramática de la escena y escribir el diálogo de manera que apoye esta función.

DIÁLOGO POCO CREÍBLE

Esta es una categoría que engloba a todas, e implica que el personaje no suena real, por muchas razones.

El guionista puede probar la credibilidad del diálogo leyéndolo en voz alta, para ver si tiene sentido con el personaje. El diálogo debe sonar como si lo dijera una persona real, que responde a las circunstancias inmediatas que se presentan en la escena. Si hay un problema, trata de escribir una escena en las que los mismos personajes se enfrenten a distintas situaciones de conflicto. Este tipo de ejercicio escrito proporciona variedad a las motivaciones y acciones de los personajes y ayuda a distinguir cuál es la mejor línea de diálogo para cada situación.

Recuerda que el diálogo y las reacciones deben integrarse, que las motivaciones y conductas necesitan ser lógicas. Los personajes deben sonar consistentes a la personalidad que has creado para ellos. Una vez que sepas cómo interactúa el personaje consigo mismo, la integridad de éste está asegurada. El diálogo original puede ser probado contra tu mayor conocimiento sobre las motivaciones, intenciones y actitudes de los personajes.

Ejercicio 12

El diálogo

Aunque la redacción del diálogo forma parte de la elaboración final del guión dramático, puedes comenzar a construir los diálogos principales de tu historia. Para ello, sigue las recomendaciones listadas a continuación:

1 Toma como base la división en escenas que realizaste para determinar cuántas escenas incluyen diálogo y cuántas incluyen únicamente acción física.
2 Toma en cuenta que las escenas que incluyen diálogo son más largas que las escenas que no lo incluyen.
3 Identifica los temas a tratar en el diálogo de las siguientes escenas:

   a) Premisa básica
   b) Punto de confrontación
   c) Puente I
   d) Punto intermedio
   e) Puente II
   f) Punto de resolución
   g) Clímax

4 Escribe de manera general los diálogos de esas escenas. Toma en cuenta la función informativa y la función de caracterización del diálogo.
5 Evalúa el diálogo que escribiste comparándolo con los problemas explicados en este capítulo.

El título de la historia

Desde que el guionista comienza a escribir su historia, es muy importante que tenga un título en mente para referirse a ella. En el apartado correspondiente a la *propuesta* recomendamos escribir un título, aunque éste no fuera el definitivo. De esta manera, la historia adquiere una personalidad distintiva.

En realidad, el título o nombre de una historia es una etiqueta variable. Como en el caso del diálogo, no existe una *receta mágica* que le indique al guionista cuál debe ser el título apropiado para la historia que escribe. En la práctica, muchos guiones se escriben con un título y terminan siendo producidos con otro. Hoy en día, nadie recuerda que el guión de la famosa película *Casablanca* se escribió con el nombre de *Todos vienen a Rick's* (*Everybody comes to Rick's*), título de la obra original en la que se basaron los guionistas Julius Epstein, Philip Epstein y Howard Koch.

Independientemente de lo anterior, es importante tener siempre en mente un título. El título de una historia es lo que la distingue de otras, es su nombre propio, la prueba principal de su existencia.

Los títulos de las historias pueden surgir, por lo general, de alguna de las siguientes fuentes:

1 El nombre del personaje o personajes principales.
2 El nombre de algún otro personaje al cual se alude en la historia.
3 El nombre de un lugar.
4 El nombre de un objeto importante dentro de la historia.
5 Una actividad que tiene lugar en el contexto de la historia.
6 El tema o concepto general alrededor del cual gira la historia.
7 Una línea de diálogo de alguno de los personajes de la historia.

El nombre del personaje o personajes principales es quizás el recurso más utilizado para bautizar una historia. De Cervantes a Joyce y de Shakespeare a García Lorca, los grandes escritores han titulado muchas de sus obras con el nombre de sus protagonistas principales. En los medios audiovisuales los ejemplos abundan: *El ciudadano Kane, María*

Candelaria y *Miroslava,* en cine; *María Isabel, Rubí* y *El ojo de vidrio,* en radio; *Murphy Brown, María Mercedes* y *Los Simpsons,* en televisión.

El nombre de algún otro personaje al cual se alude en la historia es otra alternativa para la decisión del título. En estos casos, la historia debe girar alrededor de ese personaje –presente o ausente– para que tenga sentido llamar a la historia con su nombre. En *Rebeca* de Alfred Hitchcock, el personaje con este nombre nunca aparece, pues murió antes de que comenzara la historia. Sin embargo, su presencia en la vida de los demás personajes marca el rumbo de todas sus acciones. En este caso, la decisión sobre el título es sumamente acertada.

El lugar donde se desarrolla la historia puede ser tan importante como para bautizarla con su nombre. *Dallas, San Francisco, Miami Vice, Casablanca, Parque Jurásico, Flamingo Road, Janitzio, Beverly Hills 90210* y *New York, New York,* son apenas unos cuantos nombres de lugares que se han convertido en títulos de historias para los medios audiovisuales.

Un objeto puede ser la fuente para el título de la historia. Como en el caso de los personajes aludidos, el objeto debe ser el centro alrededor del cual gire la historia. *La soga, El manto sagrado* y *La ventana indiscreta* son ejemplos de objetos que dieron nombre a las historias en que estos aparecen.

Tomar el título de la historia de una actividad que tiene lugar en el contexto de ésta, posee un mayor grado de dificultad. Este tipo de títulos surgen por lo general cuando la historia ya se ha escrito o se está escribiendo. Bautizar una historia en base a una actividad requiere, primero que nada, determinar con exactitud esta actividad. Filmes como *Danzón* de María Novaro, o *La tarea* de Jaime Humberto Hermosillo, toman sus nombres de actividades que ocurren en la historia. *Danzón* se refiere a la actividad principal de la protagonista de la historia. *La tarea* a la actividad que lleva a cabo la protagonista a lo largo de la película. Otros ejemplos de este tipo son: la serie de televisión *Viaje a las estrellas* y la serie de filmes titulada *Regreso al futuro.*

Un grado de abstracción mayor requiere el tomar el título del tema o concepto general alrededor del cual gira la historia. De los ejemplos utilizados en este libro, *Ausencia viva* [21] es un título tomado del concepto general de la historia que, en nuestra opinión, es más bello que el título original del cuento de Julio Cortázar, *La salud de los enfermos.* Ejemplos de títulos tomados del tema o concepto general alrededor del cual gira la historia son: las series televisivas *Treinta y tantos* y *Los años maravillosos,* los

---

[21] Título del guión escrito por María Angélica Meouchi, en mayo de 1993. Citado con permiso de la autora.

filmes *Sólo con tu pareja*, *Rojo amanecer* y *Mujeres al borde de un ataque de nervios* y las telenovelas *Corazón salvaje* y *Cuna de lobos*.

Finalmente, el título de la historia puede surgir de una línea de diálogo de alguno de los personajes. En estos casos, como el diálogo es una de las últimas actividades que se llevan a cabo en la redacción del guión, el título puede ser lo último que escribamos de la historia. De ahí que este tema lo hayamos dejado al final del capítulo correspondiente a la redacción de la historia.

El siguiente ejemplo nos demuestra cómo un diálogo puede darnos la clave para bautizar a nuestra historia. El guión parte de un hecho real: un escritor famoso –en realidad el controvertido Salman Rushdie, autor de *Los versos satánicos*– es amenazado de muerte y tiene que esconderse. En el guión, Rushdie va a ser trasladado por el servicio secreto británico a Brasil, pero una equivocación lo lleva a México junto con el agente encargado de su custodia. En la siguiente escena, el diálogo entre Rushdie y su custodio da la clave para el título del guión:

"MANCHAS EN LO ALTO"
Guión original de Elsa Patricia Cárdenas.[22]

28   INT. - BAR DEL AEROPUERTO INTERNACIONAL DE LA CD. DE MEXICO - NOCHE

STEPHEN y RUSHDIE toman una copa. Sentados frente a una gran ventana ven el ir y venir incesante de los viajeros. Llevan un buen rato platicando.

STEPHEN
...Y mi padre era periodista.
Tenía mucha credibilidad y
sus artículos se leían en
toda Inglaterra.
(suspira)
Creo que era un gran hombre.

CONTINUA

---

[22] Fragmento del guión escrito por Elsa Patricia Cárdenas, en mayo de 1989. Citado con permiso de la autora.

(CONTINUA)

                    RUSHDIE
            Entonces debes entender
            mi posición. ¡No pueden
            matarme por expresar mis
            ideas libremente!

UNA PAUSA. STEPHEN da un largo trago a su copa.
Mira fijamente a RUSHDIE.

                    STEPHEN
            No deben, pero sí pueden.Mi padre
            fue asesinado a causa de un artículo
            que escribió en contra del IRA.

                    RUSHDIE
                    (exaltado)
            ¿Lo ves? Es injusto lo que
            le pasó a tu padre. El estaba
            haciendo uso de su libertad.

                    STEPHEN
                    (tajante)
            Yo no se si él hacía uso de su libertad o no,
            pero tu caso es distinto. El no creía en la
                    violencia del IRA y tú...

                    RUSHDIE
                    (interrumpiéndolo)
                    ¿Yo qué?

                    STEPHEN
            Tú blasfemas y criticas a tu propia
            religión y no llegas más que a manchar
            tus propias creencias. Así como los
            asesinos se manchan las manos con sangre,
            tú estás manchando el cielo con tinta.

STEPHEN termina su copa y se levanta bruscamente de
la mesa, dejando a RUSHDIE con la palabra en la boca.

La escena es breve pero sumamente efectiva. En el diálogo de Stephen está contenida la idea central del guión: el hombre no debe eludir la responsabilidad de enfrentar las consecuencias de sus acciones. Esta es la postura de Stephen ante Rushdie y su diálogo revela lo que piensa. En estos casos, hay que aprovechar al personaje y tomar en cuenta lo que dice. En ocasiones como ésta, el que nuestro personaje nos proporcione el título de la historia que escribimos es un indicador de que hemos creado una historia con personajes *vivos*.

Ejercicio 13

El título de la historia

Estás a un paso de iniciar la redacción de tu guión dramático y es momento de pensar detenidamente en el título de tu historia. Aunque desde el principio del proceso has manejado un título tentativo, es importante evaluarlo en función de las siguientes recomendaciones:

1 Si tu historia es original, examina la fuente que originó el título de tu historia. Recuerda que una historia puede tomar su título de alguna de las siguientes fuentes:

   a) El nombre del personaje o personajes principales.
   b) El nombre de algún otro personaje al cual se alude en la historia.
   c) El nombre de un lugar.
   d) El nombre de un objeto importante dentro de la historia.
   e) Una actividad que tiene lugar en el contexto de la historia.
   f) El tema o concepto general alrededor del cual gira la historia.
   g) Una línea de diálogo de alguno de los personajes de la historia.

2 Si tu historia es adaptada, examina la fuente que originó su título. Evalúa la posibilidad de cambiar este título por otro. Recuerda que la historia que estás escribiendo es tuya, aunque sea una adaptación.
3 En caso de que no te hayas decidido aún por un título, haz una lista de títulos de películas, programas de radio y televisión que recuerdes. Haz la lista lo más extensa posible. Examina las fuentes que originaron todos esos títulos.

4 Recuerda que el título debe dar personalidad a la historia. Sin embargo, recuerda también que es una etiqueta variable y que, si tu guión llega a ser producido, el título puede cambiar.

5 Aunque no existe una regla al respecto, por lo general los títulos suelen ser cortos, títulos muy largos provocan que el público tenga dificultad para recordarlos. Sin embargo, repetimos, esta no es una regla sino una recomendación.

6 Haz una lista de varios títulos posibles y coméntala con tus amigos o familiares. Pídele a ellos que te digan cómo les gustaría que se llamara la historia.

7 Una vez que hayas decidido el título de tu historia, consérvalo hasta el final de la redacción del guión. Una vez que hayas terminado el guión, si no te sientes completamente a gusto con el título, vuelve a realizar el proceso anterior. Lo importante es que te sientas a gusto con el nombre que elegiste para tu historia.

Capítulo 6

LA REDACCIÓN DEL GUIÓN DRAMÁTICO

La función del guión dramático

TODO GUIÓN DE CINE, radio o televisión debe funcionar como una guía de acción clara para la realización de una película o programa. En el caso del guión dramático esta función es vital pues el guión debe contar una historia en términos de acción. El lector de un guión dramático debe comprender con gran precisión las imágenes y sonidos que el guionista ha descrito con palabras. Asimismo, la lectura de los diálogos de los personajes debe ser exacta en cuanto a la manera en que éstos deben pronunciarse.

La principal característica que todo guión debe poseer es la claridad. Si un guión no es claro en sus indicaciones, es como un instructivo incompleto, o como una receta que no incluye algún ingrediente: el producto saldrá mal, saldrá tarde o no saldrá.

Para que un guión sea claro debe respetar un formato. Los formatos son modos establecidos y estandarizados de presentar información. Todo el que esté involucrado en la realización de un producto audiovisual comprenderá las indicaciones del guión si éste respeta un formato. Los formatos son de uso común: son herramientas para facilitar el trabajo.

Características que distinguen a los formatos de guión dramático según el medio

Cada medio audiovisual ha desarrollado formatos de guión propios, acordes con sus necesidades particulares. El cine, por razones cronológicas, fue el primero en establecer procedimientos estandarizados para la escritura de guiones. La radio, por su naturaleza netamente aural, estableció formatos que destacaran la participación de los elementos propios de la producción radiofónica (voces, música, sonidos y silencio).

En cuanto a la televisión, su relación estrecha con la radio hizo que los formatos radiofónicos fueran los primeros que se utilizaran en este medio. Con el tiempo, el medio televisivo desarrolló sus propios formatos. Si bien es cierto que muchos programas televisivos se producen con técnicas cinematográficas –lo cual implica el uso de guiones de cine en su realización– lo cierto es que la mayoría de los programas dramáticos de televisión se realizan con técnicas televisivas, por lo que el uso de guiones de cine es inaplicable en su producción.

El guión dramático de cine

Como el término en inglés lo indica, un guión o *screenplay* es una *obra para la pantalla*. Su escritura posee aspectos semejantes a la redacción de una obra teatral, pero la naturaleza del medio cinematográfico le otorga características particulares. El cine posee un lenguaje propio, alejado por mucho de los medios expresivos del teatro.

Con el paso del tiempo los estándares iniciados en la época del cine mudo han evolucionado. El lenguaje del cine se ha renovado y la terminología del medio se ha enriquecido. Esto ha traído como consecuencia el hecho de que no exista un formato único para escribir guiones de cine. Existen variables dependiendo del idioma, del país, o incluso, de la compañía productora del filme. Las distintas escuelas de cine poseen diferente formatos adecuados a sus técnicas de enseñanza. Filmes muy complejos requieren de guiones muy precisos. Filmes sencillos de producir tienen requerimientos acordes con esta sencillez.

Lo importante es recordar que, independientemente de las variantes, existen elementos básicos que todo guión dramático de cine debe tener.

Características básicas de estructura de un guión dramático de cine

1 Todo guión dramático de cine debe escribirse por escenas, es decir, *por unidades de lugar en donde uno o varios personajes llevan a cabo acciones, en un tiempo determinado.* La razón principal de redactar el guión dramático de cine por escenas radica en las necesidades de producción de la película. El número de escenas del guión determina el número de lugares en donde transcurre la acción. Determinar este número es importante para decidir cuántos

sets diferentes se tienen que construir, o cuántas locaciones se tienen que conseguir.

2 En algunos países, compañías productoras o escuelas de cine los guiones se escriben por secuencias. Esta costumbre puede ser resultado de una simple confusión de términos. Una secuencia se define como *una pequeña acción, con principio, desarrollo y final propios, que forma parte de la acción total de la historia.* Como en algunos casos la acción continua transcurre en un sólo lugar, los términos *escena* y *secuencia* pueden coincidir. Sin embargo, la práctica común y recomendable es escribir el guión por escenas, para evitar confusiones.

3 Cada escena debe contener tres elementos básicos:

a) Descripción breve del lugar y personajes.
b) Descripción breve de la acción.
c) Diálogos.

En otras palabras: lo que se ve, lo que sucede y lo que se dice.

4 La descripción del lugar debe ser concisa. Descripciones detalladas sólo deben hacerse en casos indispensables para la comprensión de la historia.

5 Los personajes sólo se describen la primera vez que aparecen, o cuando es importante describir su aspecto, ya sea porque éste haya cambiado o porque algo de su apariencia sea importante para el desarrollo dramático de la escena.

6 La descripción de la acción es lo más importante de la escena. Debe ser clara y concisa, sin llegar a la exageración del detalle mínimo. Las descripciones deben ser funcionales y deben servir como guía para que el director y los actores tomen decisiones sobre cómo interpretar la escena.

7 Los diálogos sólo se escriben cuando son inteligibles y tienen una intención dramática. Hay que recordar que todo diálogo debe proporcionar información y debe caracterizar al personaje. Como con la descripción de la acción, con el diálogo no hay que llegar al detalle mínimo: Si un personaje grita de dolor no se debe escribir *¡Ay!*, sólo se describe que el personaje grita.

8 Aunque antiguamente se establecían diferencias entre el guión literario y el guión técnico, éstas han pasado de moda. Se denomina guión literario *al guión que no incluye indicaciones técnicas como movimientos y ángulos de cámara o indicaciones de audio*, mientras que el guión técnico sí las incluye. En la práctica se ha demostrado que un guión técnico sólo es útil cuando el guionista es

al mismo tiempo el director de la película. En cualquier otro caso, la redacción de un guión técnico, además de difícil, es inútil pues el director termina por desecharlo. A la mayoría de los directores no les gusta que nadie les diga cómo deben dirigir su película.

9 Lo anterior no impide que el guionista pueda sugerir algunas tomas o ángulos específicos, siempre y cuando la sugerencia sea sólo eso y aporte información a la acción. Es conveniente recordar que un guión escrito con sencillez y claridad no necesita de ninguna indicación técnica para ser útil.

10 No existe un método único para aprender a narrar visualmente ni para escribir diálogos. Cada guionista desarrolla su estilo propio con la práctica. La única característica común de estilo que deben compartir todos los guionistas es la claridad.

Características básicas de formato del guión dramático de cine

1 En el guión dramático de cine todo se escribe a un solo espacio. Sólo se separan con un espacio sencillo:

a) El encabezado de cada escena de su correspondiente bloque de indicaciones y descripción.
b) Este bloque, del diálogo de los personajes.
c) El diálogo de un personaje del diálogo de otro personaje.

2 Cada hoja del guión equivale aproximadamente a un minuto de tiempo en pantalla. Se debe escribir en hojas tamaño carta, de preferencia blancas, por un solo lado.

3 La portadilla del guión debe contener los datos esenciales del mismo: nombre de la película, duración aproximada, nombre del guionista, versión del guión (PRIMER BORRADOR, SEGUNDO BORRADOR, GUIÓN FINAL), datos del guionista (dirección, teléfono, etcétera), lugar y fecha.

4 Se debe dejar un margen izquierdo de 2.5 cm en las páginas donde se va escribir, el margen derecho debe estar a la altura de los 20 cm. Los márgenes superior e inferior se colocan a 2 cm.

5 En la primera hoja se vuelve a escribir el NOMBRE DE LA PELÍCULA, con mayúsculas y subrayado, inmediatamente debajo del margen superior, en el centro de la hoja.

6 A continuación se dejan dos espacios sencillos y junto al margen izquierdo se escribe, con mayúsculas, la indicación FUNDIDO DE APERTURA o FADE IN, la cual es un convencionalismo que indica el inicio de un guión cinematográfico.

7 Se deja un espacio sencillo y junto al margen izquierdo se escribe el número 1, que indica la primera escena. Cada escena se debe numerar en el espacio correspondiente al margen izquierdo (2.5 cm).

8 Sobre el mismo renglón donde se escribió el número de la escena, a partir de los 3.7 cm. a la izquierda, se escribe con mayúsculas y subrayado el <u>ENCABEZADO DE LA PRIMERA ESCENA</u>. Este encabezado consta de tres elementos:

a) Indicación que señala si la escena sucede en interior o exterior. En el primer caso se escribe la palabra INTERIOR o la abreviatura INT.; en el segundo, la palabra EXTERIOR o la abreviatura EXT.

b) Identificación breve del lugar donde se desarrolla la acción: PARQUE, RECÁMARA DE LUIS, IGLESIA, etcétera.

c) Identificación del tiempo en el que transcurre la escena: DÍA o NOCHE. Indicaciones muy específicas como AMANECER o SEIS DE LA MAÑANA sólo se utilizan si es importante que la escena tenga lugar en un tiempo preciso.

9 Se deja un espacio sencillo y a continuación se escribe el primero de los bloques de indicaciones y descripción de escena. Estos se escriben con mayúsculas y minúsculas, a todo lo ancho de la hoja, a partir de los 3.7 cm a la izquierda, y hasta el margen derecho.

10 Los diálogos y las indicaciones de cómo deben decirse éstos (acotaciones de dirección) se escriben en una columna angosta, de aproximadamente tres pulgadas de ancho, colocada en el centro de la hoja. Esta columna comienza a partir de los 7.5 cm a la izquierda, y debe terminar a los 16 cm. La columna se encabeza con el nombre del personaje escrito con mayúsculas.

11 Debe existir una separación clara entre los bloques de indicaciones y descripción de escena y el diálogo, con el fin de que el guión se lea con mayor claridad. De esta manera el diálogo y la acción no se confunden y ambos fluyen suave y claramente. Además, a la hora de usar el guión, cada persona involucrada en la producción (director, actores, técnicos, etcétera) puede enfocar su atención a lo que más le interesa, sin tener que andar buscando entre los renglones.

12 Es muy importante no cortar las palabras que se escriben a cada cambio de renglón o de hoja, es preferible dejar un espacio vacío a dejar una palabra cortada.

13 Si una escena o diálogo continúan en la siguiente hoja, se debe escribir la palabra CONTINÚA, con mayúsculas, en el margen inferior derecho de la hoja que contiene la escena incompleta. Igualmente, se deberá escribir la palabra (CONTINÚA), con mayúsculas y entre paréntesis, en el margen superior izquierdo de la siguiente hoja.

14 Si la escena o diálogo terminan al final de la hoja, no se debe poner la palabra CONTINÚA.

15 Todas las páginas se numeran en el margen superior derecho, a partir de la segunda hoja.

16 Al finalizar el guión se escribe, con mayúsculas, la palabra FIN o FADE OUT en el margen inferior derecho de la última hoja del guión.

17 Se escriben a renglón seguido:

a) Los bloques de indicaciones y descripción de escena.
b) Los diálogos.

18 Se separan entre sí con un espacio sencillo:

a) El encabezado de cada escena de su correspondiente bloque de indicaciones y descripción.
b) Este bloque, del diálogo de los personajes.
c) El diálogo de un personaje del diálogo de otro personaje.

19 Se escriben con mayúsculas y minúsculas (altas y bajas):

a) Los bloques de indicaciones y descripción de las escenas.
b) Los diálogos.
c) Las indicaciones de cómo deben decirse los diálogos (acotaciones de dirección).

20 Se escriben con mayúsculas:

a) El título de la película (sólo en la primera hoja).
b) La indicación FUNDIDO DE APERTURA o FADE IN.
c) Los encabezados de cada escena (<u>INTERIOR/EXTERIOR - LUGAR - DÍA/ NOCHE</u>).
d) Los nombres de los personajes.
e) La indicación CONTINÚA, que indica que la escena continua en la siguiente hoja.
f) La indicación (CONTINÚA), que indica que la escena viene de la hoja anterior.

g) Las indicaciones técnicas que se deseen enfatizar (FUERA DE CUADRO, PAUSA, TOMA ANTERIOR, ÁNGULO SOBRE EL CARRO, etcétera).

h) Las indicaciones de cámara (CLOSE UP, ÁNGULO ALTO, etcétera).

i) Las indicaciones opcionales de audio (SONIDO DE OLAS, etcétera).

j) La indicación FIN, o FADE OUT, al final del guión.

21 Se subrayan:

a) El título de la película (sólo en la primera hoja).

b) Los encabezados de cada escena (<u>INTERIOR/EXTERIOR - LUGAR - DÍA/ NOCHE</u>).

22 Se escriben entre paréntesis:

a) Las indicaciones de cómo deben decirse los diálogos (acotaciones de dirección).

b) La indicación (CONTINÚA), que indica que la escena continúa de la hoja anterior.

23 El tipo de letra que se debe utilizar es el que posee una máquina de escribir normal. Si se utiliza una computadora con procesador de palabras (Microsoft Word™, MacWrite™ o equivalente) es recomendable utilizar letra tipo `Courier de 12 puntos`.

A continuación presentamos un ejemplo práctico de formato de guión dramático de cine. Toma en cuenta todas las indicaciones que aparecen en el formato. Estas te pueden resolver dudas específicas sobre la redacción del guión.

Después del formato encontrarás un ejemplo completo de guión dramático de cine: el guión final del cortometraje *La mujer que llegaba a las seis*[1] , producido por el ITESM-Campus Monterrey en 1991. Este guión va acompañado de un *guión de pantalla* (*el guión tomado de la película tal como quedó finalmente*), con el fin de que los compares y notes las semejanzas y diferencias que puede haber entre el guión final y el producto audiovisual terminado.

---

[1] Guión de Jesús Arturo Flores, Rogelio Jaramillo y María Andrea de León, basada en el cuento homónimo de Gabriel García Márquez, escrito en mayo de 1991. Reproducido con permiso de los autores. El guión de pantalla fue escrito por Maximiliano Maza para la edición de este libro.

El título se escribe aquí, en mayúsculas y subrayado.

Aquí se describe brevemente la naturaleza del proyecto.

FORMATO DE GUION DRAMATICO DE CINE
Película de 120'

por

El nombre del guionista

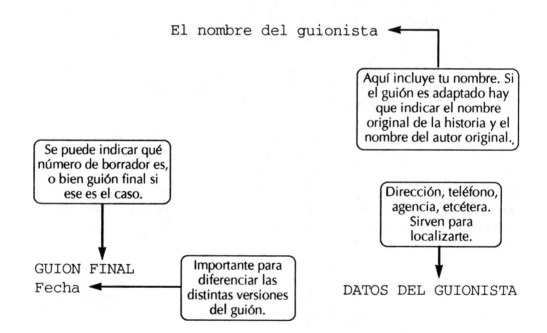

Aquí incluye tu nombre. Si el guión es adaptado hay que indicar el nombre original de la historia y el nombre del autor original.

Se puede indicar qué número de borrador es, o bien guión final si ese es el caso.

Dirección, teléfono, agencia, etcétera. Sirven para localizarte.

GUION FINAL
Fecha

Importante para diferenciar las distintas versiones del guión.

DATOS DEL GUIONISTA

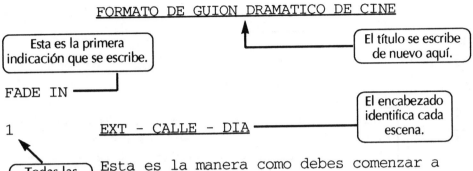

FORMATO DE GUION DRAMATICO DE CINE

Esta es la primera indicación que se escribe.

El título se escribe de nuevo aquí.

FADE IN

1

EXT - CALLE - DIA

El encabezado identifica cada escena.

Todas las escenas se numeran en el margen izquierdo de la hoja.

Esta es la manera como debes comenzar a escribir tu guión de cine: con una explicación breve de los hechos. La información del encabezado de la escena es vital para que el equipo de producción determine las necesidades de escenografía, locaciones e iluminación.

Un espacio entre dos bloques de indicaciones sin cambiar de escena indica un cambio de ángulo o de acción.

En ocasiones se quiere mostrar un nuevo ángulo de la misma escena. Con sólo cambiar de párrafo se puede hacer. No es necesario poner un nuevo encabezado. Si la acción de este nuevo ángulo está relacionada con la acción del ángulo anterior, todo se convierte en una pieza de acción continua. Esto permite una mayor facilidad de lectura, y salva al guionista de "sobredirigir" su guión, cosa que sucede al poner demasiadas indicaciones de cámara y de otro tipo.

Se puede indicar el nuevo ángulo de esta manera.

ANGULO SOBRE EL CARRO
Se deben utilizar ángulos específicos cuando se quiere llamar la atención sobre un aspecto visual en particular - objetos, personas, puntos de vista de los personajes. Esto ayuda a mover la acción de modo lineal. Nótese que el ángulo marcado arriba no debe incluir ningún encabezado. Solamente indica un ángulo diferente dentro de la misma escena.

Cuando un nuevo ángulo se indica de esta forma, no se deja espacio entre el encabezado y el bloque de indicaciones.

2   INT - CARRO - DIA

Una nueva
escena.

Si cambias el lugar físico de la escena,
debes poner un nuevo encabezado.

Personajes,
lugares y
acciones se
escriben en
los bloques
de
indicaciones.

Cuando describas a los PERSONAJES o señales
cualquier información pertinente a los
ANGULOS DE CAMARA, asegúrate de poner esa
información EN MAYUSCULAS. Trata de ser tan
visual como sea posible en la descripción de
los PERSONAJES: quiénes son, cómo es su
aspecto, qué están haciendo en el momento en
describirla en cada detalle, dar una rica
y clara imagen del ambiente, atmósfera y
de la acción dramática.

LAURA
Vamos a explicar algo más ¿no?
¿Hay que numerar las tomas?

ALEX
(con disgusto)

Las
indicaciones
entre paréntesis
pueden
utilizarse para
clarificar una
actitud o
intención para
el diálogo.

¿Quiéres decir enumerar todos los
ángulos de cámara? ¡Olvídalo! Eso
lo hace el asistente de producción
cuando ya tiene en sus manos el
guión final. El guionista no debe
hacerlo. De todas maneras el
director los cambiará.

LAURA se encoge de hombros, arranca el carro.

Esta es una
manera de
indicar una
reacción
ante un
diálogo o
una acción.

Indica que la
acción de esta
escena continúa
en la siguiente
página.

CONTINUA

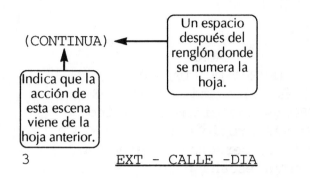

(CONTINUA)

Indica que la acción de esta escena viene de la hoja anterior.

Un espacio después del renglón donde se numera la hoja.

Todas las hojas se numeran, a partir de la hoja 2, en el margen superior derecho.

3

3   <u>EXT - CALLE -DIA</u>

El carro avanza, toma una curva y se pierde en el denso tráfico. Observa que es necesario un nuevo encabezado, porque ahora estamos viendo la acción desde afuera. Si hacemos un nuevo corte a LAURA y ALEX en el carro, se tendría que poner otro encabezado (INT. - CARRO - DIA) Pero podemos usar otra técnica para mantener el diálogo "vivo": utilizar la VOZ EN OFF (V.O.).

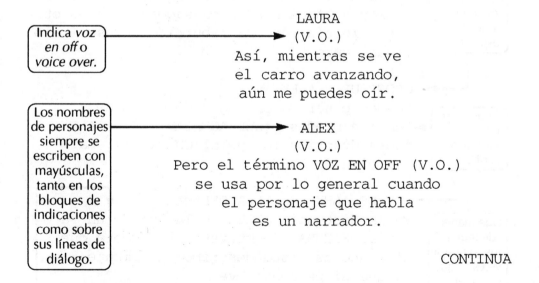

Indica *voz en off* o *voice over*.

                    LAURA
                    (V.O.)
          Así, mientras se ve
          el carro avanzando,
          aún me puedes oír.

Los nombres de personajes siempre se escriben con mayúsculas, tanto en los bloques de indicaciones como sobre sus líneas de diálogo.

                    ALEX
                    (V.O.)
     Pero el término VOZ EN OFF (V.O.)
        se usa por lo general cuando
          el personaje que habla
             es un narrador.

                              CONTINUA

4

(CONTINUA)

LAURA
(FUERA DE CUADRO)
Así es, el término FUERA DE
CUADRO es más cinematográfico.
Es más propio utilizarlo
cuando el personaje que habla
está en la escena pero no se ve.

> Un nuevo ángulo en la misma escena.

ANGULO ALTO
Desde una TOMA AEREA, el carro avanza por el
denso tráfico.

4   EXT - PLAYA - NOCHE

Estamos en una locación totalmente diferente,
dentro de una nueva secuencia. Trata de
especificar la atmósfera visual y emocional
de la escena en tu descripción. Si vemos a
ALEX y a LAURA ¿están cansados? ¿visten otra
ropa? ¿están tensos? ¿aburridos? Descríbelo
visualmente.

> Una manera de indicar una toma específica.

CLOSE UP - ALEX
Puedes poner CU en lugar de CLOSE UP.
También puedes poner ACERCAMIENTO A ALEX.
Ahora describa lo que el CU revela. La
reacción de ALEX.

> El contenido de la toma específica se escribe aquí.

POV DE ALEX - ORILLA DEL MAR
En la distancia, ALEX ve la luz de un faro.
Varias FIGURAS se mueven cerca. Nota que
el punto de vista describe claramente
lo que el personaje ve.

> Una manera de indicar que lo que se ve es lo que ve el personaje.

> Aquí se describe lo que ve el personaje.

CONTINUA

5

(CONTINUA)

> Una manera
> de regresar
> a la toma
> anterior.

LAURA
(FUERA DE CUADRO)
¿Qué pasa ALEX?

TOMA ANTERIOR
Esta es una forma de regresar a la toma
anterior, sin poner INTERCORTE.

> . Las
> indicaciones
> entre paréntesis
> deben ser
> breves.

ALEX
(tenso)
No pasa nada.

La información entre paréntesis se utiliza
para indicar la actitud del personaje, si
ésta no es clara en el diálogo. No es
necesaria si ALEX hubiese gritado:
"¡larguémonos de aquí!." Las indicaciones
entre paréntesis deben ser muy breves. Trata
de que el diálogo hable por sí mismo. Las
indicaciones de actuación pueden incluirse
en este espacio. Por ejemplo: LAURA mira
hacia el mar, ve hacia el faro y voltea
hacia ALEX. UNA PAUSA, y luego recoge sus
cosas rápidamente.

> La pausa indica
> un tiempo
> breve antes
> de que el
> personaje
> realice una
> acción o diga
> una línea de
> diálogo.

LAURA
(pausa)
¡Vámonos!

La PAUSA implica un segundo o dos, en los
que el personaje digiere la información,
antes de actuar.

CONTINUA

6

(CONTINUA)

NUEVO ANGULO

Esta es otra forma de designar un nuevo
ángulo. Implica una nueva posición de la
cámara. No es necesario especificar el
ángulo de cámara (close up, medium shot,
long shot), pero se debe describir la
acción.

> Otra forma de señalar un nuevo plano o toma en la misma escena.

ANGULO SOBRE EL CARRO

LAURA y ALEX corren hacia el carro. Ella
trata de encenderlo pero no arranca. AL
FONDO, las FIGURAS del faro se mueven hacia
ellos.

Cuando se desean efectos especiales de
sonido (por ejemplo, olas) se pueden
incorporar directamente en la descripción de
la escena, para añadir atmósfera a la escena.
Trata de mantener la acción encadenada de
escena a escena y asegúrate de que los
personajes reaccionen como gente real. Cada
uno de ellos es único, y debe sonar creíble.
Una vez que el guión esté listo, asegúrate
de escribir:

> Todos los efectos visuales o sonoros se describen en los bloques de indicaciones.

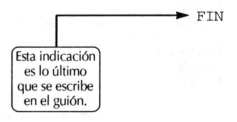

FIN

> Esta indicación es lo último que se escribe en el guión.

Ejemplo

Guión dramático de cine

LA MUJER QUE LLEGABA A LAS SEIS

Cortometraje de 9' producido por el
Centro de Proyectos Cinematográficos
del ITESM - Campus Monterrey.

Guión cinematográfico de Arturo Flores,
Rogelio Jaramillo y María Andrea de León,
basado en el cuento homónimo de
Gabriel García Márquez.

GUION FINAL
Mayo de 1991

LA MUJER QUE LLEGABA A LAS SEIS

FADE IN

1   EXT. - CALLE SOLITARIA - NOCHE

REINA es una prostituta, de aproximadamente 28
años. Es una mujer atractiva, viste vulgarmente.
REINA camina apresuradamente por una calle húmeda y
brumosa. Fuerte taconeo.

2   INT. - RESTAURANTE - NOCHE

El reloj marca las seis y treinta. REINA entra al
restaurante. Es una lonchería con mobiliario viejo.
Se dirige al mostrador y se sienta en una silla
giratoria. PEPE, un hombre de aproximadamente 30
años, encargado de la lonchería, la mira. REINA
toma su bolso, lo abre y saca un cigarrillo. Lo
agita para que PEPE la vea. PEPE se acerca
apresuradamente.

PEPE
Buenos días Reina...
me tenías preocupado.
¿Se te hizo tarde?

PEPE ve que REINA tiene el cigarrillo sin prender.

PEPE
(solícito)
Perdóname, no me había dado cuenta...

REINA
(irónica)
Todavía no te has
dado cuenta de nada...

CONTINUA

2   (CONTINUA)

PEPE enciende el cigarrillo. REINA le da una fumada
y se queda pensativa.

3   EXT. - CALLE SOLITARIA - NOCHE (INTERCORTE)

REINA está parada en una esquina a oscuras. Las
luces de los carros la iluminan al pasar.

4   INT. - RESTAURANTE - NOCHE

PEPE abre el refrigerador. Busca algo. Luego saca
un trozo de carne. REINA juguetea sobre la silla
giratoria.

                    PEPE
              ¡Qué hermosa
            estás hoy Reina!
          Te voy a preparar
            un buen bistec.

                    REINA
          Todavía no tengo dinero.

PEPE se acerca a REINA. Trae el trozo de carne en
las manos. REINA mira a PEPE de frente. Después
clava su mirada en el mostrador.

                    PEPE
          Ya me estoy acostumbrando:
          hace tres meses que no
          tienes dinero y siempre
          te preparo algo bueno.

                    REINA
          (pensativa y algo triste)
          Hoy es distinto.

5   EXT. - CALLE SOLITARIA - NOCHE (INTERCORTE)

REINA está en una esquina. Un auto se detiene,
REINA se acerca, habla con el HOMBRE que conduce y
se sube. El HOMBRE es fuerte, de facciones duras.

6   INT. - RESTAURANTE - NOCHE

PEPE prende la estufa y coloca un sartén. REINA
sigue fumando con la mirada fija en el fuego de la
estufa.

                        PEPE
                    ¿Qué tiene de
                diferente este día?

                        REINA
                   (enfatizando)
            Hoy no llegué a las seis,
            por eso es distinto José.

                        PEPE
                     (dudando)
              Bueno, pero llegaste un
                poco tarde nada más.
            ¿Qué importancia tiene eso?

                        REINA
                    (afirmando)
              Bueno, pero que conste:
              lo dijiste tú. Hoy llegué
            aquí a las seis de la mañana,
            como todos, todos los días.

REINA busca algo en su bolsa. Voltea a ver el
reloj. PEPE avienta la carne al fuego. Ve que son
las seis treinta y cinco y se acerca a ella.

                                        CONTINUA

4

6   (CONTINUA)

PEPE
(burlándose)
Está bien Reina. Como tú quieras.
Llegaste a las seis como todos
los días. Es más: te regalo un
día entero con su noche para
verte contenta...
(abandona el tono de burla)
¿Sabes que te quiero mucho?

REINA
(desinteresada)
¿Aunque no me acueste contigo?

7   INT. - CUARTO DE HOTEL - NOCHE (INTERCORTE)

REINA y un HOMBRE entran al cuarto de un hotel. El
mobiliario del cuarto es escaso: una cama de tamaño
individual, al lado de la cama está un buró con una
lámpara vieja, un espejo colgado en la pared. La
única luz del cuarto entra a través de las
persianas de la ventana.

8   INT. - RESTAURANTE - NOCHE

REINA saca un espejo de su bolso y comienza a
pintarse los labios, al mismo tiempo que habla con
PEPE.
REINA
¿En serio me quieres?

PEPE
(serio)
Te quiero tanto, que
todas las noches mataría
al hombre que se va contigo.

CONTINUA

8   (CONTINUA)

                         REINA
                      (burlándose)
                    ¡Estás celoso!

                          PEPE
                       (molesto)
                   Tú no entiendes nada.

                         REINA
                       (coqueta)
                 Entonces ¿no estás celoso?

PEPE cambia su cara de molesto. Toma a REINA de la
barbilla y le levanta la cara, paternalmente.

                          PEPE
                     (con ternura)
                   Lo que pasa es que
                 no me gusta que hagas eso.

9   INT. - CUARTO DE HOTEL - NOCHE (INTERCORTE)

El HOMBRE toma a REINA bruscamente y le baja el
cierre del vestido.

10   INT. - RESTAURANTE - NOCHE

PEPE limpia el mostrador, hasta llegar al otro
extremo, donde está el teléfono y también lo
limpia. REINA se levanta y se apoya sobre el
mostrador.
                         REINA
                       (coqueta)
                 ¿Es verdad que lo matarías
                 para que no se fuera conmigo?

                                        CONTINUA

10   (CONTINUA)

                            PEPE
                        (enfatizando)
                    Para que no se fuera no.
                Lo mataría porque se fue contigo.

                            REINA
                        (indiferente)
                        Es lo mismo.

11   <u>INT. - CUARTO DE HOTEL - NOCHE (INTERCORTE)</u>

REINA se levanta de la cama y se sube el cierre del
vestido. El HOMBRE está dormido boca abajo.

12   <u>INT. - RESTAURANTE - NOCHE</u>

PEPE está acomodando los ceniceros del mostrador.
REINA se levanta y va hacia PEPE.

                            REINA
                          (seria)
                        Mañana me voy
                y te prometo que no volveré
                    a acostarme con nadie.

PEPE mira a REINA incrédulo.

                            PEPE
                        (incrédulo)
                    ¿Y de dónde sacaste
                        esa idea?

13   <u>INT. - CUARTO DE HOTEL - NOCHE (INTERCORTE)</u>

REINA saca un lápiz de labios de su bolsa y cuando
va a pintarse ve los pantalones del HOMBRE sobre el
buró.

14 INT. - RESTAURANTE - NOCHE

                        REINA
                     (pensativa)
              Hace rato me dí cuenta
          de que le tengo asco a los hombres.

PEPE saca unos servilleteros del mostrador y los
coloca a lo largo de éste. REINA lo sigue con la
mirada.

                        REINA
                  (apresuradamente)
              ¿No te parece que deben
          dejar tranquila a una mujer
            que mate a un hombre...
                  (pausadamente)
          ...porque después de haber
          estado con él, siente asco
          de ése y de todos los hombres?

                        PEPE
              (sorprendido, pausado)
          Esa no es razón para matar a nadie.

15 INT. - CUARTO DE HOTEL - NOCHE

REINA está sacando la cartera de los pantalones del
HOMBRE. El la está viendo sin que ella se de cuenta.
El HOMBRE se acerca, toma a REINA por el cuello y
le rompe un collar de cuentas que trae.

                        REINA
                     (EN OFF)
              ¿Y si cuando la mujer
            le dice que tiene asco,
              él vuelve a besarla,
              a tocarla, a...?

16 <u>INT. - RESTAURANTE - NOCHE</u>

PEPE sigue acomodando los servilleteros.

                    PEPE
            Pues yo no lo haría.

17 <u>INT. - CUARTO DE HOTEL - NOCHE (INTERCORTE)</u>

El HOMBRE y REINA forcejean. Ella logra zafarse.
REINA abre su bolsa y saca una navaja. La abre.

                    REINA
                   (EN OFF)
            ¿Si el hombre insiste?
            ¿Y si la única manera
            de acabar con todo eso
            es dándole una cuchillada?

18 <u>INT. -RESTAURANTE - NOCHE</u>

PEPE corre a la estufa a bajar el fuego. REINA lo
sigue.
                    PEPE
            No creo que sea para tanto.

19 <u>INT. - CUARTO DE HOTEL - NOCHE (INTERCORTE)</u>

REINA recoge la cartera del HOMBRE, que está
enmedio de las cuentas del collar roto y la sangre.

                    REINA
                   (EN OFF)
            Bueno, ¿y si lo hace?
                  (PAUSA)
            Matarlo sería
            defensa propia ¿no?

20 INT. - RESTAURANTE - NOCHE

PEPE coloca el bistec sobre el plato. REINA se
sienta.

PEPE
Casi, casi.

PEPE busca algo debajo del mostrador. REINA está
pensativa, voltea a ver el reloj.

REINA
(en tono de reproche)
Te dije que mañana me voy
y no me has dicho nada.

PEPE
(sorprendido)
¿En serio te vas?

REINA
(entre cínica y coqueta)
Eso depende de tí.
Si sabes decir a qué hora llegué.

PEPE
(dudando)
Llegaste más tarde
que de costumbre.

REINA
(afirmando)
Pepe, te acabo de decir
que llegué a las seis,
como todos los días.
Quiero que te acuerdes
muy bien de eso

CONTINUA

20   (CONTINUA)

PEPE
(dándose por vencido)
Siempre hago las
cosas como tú quieres.

PEPE le acerca un plato con el bistec. REINA
pensativa, fija su mirada sobre el plato y lo
retira de sí.

REINA
Pepe.

PEPE está cara a cara con REINA.

PEPE
¿Qué?

REINA
Quiero otro cuarto de hora.

PEPE
¿Otro?

REINA
(coqueta)
José: quiero que no se
te olvide que estoy aquí
desde el cuarto para las seis.

REINA se levanta, toma sus cosas y sale del lugar.
PEPE, pensativo, se acerca al teléfono y levanta el
auricular. Se queda con él en la mano.

FIN

EJEMPLO

Guión dramático de cine tomado de la película en pantalla

LA MUJER QUE LLEGABA A LAS SEIS

Cortometraje de 9' producido por el
Centro de Proyectos Cinematográficos
del ITESM - Campus Monterrey.

Guión cinematográfico de Arturo Flores,
Rogelio Jaramillo y María Andrea de León,
basado en el cuento homónimo de Gabriel García
Márquez.

GUION DE PANTALLA
Mayo de 1993

LA MUJER QUE LLEGABA A LAS SEIS

FADE IN

1   EXT. - CALLE SOLITARIA - NOCHE

Una noche con lluvia y neblina. REINA, prostituta
de unos 28 años, espera en una esquina la llegada
de algún cliente. Fuma despreocupada, enmedio de la
basura acumulada en la acera. Una camioneta se
acerca y se estaciona frente a ella. REINA se acerca
y el HOMBRE que maneja la camioneta se asoma a
través de la ventanilla. Conversan.

2   CREDITOS

Sobre fondo negro aparece el título:

        la mujer que llegaba a las seis

Con el fondo musical de un bolero.

3   EXT. - CALLE SOLITARIA - NOCHE

REINA y el HOMBRE terminan de conversar. Al parecer
han llegado a un acuerdo. REINA camina, apaga su
cigarrillo y se sube a la camioneta. El HOMBRE
arranca y se van.

4   EXT. - PASILLO FRENTE A LONCHERIA - NOCHE

Un pasillo solitario, al fondo del cual se distingue
una puerta. La neblina en el ambiente indica una
noche fría y húmeda. Continúan los CREDITOS:

                con:
        miguel ángel ferríz
          trinidad carreño
          alfredo huereca

                                        CONTINUA

2

4   (CONTINUA)

                    guión
                arturo flores
              rogelio jaramillo
            maría andrea de león
          basado en el cuento homónimo
            de gabriel garcía márquez

                  <u>producción</u>
                claudia elizondo

                  <u>dirección</u>
                arturo flores
              rogelio jaramillo

Al fondo del pasillo aparece REINA. Camina fumando,
aparentemente despreocupada. Se detiene a apagar el
cigarrillo, antes de abrir la puerta y entrar a la
lonchería.

Termina el bolero.

5   <u>INT. - LONCHERIA - 6:30 DE LA MAÑANA</u>

El reloj de la lonchería marca las seis y treinta
de la mañana. Es un local con poco mobiliario, nada
pretencioso. Al fondo, se escucha la música de otro
bolero, probablemente de la radio. REINA se dirige
al mostrador detrás del cual está PEPE, el
encargado de la lonchería de unos 30 años, leyendo
el periódico. Al verla llegar PEPE sonríe.

                    PEPE
                  (amable)
            Buenos días Reina.

REINA no contesta. Se sienta en una silla alta.
PEPE baja la mirada.

                                        CONTINUA

5 (CONTINUA)

PEPE
Me tenías preocupado.
(PAUSA)
¿Se te hizo tarde?

En silencio, REINA saca un cigarrillo de su bolso.
Lo agita frente a PEPE.

PEPE
(solícito)
Perdón, no me había
dado cuenta.

PEPE saca un encendedor de su pantalón y le
enciende el cigarrillo. REINA inhala el humo y lo
exhala en un suspiro.

REINA
(pensativa)
Todavía no te has
dado cuenta de nada...

6 INT. - CUARTO DE HOTEL - NOCHE (FLASHBACK)

REINA y el HOMBRE de la camioneta entran a un cuarto
de hotel. El mobiliario es escaso, las paredes
desnudas. La única luz entra a través de las
persianas de la ventana. REINA coloca su bolsa sobre
un buró y comienza a desvestirse. El HOMBRE se
desviste sentado en la cama mientras la contempla.

7 INT. - LONCHERIA - TEMPRANO POR LA MAÑANA

PEPE mira fijamente a REINA.

CONTINUA

7   (CONTINUA)

PEPE
¡Qué hermosa
estás hoy Reina!

REINA no contesta. PEPE se muerde los labios.
Evidentemente siente atracción por Reina, quien
continua silenciosa, fumando.

PEPE
Te voy a preparar
un buen bistec.

PEPE abre el refrigerador. Saca un plato y comienza
a preparar el bistec.

REINA
(hastiada)
Todavía no tengo dinero.

PEPE
(amable)
Ya me estoy acostumbrando:
llevas tres meses sin dinero
y siempre te preparo algo bueno.

REINA baja la mirada. Denota cierta tristeza.

REINA
(pensativa)
Hoy es distinto.

PEPE
(sin mirarla)
¿Qué tiene de diferente
este día?

CONTINUA

7   (CONTINUA)

REINA se exalta. Es la primera vez que mira
directamente a PEPE.

REINA
Hoy no llegué aquí a las seis.
(PAUSA, baja la mirada)
Por eso es distinto, Pepe.

PEPE se acerca a ella, animado. REINA esquiva su
mirada.

PEPE
Bueno, pero llegaste
un poco tarde nada más.
¿Qué tiene de importancia eso?

Al oír esto REINA se sobresalta. Por primera vez se
descubre un nerviosismo en su aparente frialdad.
Titubea.

REINA
(nerviosa)
Bueno, ¡que conste que tú lo dijiste!
Hoy llegué aquí a las seis
de la mañana, como todos los días.

PEPE
(burlándose)
Está bien, como tú quieras Reina.
Hoy llegaste a las seis
como todos los días.

PEPE la mira fijamente. Abandona el tono de burla.

CONTINUA

7   (CONTINUA)

                    PEPE
               (con ternura)
          Es más, te regalo un
         día entero con su noche
          para verte contenta.
          (luego, casi en susurro)
        Sabes que te quiero mucho...

Al oír esto, REINA abandona por un momento el
nerviosismo. Sonríe cínica.

                    REINA
                (burlona)
        ¿Aunque no me acueste contigo?

PEPE habla en serio. Toma un cenicero y lo acerca a
REINA.

                    PEPE
                 (serio)
           Te quiero tanto, que
         todas las noches mataría
         al hombre que se va contigo.

REINA se divierte con la sinceridad de PEPE.
Relajada, apaga el cigarrillo.

                    REINA
                (divertida)
              ¡Estás celoso!

PEPE se molesta.

                    PEPE
                (enojado)
           Tú no entiendes nada.

                              CONTINUA

7   (CONTINUA)
Deja de mirar a REINA y toma el periódico que está
sobre el mostrador. REINA, divertida, quiere seguir
el giro que ha tomado la conversación.

                    REINA
                Entonces,
            ¿no estás celoso?

Suavemente, PEPE toma a REINA de la mano.

                    PEPE
                (explicando)
            Lo que pasa es que
        no me gusta que hagas eso.

8   INT. - CUARTO DE HOTEL - NOCHE (FLASHBACK)

REINA enciende una lámpara que está sobre el buró.
El HOMBRE se levanta de la cama y abraza a REINA.
Mientras el HOMBRE la besa, REINA parece pensar en
otra cosa. Está hastiada.

9   INT. - LONCHERIA - TEMPRANO POR LA MAÑANA

Se ha producido un silencio. Sólo se escucha la
melodía del bolero al fondo. PEPE limpia el
mostrador, mientras REINA juguetea en la silla.

REINA se levanta y se sienta en otra silla. Sus
movimientos son lentos. Parece dudar entre decir o
no algo. Por fin se decide.

                    REINA
        Mañana me voy y te prometo
        que no volveré a acostarme
                con nadie.

                            CONTINUA

9   (CONTINUA)

Una PAUSA. PEPE parece no comprender sus palabras.

> PEPE
> ¿Y de dónde sacaste esa idea?

Silencio. REINA parece buscar con la mirada la explicación de lo que acaba de decir. Por fin se decide.

> REINA
> (sin mirar a Pepe)
> Acabo de darme cuenta
> que le tengo asco a los hombres.

PEPE no entiende de qué habla.

> REINA
> (continúa)
> ¿No te parece que deben
> dejar tranquila a una mujer
> que mata a un hombre...
> (PAUSA)
> ...porque después de haber
> estado con él siente asco de
> éste y de todos los hombres?

> PEPE
> (firme)
> Esa no es razón para
> matar a nadie.

> REINA
> (exaltada)
> ¿Y si cuando la mujer
> le dice que tiene asco
> éste vuelve a tocarla...
> a besarla... a...?

CONTINUA

9   (CONTINUA)

PEPE
(interrumpiendo)
Pues yo no lo haría.

REINA baja la mirada

10   <u>INT. - CUARTO DE HOTEL - NOCHE (FLASHBACK)</u>

REINA se pinta los labios frente a un espejo. De repente algo le llama la atención. Se dirige hacia el buró, sobre el cual se encuentra el pantalón del HOMBRE.

REINA toma sigilosamente una cartera del bolsillo trasero. El HOMBRE duerme. REINA cuenta el dinero que hay en la cartera.

El HOMBRE despierta. Se levanta furioso y comienza a forcejear con REINA. La cartera cae al suelo, al mismo tiempo que las cuentas del collar de REINA.

En el forcejeo, REINA cae sobre la cama. El HOMBRE se agacha para recoger su cartera. REINA saca una navaja de su bolsa y, sin pensarlo, la clava en el estómago del HOMBRE. La cartera cae al suelo y REINA se queda con la navaja en la mano.

11   <u>INT. - LONCHERIA - TEMPRANO POR LA MAÑANA</u>

REINA continúa tratando de convencer a PEPE.

REINA
(exaltada)
¿Y si el hombre insiste?
¿Y si la única manera
de acabar con todo eso
es dándole una cuchillada?

CONTINUA

11 (CONTINUA)

PEPE, nervioso, toma unas servilletas.

                    PEPE
            No creo que sea para tanto.

PEPE sale del mostrador rumbo a una de las mesas
del local. REINA está nerviosa. Trata de convencer
a PEPE de la lógica de su argumento.

                    REINA
                (insistente)
            Bueno, ¿y si lo hace?
            (PAUSA, más nerviosa)
            Matarlo sería en
            defensa propia ¿no?

PEPE coloca las servilletas en la mesa.

                    PEPE
                (conciliador)
            Casi, casi.

PEPE vuelve al mostrador. Coloca el plato de bistec
sobre la mesa. REINA, más calmada, insiste.

                    REINA
            Te dije que me voy mañana
            y no me has dicho nada.

PEPE reacciona. Finalmente entiende que REINA habla
en serio.

                    PEPE
                (sorprendido)
            ¿En serio te vas?

                                    CONTINUA

11 (CONTINUA)

                    REINA
              (en tono firme)
              Eso depende de ti.
                   (PAUSA)
              Si sabes decir
              a qué hora llegué.

PEPE titubea.

                    PEPE
                 (dudando)
              Llegaste más tarde
              que de costumbre.

                    REINA
                  (firme)
              Pepe, te acabo de decir
              que llegué a las seis...
                   (PAUSA)
              ...como todos los días.
              Quiero que no se te
                 olvide eso.

PEPE baja la mirada, derrotado.

                    PEPE
              (dándose por vencido)
              Siempre haces las
              cosas como tú quieres...

12 INT. - CUARTO DE HOTEL - NOCHE (FLASHBACK)

El cadáver del HOMBRE yace sobre la cama. Un hilo
de sangre corre de la comisura de sus labios. REINA
recoge la cartera del suelo. Al salir del cuarto,
sus pies tropiezan con los del HOMBRE muerto.

13 INT. - LONCHERIA - TEMPRANO POR LA MAÑANA

PEPE mira en silencio a REINA. No acaba de dar
crédito a lo que acaba de oír. Dueña de la
situación REINA lo mira fijamente.

> REINA
> Pepe.

> PEPE
> ¿Qué?

> REINA
> (decidida)
> Quiero otro cuarto de hora.

> PEPE
> (incrédulo)
> ¿Otro?

REINA se ríe. Toma su bolsa y se dispone a salir.
Antes de dar un paso se dirige, firme, a PEPE.

> REINA
> (autoritaria)
> José, quiero que no se
> te olvide que estoy aquí
> desde el cuarto para las seis.

REINA sale de la lonchería mientras PEPE la sigue
con la mirada.

14 EXT. - PASILLO FRENTE A LONCHERIA - DIA

Ha amanecido completamente. REINA sale de la
lonchería. Se detiene a sacar un cigarrillo de su
bolsa.

15 INT. - LONCHERIA - DIA

PEPE se dirige hacia el teléfono. Descuelga el
auricular. Duda. Suspira. El reloj marca un cuarto
para las siete de la mañana.

16 EXT. - PASILLO FRENTE A LONCHERIA - DIA

REINA voltea a ver hacia el final del pasillo.
Calmada, enciende su cigarrillo. La neblina de la
mañana inunda el lugar. Vuelve a voltear y,
decidida, avanza hasta perderse en la neblina.

Comienza de nuevo el bolero de los créditos
iniciales sobre los:

17 CREDITOS FINALES

Sobre fondo negro aparecen los siguientes créditos:

fotografía
felipe ávila
luis gerardo cámara
roberto pérez

edición
rogelio jaramillo
silvia lópez

operador de cámara
irasema martell

fotografía fija
gabriela gracia

diseño de producción
adriana garduño
liliana delgado
silvia lópez

CONTINUA

14

17 (CONTINUA)

<u>sonido y musicalización</u>
ivan césarman
mario luis pacheco

<u>maquillaje</u>
gabriela gracia

<u>continuidad</u>
luz maría fuentes

<u>pizarra</u>
ana laura gonzález

<u>asesor académico del ITESM</u>
lic. jesús j. torres

<u>coordinador de producción</u>
lic. jorge álvarez

agradecemos la colaboración de las siguientes
personas:
ing. fernando esquivel
lic. maximiliano maza
lic. jesús rodríguez
lic. cristina cervantes
lic. raúl de la fuente
juan carlos nieto
gerardo flores
leonel sánchez
sra. bertha alicia rivera
sr. arturo flores
sra. graciela yzaguirre

derechos reservados
ciencias de la comunicación
ITESM - campus monterrey
1991

FIN

El guión dramático de radio

El guión dramático de radio toma su estructura básica del libreto teatral. Como en el teatro, la radio es un medio en el que la palabra mueve la acción. Aunque el código radiofónico señala el uso equilibrado de voces, música, sonidos y silencio, las voces son el medio de expresión más importante para contar una historia a través de la radio.

A diferencia del teatro –donde vemos la acción– la radio sólo cuenta con la palabra para llevar la historia hacia adelante. De ahí que el diálogo sea el principal elemento del guión radiofónico. Cuando escribimos un guión de radio, escribimos para escuchar no para ver. Hay que traducir las imágenes visuales a imágenes auditivas. El lenguaje debe ser claro y directo, los párrafos cortos y fáciles de leer.

En general, las características básicas de estructura y de formato del guión dramático de radio son bastante sencillas. Como en todo guión, la claridad es el principio básico que debe tener en mente el guionista. La claridad y sencillez son vitales para la radio, pues es el medio con mayores posibilidades de alcance y de producción. Cualquier historia, por difícil o fantástica que parezca, puede ser escrita para radio y su producción no será muy costosa. Esta es la mayor ventaja de este medio: su amplia capacidad para transformar la palabra escrita en realidades sonoras.

Características básicas de estructura del guión dramático de radio

1 Aunque es importante que la historia se estructure en escenas, el guión dramático de radio no se escribe por escenas. La acción fluye de manera continua y las transiciones entre escenas se logran mediante los siguientes recursos:

a) Anticipación del nuevo lugar por medio del diálogo de la escena anterior.
b) Música que indique una transición de tiempo o de lugar.
c) Sonidos o ruidos característicos de un lugar.
d) Utilización del narrador.

2 El diálogo es el principal elemento del guión dramático radiofónico. Como en el guión de cine o de televisión, el diálogo en el radio tiene dos funciones: dar información sobre la historia y caracterizar a los personajes. En la radio, el diálogo debe ser breve pero más abundante que en el cine o en la televisión. En la radio los personajes hablan de lo que hicieron, de lo que hacen, de lo que piensan hacer y de todo lo que sucede en la historia.

3 La música se utiliza para:

a) Ambientar una escena.
b) Enfatizar las emociones de los personajes.
c) Subrayar la acción dramática de una escena.
d) Indicar una transición de tiempo o de lugar.
e) Como contrapunto dramático al diálogo.

El uso de la música debe ser limitado. El diálogo es la fuente de información más importante y debe destacar por encima de los demás recursos.

4 Los sonidos o ruidos se utilizan para:

a) Ambientar una escena.
b) Caracterizar un determinado lugar que tiene sonidos específicos.
c) Indicar una transición de lugar.

5 El narrador es un elemento característico del drama radiofónico, poco utilizado en cine y televisión. El uso del narrador tiene varios propósitos:

a) Establecer la premisa básica de la historia.
b) Enfatizar las emociones de los personajes.
c) Subrayar la acción dramática de una escena.
d) Indicar una transición de tiempo o de lugar.
e) Servir como elemento de identificación para el programa o serie (presentador).
f) Explicar acciones o lugares que sean difíciles de caracterizar mediante otros recursos.

En general, la función del narrador es evitar que el público se confunda al tratar de seguir la historia. El narrador es un recurso útil cuando la situación que escribimos corre el riesgo de ser confusa para el radioescucha. Sin embargo, el abuso de este recurso es señal de que el guionista no ha sabido resolver los problemas básicos de la adaptación de la historia al medio. El narrador es un recurso que se debe evaluar bien antes de utilizarlo.

6 El guión dramático de radio es más técnico que el de cine o el de televisión. Esto significa que las indicaciones técnicas con respecto a sonidos específicos y música son más importantes en este medio

que en los otros. El guión de cine y el de televisión pueden escribirse sin señalar indicaciones de música o de efectos sonoros. El guión de radio no.

7 La estructura dramática de las historias escritas para radio debe construirse mediante capítulos y actos (ver Capítulo 3: La Estructura Dramática y el Medio). El guionista debe siempre tomar en cuenta la naturaleza fragmentada del drama radiofónico.

Características básicas de formato del guión drámático de radio

1 En el guión dramático de radio todo se escribe a doble espacio.

2 Cada hoja y media del guión equivale aproximadamente a un minuto de tiempo al aire. Se debe escribir en hojas tamaño carta, de preferencia blancas, por un solo lado.

3 No existe una portadilla del guión. Los datos principales se escriben en el margen superior izquierdo de la primera hoja. Esta sección del guión se denomina *encabezado* e incluye la siguiente información importante para el equipo de producción:

a) Nombre del programa o serie.
b) Nombre específico del capítulo (opcional).
c) Número del capítulo o emisión.
d) Nombre del productor o director.
e) Nombre del guionista.
f) Duración del guión.
g) Fecha.

4 Se debe dejar un margen izquierdo de 2.5 cm en las páginas donde se va escribir. El margen derecho debe estar a la altura de los 20 cm. Los márgenes superior e inferior se colocan a los 2 cm.

5 Sobre el margen izquierdo se numeran las líneas (001, 002, etcétera) Esto sirve para identificar rápidamente cada línea y ahorrar tiempo en la grabación y edición del programa. Si alguno de los participantes de la producción (locutores u operador) comete un error es fácil localizar la línea en que se equivocó cuando éstas están numeradas.

6 A partir de los 3.7 cm a la izquierda se escriben:

a) Las indicaciones de quién habla (el nombre del personaje escrito con mayúsculas).
b) La palabra OPERADOR que indica una instrucción para el operador de cabina.

c) La palabra <u>EFECTO</u> que indica un tipo específico de efecto sonoro.

d) La palabra <u>MÚSICA</u> que indica un tipo específico de música.

e) La palabra <u>NARRADOR</u> que indica la participación del narrador.

7 El texto (indicaciones y diálogos) comienza a escribirse a partir de los 7 cm a la izquierda y hasta el margen derecho.

8 Es muy importante no cortar las palabras que se escriben a cada cambio de renglón o de hoja. Es preferible dejar un espacio vacío a dejar una palabra cortada.

9 Si un diálogo continúa en la siguiente hoja, sólo se escribe la palabra (CONTINÚA), en mayúsculas y entre paréntesis, sobre el margen inferior izquierdo de la hoja inconclusa. Esta indicación *no se repite* en la siguiente hoja.

10 Si el diálogo termina al final de la hoja, no se debe poner la palabra CONTINÚA.

11 Todas las páginas se numeran en el margen superior derecho, a partir de la segunda hoja.

12 Se escriben con mayúsculas y minúsculas (altas y bajas):

a) Los diálogos de los personajes.

b) Las intervenciones del narrador.

13 Se escriben con mayúsculas:

a) Las indicaciones de quién habla (el nombre del personaje).

b) Las indicaciones de cómo deben decirse los diálogos (acotaciones de dirección).

c) La palabra <u>OPERADOR</u> que indica una instrucción para el operador de cabina.

d) Las instrucciones al operador.

e) La palabra <u>EFECTO</u> que indica un tipo específico de efecto sonoro.

f) Las indicaciones específicas de efectos sonoros.

g) La palabra <u>MÚSICA</u> que indica un tipo específico de música.

h) Las indicaciones específicas de música.

i) La palabra <u>NARRADOR</u> que indica la participación del narrador.

j) La indicación (CONTINÚA), que indica que la escena continúa en la siguiente hoja.

14 Se subrayan:

a) Las indicaciones de quién habla (el nombre del personaje).
b) La palabra <u>OPERADOR</u> que indica una instrucción para el operador de cabina.
c) Las instrucciones al operador.
d) La palabra <u>EFECTO</u> que indica un tipo específico de efecto sonoro.
e) Las indicaciones específicas de efectos sonoros.
f) La palabra <u>MÚSICA</u> que indica un tipo específico de música.
g) Las indicaciones específicas de música.
h) La palabra <u>NARRADOR</u> que indica la participación del narrador.

15 Se escribe entre paréntesis:

a) Las indicaciones de cómo deben decirse los diálogos (acotaciones de dirección).
b) Las instrucciones al operador.
c) Las indicaciones específicas de efectos sonoros.
d) Las indicaciones específicas de música.
e) La indicación (CONTINÚA), que indica que la escena continúa en la siguiente hoja.

16 El tipo de letra que se debe utilizar es el que posee una máquina de escribir normal. Si se utiliza una computadora con procesador de palabras (Microsoft Word™, MacWrite™ o equivalente) es recomendable utilizar letra tipo Courier de 12 puntos.

A continuación presentamos un ejemplo práctico de formato de guión dramático de radio, en el que se resuelve la adaptación a radio de la escena cinematográfica presentada en el Capítulo 3: *La estructura dramática y el medio*. Toma en cuenta todas las indicaciones que aparecen en el formato. Estas te pueden resolver dudas específicas sobre la redacción del guión.

Después del formato encontrarás un ejemplo de guión dramático de radio: un fragmento de la adaptación radiofónica del cuento *La Señorita Cora* [2], de Julio Cortázar.

[2] Guión de Alejandro Espinosa, basado en el cuento homónimo de Julio Cortazar, escrito en mayo de 1993. Reproducido con permiso del autor.

PROGRAMA O SERIE: FORMATO DE GUION DRAMATICO DE RADIO
CAPITULO: NOMBRE DEL CAPITULO (OPCIONAL)
CAPITULO No.:   NUMERO DEL CAPITULO O EMISION
PRODUCCION: PONER AQUI EL NOMBRE DEL PRODUCTOR
GUION: AQUI ESCRIBE TU NOMBRE
DURACION: APROXIMACION EN MINUTOS
FECHA: FECHA DE LA EMISION

> Los datos principales del guión se escriben en el encabezado.

001 MUSICA: (TEMA DE LA SERIE/A FONDO)
002 NARRADOR: Buenas noches. Bienvenidos a un
capítulo más de su programa "Formato
de guión dramático de radio". En esta
ocasión les presentamos el capítulo
titulado "Cómo adaptar a radio una
escena que puede quedar confusa si no
utilizamos el formato de guión
adecuado." (PAUSA)

> Los números sirven para identificar rápidamente las líneas de cada locutor y las del operador. Si hay un error en la grabación el operador puede indicar con facilidad en qué línea fue el error.

¡Un título un poco largo pero atinado!
003 EFECTO: (RUIDO NOCTURNO. GRILLOS. BUHO)
004 OPERADOR: (MEZCLAR RUIDO NOCTURNO EN PRIMER PLANO
CON RUIDO DE AUTOMOVIL EN SEGUNDO PLANO)
005 NARRADOR: Jorge había tenido un día
muy atareado. Toda la tarde había
tenido que lidiar con clientes que se
negaban a pagar sus deudas y estaba
cansado. A las siete en punto se
dirigía a casa, en busca de un
merecido descanso.

> Se escribe OPERADOR cuando la indicación es más complicada. Cuando lo que tiene que hacer el operador es algo sencillo se puede escribir EFECTO.

> La escena continúa en la siguiente hoja.

> Es preferible dejar un espacio a cortar las palabras.

> El manejo de sonidos en distintos planos ayuda a dar un sentido de profundidad a la grabación o transmisión.

(CONTINUA)

Una forma de indicar
dónde termina la música.

Todas las hojas se numeran
a partir de la segunda.

2

006	EFECTO:	(UN CARRO SE ESTACIONA. APAGA EL MOTOR)
007	EFECTO:	(PUERTA DEL CARRO QUE SE ABRE/SE CIERRA)
008	EFECTO:	(PASOS SOBRE GRAVA. LUEGO SOBRE PASTO. LLAVES QUE CHOCAN AL CAMINAR)
009	EFECTO:	(LLAVE ABRE PUERTA. PUERTA SE ABRE/SE CIERRA)
010	MARCO:	Bienvenido a casa señor....
011	MUSICA:	(SUSPENSO. BREVE/A FONDO. TERMINA SOBRE 012)
012	NARRADOR:	Sentado en el sofá estaba Marco: el chantajista que intenta extorsionarlo.
013	JORGE:	¿Cómo pudiste entrar? ¿Quién te abrió?
014	MARCO:	Eso no importa señor....Tiene un bonito lugar. (PAUSA) Realmente bonito.
015	JORGE:	¿Qué quieres?
016	MARCO:	Creo que usted sabe mejor que yo lo que quiero. ¿Dónde está Sonia?
017	JORGE:	(FURIOSO) ¡A ella déjala en paz! Lárgate de una vez porque si no soy capaz de...
018	EFECTO:	(UNA PISTOLA QUE CORTA CARTUCHO)
019	MARCO:	(RIENDO) ¿Capaz de qué viejo idiota? ¿de matarme?
020	JORGE:	(FURIOSO) ¡Suelta esa pistola!
021	MARCO:	(FURIOSO) ¡Estoy harto de sus estupideces... De su delirio de grandeza para que su hijita no se junte con un apestoso como yo! (PAUSA) ¡Pues ahora YO soy el que se ha hartado! ¿lo oye? ¡YO!

Las indicaciones de
entonación deben
ser breves.

(CONTINUA)

022	JORGE:	Si tú llegas a decirle algo a mi hija ¡Te juro que eres hombre muerto!
023	MARCO:	(IRONICO) ¿Y cómo le va hacer? ¿me va a destrozar con sus asquerosas garras?
024	JORGE:	¡Ahora vas a ver!
025	EFECTO:	(PASOS DE HOMBRE QUE SE AVALANZA GOLPES)
026	MARCO:	¡Suélteme viejo imbécil!....¡suélteme le digo!
027	JORGE:	¡Te voy a matar!
028	EFECTO:	UN BALAZO
029	JORGE:	¡Marco!
030	EFECTO:	(UN CUERPO CAE AL PISO DESPLOMADO)
031	MUSICA:	(MUSICA DRAMATICA ENTRA ARRIBA. SE MANTIENE Y BAJA A FONDO HASTA DESAPARECER)

EJEMPLO

Guión dramático de radio

PROGRAMA O SERIE: LA SEÑORITA CORA (FRAGMENTO)
GUION: ALEJANDRA ESPINOSA, BASADO EN EL
                                  CUENTO HOMONIMO DE JULIO CORTAZAR
DURACION: 15'
FECHA: MAYO DE 1993

001   EFECTO: (SONIDO DEL ESTACIONAMIENTO DEL
                          SERVICIO DE URGENCIAS DE UN HOSPITAL.
                          SIRENAS DE AMBULANCIAS)
002   PARAMEDICO: ¡Llévenlo rápido a la sala de
                          urgencias!
003   OPERADOR: (SONIDO DE PUERTAS AUTOMATICAS QUE SE
                          ABREN. EN SEGUNDO PLANO SE ESCUCHA EL
                          MURMULLO DE LA GENTE QUE SE ENCUENTRA
                          EN LA SALA DE URGENCIAS)
004   DOCTOR: ¿Qué le sucede al muchacho?
005   LETICIA: Tiene dos días quejándose de dolor de
                          estómago. (PAUSA. ANGUSTIADA) ¡Por
                          favor doctor, dígame qué tiene mi
                          niño!
006   DOCTOR: No puedo darle un diagnóstico hasta
                          que no haga una serie de estudios,
                          señora. (PAUSA) ¡Cora! hágame el
                          favor de hacerle al paciente una
                          biometría hemática, pruebas de
                          funcionamiento hepático y un tele de
                          tórax.
007   CORA: Enseguida doctor.
(CONTINUA)

008   LETICIA: ¿Qué tiene mi hijo doctor, por qué se lo llevan?

009   DOCTOR: No se preocupe antes de tiempo señora. En cuanto estén los estudios sabremos qué tiene el joven. Ahora pasen a la recepción para dar los datos del paciente. Cuando sepa los resultados los llamaré.

010   LETICIA: Está bien doctor. ¡Vamos Jorge! ¿qué no oíste?

011   JORGE: Sí mi amor pero cálmate. Con angustiarte no ganas nada...

012   OPERADOR: (MEZCLAR RUIDO DE LA SALA DE URGENCIAS EN PRIMER PLANO CON MUSICA AMBIENTAL EN SEGUNDO PLANO)

013   DOCTOR: Señores, Pablo tendrá que permanecer internado.
Lo operaremos mañana a primera hora.

014   LETICIA: ¿Qué tiene doctor? ¿Es muy grave?

015   DOCTOR: Mire señora: su hijo presenta un cuadro...

016   OPERADOR: (FADE OUT DE LA VOZ DEL DOCTOR HASTA QUE SE DEJA DE ESCUCHAR LO QUE DICE. ENTRE MUSICA AMBIENTAL A PRIMER PLANO. SE MANTIENE UN SEGUNDO Y BAJA A FONDO)

017   CORA: (AMABLE PERO FIRME) Lo siento señora Urquiza pero no puede pasar la noche en la habitación. Si lo desea, puede quedarse en la sala de espera pero no se lo recomiendo. Hay mucho ruido.

(CONTINUA)

3

018	LETICIA:	(ANGUSTIADA) ¡Pero Pablo no se puede quedar solo! ¿Que tal si se pone peor?
019	CORA:	Con su permiso señora, tengo que ver a mis pacientes.
020	EFECTO:	(SE ABRE UNA PUERTA Y SE CIERRA PERMANECE EL SONIDO DE MUSICA AMBIENTAL)
021	LETICIA:	¿Pero qué se cree esta mocosa? A mí me recomendaron este hospital porque es uno de los mejor atendidos. ¿Me estás oyendo Jorge?
022	JORGE:	Sí Leticia, pero qué le vas a hacer. Aquí no te puedes quedar. Ya ves lo que dijo la enfermera.
023	LETICIA:	No, esto no se puede quedar así. No voy a permitir que una muchachita con ínfulas de grande me venga a decir que no me puedo quedar con mi niño.
024	JORGE:	(FASTIDIADO) Leticia, Pablo tiene 15 años.
025	LETICIA:	Sí pero como quiera, el pobre no sabe nada de la vida. Además, ha de estar muerto de miedo pensando en que va a pasar la noche solo.
026	OPERADOR:	(FADE OUT DE LA MUSICA AMBIENTAL HASTA QUEDAR EN COMPLETO SILENCIO)
027	PABLO:	(PENSANDO) Bueno, si mamá no se puede quedar a dormir conmigo, ni modo. ¡La pobre ha de estar pensando que me muero del miedo! Pero ya es tiempo de que duerma solo. Ya no soy un niño...
028	EFECTO:	(SE ABRE Y SE CIERRA LA PUERTA)

(CONTINUA)

029	CORA:	Buenas noches, ¿Cómo se siente el enfermito?
030	PABLO:	(SACADO DE GOLPE DE SUS PENSAMIENTOS) Estee...¡Bien!
031	CORA:	Vamos a ver ¿cómo te llamas?
032	PABLO:	Pablo. Pablo Urquiza.
033	CORA:	¿Cuantos años tienes Pablo?
034	PABLO:	Quince.
035	CORA:	Muy bien, Pablo. Yo soy la señorita Cora, la enfermera que te va a cuidar. ¿Estás nervioso?
036	PABLO:	(FINGIENDO) ¿YO? para nada.
037	CORA:	No te preocupes. Mira: mañana a primera hora el doctor Gámez te operará. (PAUSA. DIVERTIDA) ¡Pero quita esa cara, hombre! que tu operación es muy sencilla y el doctor es uno de los mejores cirujanos del hospital.(AMABLE) Ya verás que todo va a salir muy bien.
038	PABLO:	(VACILANTE) Entonces su nombre es Cora, ¿verdad?
039	CORA:	(SERIA) Señorita Cora.
040	PABLO:	(NERVIOSO) Bueno, es que usted es tan joven que pensé...(PAUSA) Bueno, Cora es un bonito nombre.
041	CORA:	Ahora trata de dormir y no estés pensando en tu operación.
042	EFECTO:	(SONIDO DEL CARRITO DE LAS MEDICINAS QUE AVANZA HACIA LA PUERTA)
043	EFECTO:	(SE ABRE Y SE CIERRA LA PUERTA)

(CONTINUA)

5

044	PABLO:	(PENSANDO) Yo sólo quería decirle que era tan joven que me gustaría llamarla Cora. Pero ahora que se enojó ya no se lo podré decir. (PAUSA). De seguro está resentida conmigo porque escuchó lo que dijo mamá.
045	<u>EFECTO</u>:	(<u>SE ABRE LA PUERTA</u>)
046	PABLO:	(FINGIENDO VOZ DE ADULTO) ¿Qué se le ofrece?
047	CORA:	Olvidé mi pluma.
048	<u>EFECTO</u>:	(<u>PASOS QUE SE ACERCAN</u>)
049	CORA:	(TRANQUILIZANDOLO) No te aflijas Pablito. Tu operación es cosa de nada. Ya verás cómo todo sale bien.
050	PABLO:	(DETRAS DE LAS SABANAS) Puedo llamarla Cora, ¿verdad?
051	CORA:	(FIRME) Señorita Cora.
052	PABLO:	(MOLESTO) Si yo estuviera sano, a lo mejor me trataba de otra forma.
053	CORA:	Buenas noches.
054	PABLO:	Y no soy Pablito. Me llamo Pablo.
055	<u>EFECTO</u>:	(<u>PASOS QUE SE ALEJAN</u>)
056	<u>EFECTO</u>:	(<u>SWITCH DE LUZ QUE SE APAGA. SE CIERRA LA PUERTA</u>)
057	PABLO:	(LLORANDO) Me llamo Pablo...
058	<u>OPERADOR</u>:	(<u>FADE OUT DEL LLANTO DE PABLO HASTA QUE SE DEJA DE ESCUCHAR</u>)
059	<u>EFECTO</u>:	(<u>MUSICA DE CAFETERIA SUBE A PRIMER PLANO. SE MANTIENE UN SEGUNDO ARRIBA Y SE MEZCLA CON RUIDO AMBIENTE DE CAFETERIA QUE ENTRA EN SEGUNDO PLANO</u>) (<u>...</u>)

(CONTINUA)

El guión dramático de televisión

En los primeros años de la televisión, cuando la mayor parte de su producción se hacía en vivo, todos los guiones, incluyendo los de programas dramatizados, se escribían divididos en dos columnas: la izquierda para lo que se iba a ver (VIDEO) y la derecha para la que se iba a oír (AUDIO).

El formato de dos columnas es muy útil en la realización de guiones para documentales, reportajes, programas educativos, comerciales y otros proyectos que requieran narración.[3] Aunque este formato proporciona al lector un sentido de simultaneidad entre imagen y audio, su redacción es muy incómoda para los guiones dramáticos. En el formato de dos columnas hay que calcular el ancho de cada columna para que la redacción no interfiera entre una y otra. En la práctica, esto puede convertirse en una pesadilla para el guionista. Además, el formato de dos columnas deja muy poco espacio para hacer anotaciones de producción y otras notas de última hora.

Lo anterior trajo como resultado el desarrollo de un formato de guión más sencillo: el *NBC estándar*, llamado así porque fue desarrollado en la cadena de televisión norteamericana *NBC* (*National Broadcasting Company*). El formato *NBC estándar* es muy apropiado para guiones dramáticos de televisión, en los que la simultaneidad entre imagen y audio no es tan necesaria como en otro tipo de programas. Visualmente, este formato es muy parecido al formato de guión dramático de cine, aunque presenta diferencias importantes en su redacción.

En nuestro país es común la utilización del formato de dos columnas para la realización de guiones de telenovelas y series cómicas. Las características específicas de este formato están explicadas en la siguiente sección (El guión informativo). Sin embargo, queremos subrayar las desventajas de ese formato en la realización de guiones dramáticos. El uso del formato *NBC estándar* representa una excelente alternativa porque está diseñado tomando en cuenta las características específicas de los programas dramáticos de televisión.

Características básicas de estructura del guión dramático de televisión

1 En términos de producción, podemos encontrar programas dramáticos de televisión realizados con técnicas de cine (películas

---

[3] Richard A Blum, *Televisión writing*. New York, Hasting House Publishers, 1980, p. 129.

para televisión, series filmadas, videos musicales) y programas realizados con técnicas de video o de transmisión en vivo (telenovelas,
series grabadas). Los primeros se realizan, por lo general, a partir
de guiones con formato de cine. Los segundos utilizan guiones con
formato de televisión.

2 La razón principal de las diferencias citadas en el punto anterior es
de carácter estructural. Los programas filmados utilizan un mayor
número de escenas (*sets* o locaciones) en su producción, porque
no están limitados a un estudio de filmación donde tengan que
construir todos los lugares de la acción. Los programas grabados se
producen en su mayoría en un solo estudio donde se construyen
todos los *sets* del programa.

3 Los programas grabados tienden a utilizar un menor número de escenas porque la cantidad de lugares que se pueden construir en un
estudio es limitada.

4 Lo anterior implica que un guión de televisión, con formato *NBC
estándar*, tiene en general menos escenas que un guión de cine,
aunque estas escenas tienden a ser más largas.

5 A diferencia del cine, en televisión el diálogo tiene mayor valor como fuente de información. Esto es una de las razones para que las
escenas de un programa dramático de televisión tiendan a ser más
dialogadas que las escenas de una película. Como consecuencia,
las escenas del drama televisivo suelen ser más largas. Recuerda
que una escena dialogada consume más tiempo que una escena de
pura acción física.

6 La estructura dramática de las historias escritas para televisión debe
construirse mediante capítulos y actos (ver Capítulo 3: La estructura
dramática y el medio). El guionista debe siempre tomar en cuenta
la naturaleza fragmentada del drama televisivo.

7 El guión dramático de televisión, como el de cine, se estructura y
se escribe por escenas. Además, el guión dramático de televisión se
estructura y se escribe por actos.

8 Cada escena debe contener tres elementos básicos:

a) Descripción breve del lugar y personajes.
b) Descripción breve de la acción.
c) Diálogos.

En otras palabras: lo que se ve, lo que sucede y lo que se dice.

9 La descripción del lugar debe ser más concisa que en el guión de
cine.

10 La descripción de los personajes y de la acción también deben ser muy concisas.

11 El diálogo es lo más importante de la escena porque es el principal *motor* de la acción. Los diálogos deben ser claros, cortos y deben cumplir con las dos funciones de todo diálogo bien escrito: proporcionar información y caracterizar al personaje.

12 El guión dramático de televisión tiende a ser todavía menos técnico que el guión de cine. Las indicaciones de tomas específicas, ángulos de cámara y sonido sólo se hacen cuando el guionista cree que es necesario destacar un aspecto específico del desarrollo de la historia. Sin embargo, la mayoría de estas decisiones las toma el productor o el director del programa.

Características básicas de formato del guión dramático de televisión

1 En el formato *NBC estándar* de guión dramático de televisión todo se escribe a doble espacio. Este formato es más espacioso que el formato de cine, lo cual facilita hacer anotaciones al productor o director del programa.

2 Cada hoja y media del guión en este formato equivale aproximadamente a un minuto de tiempo al aire. Se debe escribir en hojas tamaño carta, de preferencia blancas, por un solo lado.

3 La portadilla del guión debe contener los datos esenciales del mismo: nombre del programa, o serie; nombre específico del capítulo (si lo tiene); número del capítulo o emisión; duración aproximada; nombre del guionista; versión del guión (PRIMER BORRADOR, SEGUNDO BORRADOR, GUIÓN FINAL); datos del guionista (dirección, teléfono, etcétera); lugar y fechas de transmisión y grabación del programa.

4 El formato *NBC estándar* se caracteriza porque todas las indicaciones van en una sola columna que ocupa dos tercios del ancho de la hoja, a partir del margen izquierdo. El tercio derecho de la hoja queda libre para las anotaciones de producción.

5 Se debe dejar un margen izquierdo de 2.5 cm en las páginas donde se va escribir. El margen derecho debe estar a la altura de los 14 cm para lograr una columna de texto que abarque dos tercios del ancho de la hoja. Los márgenes superior e inferior se colocan a 2 cm.

6 En la primera hoja se vuelve a escribir el <u>NOMBRE DEL PROGRA-MA</u>, con mayúsculas y subrayado, inmediatamente debajo del margen superior, en el centro de la hoja.

7 En seguida se deja un espacio doble y se escribe de nuevo, con mayúsculas y minúsculas y entre comillas, el nombre del capítulo (o el número de éste si el capítulo no tiene un nombre), en el centro de la hoja.

8 A continuación se deja un espacio doble y junto al margen izquierdo se escribe, con mayúsculas y subrayado, la indicación <u>ACTO I</u>, que indica el inicio del primer acto del programa.

9 En el siguiente renglón y junto al margen izquierdo se escribe, con mayúsculas y subrayada, la indicación <u>ESCENA 1</u>, que indica el inicio de la primera escena del primer acto del programa.

10 En el siguiente renglón y junto al margen izquierdo se escribe, con mayúsculas y subrayada, la indicación <u>FADE IN</u>, la cual es un convencionalismo que indica el inicio de un guión televisivo.

11 Si el programa o capítulo inicia con música o con un sonido específico, en el siguiente renglón y junto al margen izquierdo se escribe, con mayúsculas y subrayada, la indicación necesaria. Por ejemplo: <u>MÚSICA: DE FIESTA</u>. Si no es este el caso, el capítulo inicia con el <u>ENCABEZADO DE LA PRIMERA ESCENA</u>.

12 En el siguiente renglón y junto al margen izquierdo se escribe con mayúsculas y subrayado el <u>ENCABEZADO DE LA PRIMERA ESCENA</u>. Este encabezado consta de tres elementos:

a) Indicación que señala si la escena sucede en interior o exterior. En el primer caso se escribe la palabra INTERIOR o la abreviatura INT.; en el segundo, la palabra EXTERIOR o la abreviatura EXT.

b) Identificación breve del lugar donde se desarrolla la acción: PARQUE, RECÁMARA DE LUIS, IGLESIA, etcétera.

c) Identificación del tiempo en el que transcurre la escena: DÍA o NOCHE. Indicaciones muy específicas como AMANECER o SEIS DE LA MAÑANA sólo se utilizan si es importante que la escena tenga lugar en un tiempo preciso.

La escena no se numera en este renglón porque ya está numerada tres renglones antes.

13 Se deja un espacio doble y a continuación se escribe el primero de los bloques de indicaciones y descripción de escena. Estos se escriben con mayúsculas, a todo lo ancho de la columna, a partir del margen izquierdo y a doble espacio. Frecuentemente, estos bloques se escriben entre paréntesis.

14 Los diálogos y las indicaciones de cómo deben decirse éstos (acotaciones de dirección) se escriben en una columna angosta, de aproximadamente dos pulgadas de ancho, colocada en el centro de la columna principal. La columna se encabeza con el nombre del personaje escrito con mayúsculas.

15 Debe existir una separación clara entre los bloques de indicaciones y descripción de escena y el diálogo, con el fin de que el guión se lea con mayor claridad. De esta manera el diálogo y la acción no se confunden y ambos fluyen suave y claramente. Además, a la hora de usar el guión, cada persona involucrada en la producción (director, actores, técnicos, etc.) puede enfocar su atención a lo que más le interesa, sin tener que buscar entre los renglones.

16 Es muy importante no cortar las palabras que se escriben a cada cambio de renglón o de hoja. Es preferible dejar un espacio vacío a dejar una palabra cortada.

17 Si una escena o diálogo continúan en la siguiente hoja, sólo se escribe la palabra (CONTINÚA), en mayúsculas y entre paréntesis, sobre el margen superior izquierdo de la siguiente hoja. Esta indicación *no se repite* en la hoja inconclusa.

18 Si la escena o diálogo terminan al final de la hoja, no se debe poner la palabra (CONTINÚA) en la hoja siguiente.

19 Todas las páginas se numeran en el margen superior derecho, a partir de la segunda hoja.

20 Al finalizar el guión se escribe, con mayúsculas y subrayada, la palabra FIN o FADE OUT en el margen inferior derecho de la última hoja del guión.

21 Se escriben a renglón seguido y a doble espacio:

a) Los bloques de indicaciones y descripciones de escena.
b) Los diálogos.

22 Se escriben con mayúsculas y minúsculas (altas y bajas):

a) El título del capítulo (si lo tiene), en el segundo renglón de la primera hoja.
b) Los diálogos.
c) Las indicaciones de cómo deben decirse los diálogos (acotaciones de dirección).

23 Se escribe con mayúsculas:

a) Todo lo demás.

24 Se subrayan:

a) El título del programa (sólo en la primera hoja).
b) La indicación <u>ACTO I</u>, <u>ACTO II</u>, etcétera.
c) La indicación <u>ESCENA 1</u>, <u>ESCENA 2</u>, etcétera
d) La indicación <u>FUNDIDO DE APERTURA</u> o <u>FADE IN</u>.
e) Los encabezados de cada escena (<u>INTERIOR/EXTERIOR -
LUGAR - DÍA/ NOCHE</u>).
f) La indicación <u>FIN</u>, o <u>FADE OUT</u>, al final del guión.

25 Se escriben entre paréntesis:

a) Los bloques de indicaciones y descripción de escena (opcional).
b) Las indicaciones de cómo deben decirse los diálogos (acotaciones de dirección).
c) La indicación (CONTINÚA), que indica que la escena continúa de la hoja anterior.

26 El tipo de letra que se debe utilizar es el que posee una máquina de escribir normal. Si se utiliza una computadora con procesador de palabras (Microsoft Word™, MacWrite™ o equivalente) es recomendable utilizar letra tipo Courier de 12 puntos.

A continuación presentamos un ejemplo práctico de formato de guión dramático de televisión. Toma en cuenta todas las indicaciones que aparecen en el formato. Estas te pueden resolver dudas específicas sobre la redacción del guión.

Después del formato encontrarás un ejemplo de guión dramático de televisión: un fragmento del guión *Campanadas a la medianoche*[4], original de Sandra González.

---

[4] Guión original de Sandra González, escrito en diciembre de 1992. Reproducido con permiso de la autora.

Título del programa
o serie, en mayúsculas
y subrayado.

FORMATO "NBC ESTANDAR" DE GUION
DRAMATICO DE TELEVISION

"Nombre del capítulo"

por

Nombre del guionista

Si el capítulo
tiene un nombre
específico.

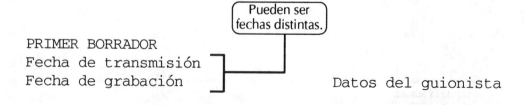

Pueden ser
fechas distintas.

PRIMER BORRADOR
Fecha de transmisión
Fecha de grabación

Datos del guionista

FORMATO "NBC ESTANDAR" DE GUION DRAMATICO
DE TELEVISION
"Nombre del capítulo"

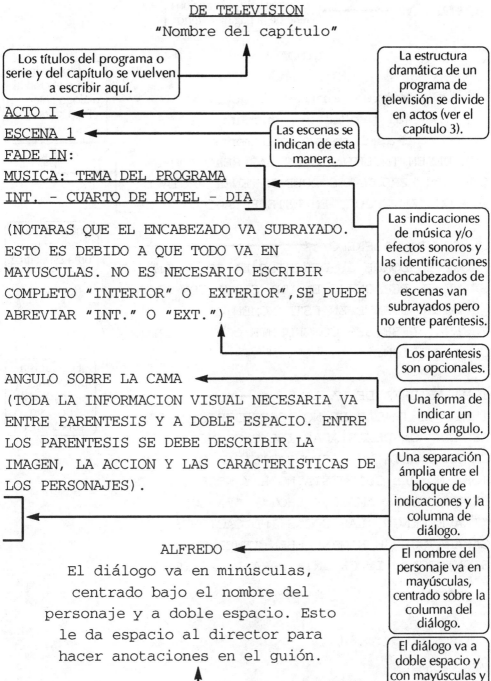

Los títulos del programa o serie y del capítulo se vuelven a escribir aquí.

La estructura dramática de un programa de televisión se divide en actos (ver el capítulo 3).

ACTO I

ESCENA 1

Las escenas se indican de esta manera.

FADE IN:

MUSICA: TEMA DEL PROGRAMA

INT. - CUARTO DE HOTEL - DIA

Las indicaciones de música y/o efectos sonoros y las identificaciones o encabezados de escenas van subrayados pero no entre paréntesis.

(NOTARAS QUE EL ENCABEZADO VA SUBRAYADO.
ESTO ES DEBIDO A QUE TODO VA EN
MAYUSCULAS. NO ES NECESARIO ESCRIBIR
COMPLETO "INTERIOR" O EXTERIOR", SE PUEDE
ABREVIAR "INT." O "EXT.")

Los paréntesis son opcionales.

ANGULO SOBRE LA CAMA

Una forma de indicar un nuevo ángulo.

(TODA LA INFORMACION VISUAL NECESARIA VA
ENTRE PARENTESIS Y A DOBLE ESPACIO. ENTRE
LOS PARENTESIS SE DEBE DESCRIBIR LA
IMAGEN, LA ACCION Y LAS CARACTERISTICAS DE
LOS PERSONAJES).

Una separación ámplia entre el bloque de indicaciones y la columna de diálogo.

ALFREDO

El nombre del personaje va en mayúsculas, centrado sobre la columna del diálogo.

El diálogo va en minúsculas,
centrado bajo el nombre del
personaje y a doble espacio. Esto
le da espacio al director para
hacer anotaciones en el guión.

El diálogo va a doble espacio y con mayúsculas y minúsculas.

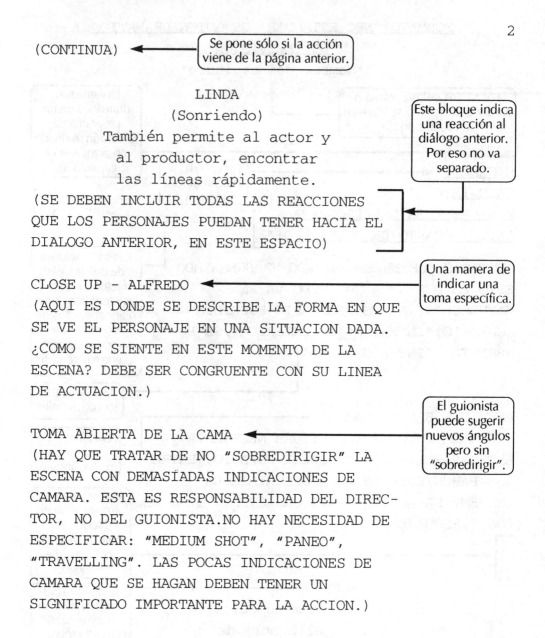

(CONTINUA) ◄─── Se pone sólo si la acción viene de la página anterior.

LINDA
(Sonriendo)
También permite al actor y
al productor, encontrar
las líneas rápidamente.

Este bloque indica una reacción al diálogo anterior. Por eso no va separado.

(SE DEBEN INCLUIR TODAS LAS REACCIONES
QUE LOS PERSONAJES PUEDAN TENER HACIA EL
DIALOGO ANTERIOR, EN ESTE ESPACIO)

CLOSE UP - ALFREDO ◄───

Una manera de indicar una toma específica.

(AQUI ES DONDE SE DESCRIBE LA FORMA EN QUE
SE VE EL PERSONAJE EN UNA SITUACION DADA.
¿COMO SE SIENTE EN ESTE MOMENTO DE LA
ESCENA? DEBE SER CONGRUENTE CON SU LINEA
DE ACTUACION.)

El guionista puede sugerir nuevos ángulos pero sin "sobredirigir".

TOMA ABIERTA DE LA CAMA ◄───
(HAY QUE TRATAR DE NO "SOBREDIRIGIR" LA
ESCENA CON DEMASIADAS INDICACIONES DE
CAMARA. ESTA ES RESPONSABILIDAD DEL DIREC-
TOR, NO DEL GUIONISTA.NO HAY NECESIDAD DE
ESPECIFICAR: "MEDIUM SHOT", "PANEO",
"TRAVELLING". LAS POCAS INDICACIONES DE
CAMARA QUE SE HAGAN DEBEN TENER UN
SIGNIFICADO IMPORTANTE PARA LA ACCION.)

3

(CONTINUA)

ALFREDO

Algunos guionistas de televisión
utilizan el formato de dos columnas
(explicado en la Sección II: El Guión
Informativo) para escribir guiones
dramáticos, porque este formato
separa las indicaciones de audio
y video en dos columnas.

CU de Alfredo (1)
(lista cámara 2)
(lista música)
*1 zoom in lento a
CU*
2 zoom back

LINDA

Esto no es necesario en los dramas
televisivos, pues no se necesita un
sentido de simultaneidad entre
imagen y sonido.

FS cuarto (2)

ALFREDO

Además el formato "NBC Estándar"
proporciona espacio suficiente
para que el director haga sus
anotaciones.

Estos son ejemplos de cómo podría hacer sus anotaciones en el guión el director de cámaras para especificar tomas. El espacio del formato proporciona amplitud para hacer anotaciones de todo tipo.

(CUANDO TERMINES TU ESCENA, TRATA DE SALIR
CON UNA REACCION O TOMA A ALGO IMPORTANTE.)
DISOLVENCIA A:

Una manera de hacer la transición a otra escena.

ACTO I
ESCENA 2
INT. - LOBBY DEL HOTEL - DIA
(ESTA ES OTRA ESCENA. DE NUEVO SE DESCRIBE
BREVEMENTE EL LUGAR, SE DEFINE LA ACCION
VISUALMENTE Y SE DESCRIBEN LOS PERSONAJES.
ASEGURATE DE ESTABLECER QUIENES SON Y QUE
HACEN.)

Como el número de escenas tiende a ser limitado, cada escena se destaca de manera particular.

4

(CONTINUA)

ALFREDO
(ENCENDIENDO UN CIGARRO) ◄——— Las indicaciones de actuación deben ser breves.

El diálogo debe ser concreto e ir "al grano". No te preocupes si no se lee gramaticalmente correcto. Acuérdate de que la gente habla de manera coloquial. Estás escribiendo para que alguien lo diga, no para ser leído. Los personajes deben "sonar" como personas de carne y hueso.

Las actitudes pueden sugerirse aquí.

LINDA
(TRATANDO DE OCULTAR SUS CELOS) ◄———

No olvides que los personajes reaccionan a todo lo que ven y oyen. Así no digan nada, deben mostrar una reacción. Esto crea las motivaciones e intenciones de los personajes.

La música y los efectos sonoros se indican aparte del bloque principal de indicaciones de escena.

MUSICA SUBE: SI HAY MUSICA O EFECTOS DE SONIDO, ESTA ES LA MANERA EN QUE SE ESCRIBEN. NO VAN ENTRE PARENTESIS.

Si el diálogo fue interrumpido hay que indicarlo.

LINDA
(Continúa el diálogo) ◄———

Me encantaría oír tu estéreo, ¿puedo?
(ALFREDO SONRIE).

Indica que la imagen desaparece.

EFECTO: CORCHO DE BOTELLA DE CHAMPAN
FADE OUT: ◄———

FIN DEL ACTO I

El Acto I abarca desde el inicio de la acción hasta el final del punto intermedio.

MUSICA: TEMA DEL PROGRAMA

FIN (Última indicación.)

EJEMPLO

Guión dramático de televisión

CAMPANADAS A LA MEDIANOCHE

por

Sandra González

GUION FINAL
Diciembre de 1992

CAMPANADAS A LA MEDIANOCHE

ACTO I
ESCENA 1
FADE IN:
EXT. - PATIO DEL RECLUSORIO - NOCHE
(ANDREA, UNA JOVEN RECLUSA, ESTA SENTADA
SOBRE UNA PIEDRA JUGANDO CON UNA PELOTA DE
GOMA. VARIAS RECLUSAS JUEGAN BASQUETBOL.
DE REPENTE, EN LA CANCHA, SE DESATA UNA
PELEA ENTRE DOS RECLUSAS. ANDREA DEJA LA
PELOTA Y VOLTEA A VERLAS. LAS DEMAS
MUJERES RODEAN A LAS QUE SE PELEAN. LLEGA
UNA CELADORA.)

                    CELADORA
              (TOCANDO UN SILBATO)
                    ¡Basta!

(LA CELADORA LAS SEPARA.)

                    CELADORA
                   (CONTINUA)
            ¡Es el colmo! ¡Se portan
           como animales! Van a ver lo
        que les espera. ¡Andenle, caminen!

(LA CELADORA LAS LEVANTA Y LAS EMPUJA
HACIA EL EDIFICIO DE LADRILLOS QUE ESTA
JUNTO A LA CANCHA.)

ANGULO SOBRE ANDREA
(OTRA RECLUSA JOVEN, MARCELA, SE SIENTA
JUNTO A ANDREA.)

2

(CONTINUA)

                    ANDREA
                  (CANSADA)
            Ya no aguanto ni un
            minuto más aquí.

                    MARCELA
          Ten paciencia. Apenas llevas
        un año. Pronto te acostumbrarás.

                    ANDREA
          ¿Pero es que no entiendes?
          Estoy harta de este maldito
          lugar. ¡Desde niña vivo la
          misma miseria!¡Estoy harta!

                    MARCELA
            Olvídate de eso. Es lo
            único que puedes hacer
          para evitar más sufrimiento.

(UNA DE LAS RECLUSAS PASA FRENTE A ANDREA
Y SE LA QUEDA MIRANDO FIJAMENTE.)

                    ANDREA
                  (ENOJADA)
            ¿Y ahora tú que me ves?
                ¡Anda, lárgate!

(LA RECLUSA SE VA.)

(CONTINUA)

ANDREA

(A MARCELA)

Ya me tiene cansada. No se qué
se trae conmigo. Nomás se me
queda viendo como idiota.

MARCELA

Se me hace que le gustas...

ANDREA

¡Pues que ni crea que se
le va hacer! ¡Nomás eso me
faltaba! Andar haciendo
cochinadas...

(ANDREA AGACHA LA CABEZA Y SE TOMA EL
CABELLO CON LAS MANOS. POR UN INSTANTE
PERMANECE EN SILENCIO Y LUEGO SE LEVANTA
DECIDIDA.)

ANDREA

Marcela. Me escapo esta noche.

MARCELA

¡Pero estás loca, Andrea!
No va a resultar... Ya lo
intentaste la otra vez y lo
único que conseguiste fue
una semana en la celda de
castigo.

4

(CONTINUA)

ANDREA
No importa. Prefiero eso.

MARCELA
¿Y qué piensas hacer?

ANDREA
Esta vez lo he planeado mejor.
Hay un túnel que sale al
patio, por la pared de enfrente.

MARCELA
Andrea, eso es muy peligroso.
Te pueden matar si te ven.

ANDREA
(SONRIENDO)
No te preocupes. Esta vez no
puedo fallar.

(ANDREA SE LEVANTA.)

ANDREA
(BAILOTEANDO POR EL PATIO)
¡Esta vez voy a ser libre!

SUENA UNA CAMPANA.

MARCELA
Andale, vamos a cenar.

ANDREA
(ECHANDO UNA MIRADA AL PATIO)
Mi última cena en
este cochino lugar.

(CONTINUA)

(MARCELA LA MIRA PREOCUPADA. CAMINA JUNTO
A ANDREA PARA UNIRSE A LA FILA DE RECLUSAS
QUE VAN HACIA EL COMEDOR.)

CORTE A:

ACTO I

ESCENA 2

INT. - COMEDOR - NOCHE

(LAS RECLUSAS ENTRAN AL COMEDOR. ANDREA SE
VUELVE A ENCONTRAR CON LA RECLUSA QUE SE
LA QUEDO MIRANDO FIJAMENTE. LO VUELVE A
HACER.)

                    ANDREA
                  (ENOJADA)
        ¿Qué quieres? ¡Ya te dije
          que me dejes en paz!

(LA RECLUSA SE VOLTEA Y SE FORMA EN UNA
FILA. ANDREA SE FORMA VARIOS LUGARES MAS
ATRAS. OTRA RECLUSA TRATA DE METERSE EN LA
FILA.)

                    ANDREA
                 (GRITANDO)
        ¿Adónde crees que vas?

                   MARCELA
                 (A ANDREA)
         Deja ya de gritar que
       vas a armar un alboroto.

                    ANDREA
        ¡No me importa! Esta jija
         de su tal por cuál no se
         va a meter en la fila...

(CONTINUA)

(LLEGA DE NUEVO LA CELADORA.)

                    CELADORA
                  (A ANDREA)
     A ver, a ver, ¿qué tanto gritas?

                    ANDREA
              ¡Pos ésta que se quiso
              meter así porque sí!

                    CELADORA
           Mira Andrea, ya me tienes
           cansada con tus remilgos
           y tus escándalos. Otra vez
           que te oiga gritando y...

                    ANDREA
             (INTERRUMPIENDOLA)
                  ¿Y qué?

(ANDREA DA UN PASO HACIA LA CELADORA, PERO
MARCELA LA DETIENE POR EL BRAZO.)

                    MARCELA
                (A LA CELADORA)
           Discúlpela, es que anda
           malita... Usted sabe.

(ANDREA SE DETIENE UN MOMENTO Y AGACHA LA
CABEZA. LA FILA AVANZA HACIA LA BARRA.
ANDREA Y MARCELA AVANZAN JUNTO CON LA
FILA.)

                                    (...)

El *storyboard*

El *storyboard* es una herramienta útil para la elaboración de guiones, tanto del género dramático como del género informativo. Consiste en una serie de pequeños dibujos ordenados en secuencia de las acciones que se van a filmar o grabar, de manera que la acción de cada escena se presenta en términos visuales.

El *storyboard* ayuda a visualizar las ideas del guionista y es muy utilizado en la producción de anuncios comerciales, *videoclips*, audiovisuales de transparencias y películas con diseños visuales muy elaborados. Se utiliza muy poco en la producción de programas dramáticos de televisión. Aunque parezca extraño, es una herramienta muy útil en la elaboración de historias dramáticas y anuncios comerciales para radio. Ayuda a que los elementos aurales se *visualicen* y se combinen de una mejor manera.

En el *storyboard*, cada dibujo va acompañado de un comentario descriptivo de la acción, narración o diálogo. El producto final es muy parecido a una tira cómica, con viñetas individuales que presentan las imágenes importantes del desarrollo de la historia.

El nivel de complejidad del *storyboard* varía de los dibujos más rudimentarios, hasta los más elaborados. Se puede hacer utilizando fotografías, recortes de revistas, transparencias y, en general, cualquier material visual. Puede diseñarse a lápiz, a tinta, a color o en blanco y negro. La calidad artística es lo de menos, aunque algunos *storyboards* llegan a ser verdaderas obras de arte del diseño. El objetivo siempre debe ser el mismo: visualizar una historia a través de imágenes unidas en secuencia.

Las mejores razones para elaborar un *storyboard* son las siguientes:

1) A veces, los productores de películas, *videoclips* o programas de televisión y los clientes para quienes se realizan anuncios comerciales, documentales o audiovisuales tienen dificultades para visualizar la acción cuando leen un guión. El *storyboard* les permite *observar* el desarrollo de la historia.

2) El *storyboard* permite al guionista ubicar precisamente el efecto que quiere, haciendo sus indicaciones en dibujos, en lugar de complicarse traduciendo imágenes en palabras.

3) En ocasiones, incluso los más expertos guionistas tienen dificultad para saber si una acción dada se traducirá bien del guión a la escena. El *storyboard* les permite saberlo con certeza, los fuerza a mostrar en lugar de explicar lo que quieren decir.

En pocas palabras, el *storyboard* es un excelente método para adiestrarse en el pensamiento visual.

La realización de *storyboards* es importante porque puede representar una ayuda extra para el guionista. Sin embargo, ocasionalmente puede ser un trabajo muy lento. Es útil emplearlo sólo cuando las necesidades de producción así lo demanden, o cuando existan problemas para visualizar adecuadamente una acción.

Características básicas de estructura del *storyboard*

1 El storyboard está formado por viñetas o cuadros en los que se dibujan las imágenes más importantes de la acción.
2 Normalmente, estas imágenes corresponden a planos o tomas específicas de cada escena, determinados por el realizador del *storyboard* con base en emplazamientos o posiciones de cámara específicos. Esto significa que el dibujante debe poseer un conocimiento básico del lenguaje visual de cine y televisión, en lo referente a planos, emplazamientos y movimientos de cámara.
3 Existen infinidad de variantes en la ordenación de las viñetas. Algunos *storyboards* se *leen* de arriba hacia abajo; otros presentan una lectura de izquierda a derecha. Lo recomendable es diseñarlo tomando en cuenta que la cultura occidental nos ha acostumbrado a leer de izquierda a derecha y de arriba hacia abajo .
4 Debajo de cada viñeta se escribe brevemente la siguiente información:

   a) Número de la escena.
   b) Identificación de la escena.
   c) Número del plano o imagen dentro de la escena.
   d) Breve descripción de la acción.
   e) Breve descripción del audio (diálogo, música y/o sonidos)
   f) Observaciones técnicas (opcional).

   Como el espacio debajo de cada viñeta es muy pequeño, las descripciones deben ser muy breves.
5 Entre una viñeta y otra, se indica la manera en que se dará la transición entre imágenes. Estas transiciones pueden ser:

   a) Por corte directo.
   b) Por movimiento de la cámara o del lente de la cámara (*zoom*).
   c) Por disolvencia entre una imagen y otra.

Características básicas de formato del *storyboard*

1 El tamaño de las viñetas debe ser proporcional al formato de pantalla utilizado en la producción final. Los trabajos hechos para televisión, producidos en cine o video (*videoclips*, anuncios comerciales) y los audiovisuales con transparencias utilizan el formato denominado *académico* que tiene una proporción de tres *tantos* de altura por cuatro de ancho (3 x 4 ó 1.33: 1).
Los trabajos hechos para cine pueden variar de proporción según el formato de película o de proyección que se utilice. La película de super 8 mm y la de 16 mm utilizan el formato de 1.33:1. Para la película de 35 mm (cine comercial profesional) existen los siguientes formatos:[5]

a) *Widescreen* o Pantalla Ancha (1.85:1). Es la norma comercial en la actualidad.
b) *CinemaScope* (2.35:1). Antiguamente este formato variaba de 2.55:1 a 2.66:1.
c) *Panavision* (2.4:1).
d) *Super Panavision 70* (2.35:1).
e) *Super 35* (varía de 1.85:1 a 2.35:1).
f) *VistaVision* (varía de 1.66:1 a 2:1).

Para la película de 70 mm, de uso especial para grandes producciones, existen los siguientes formatos:

a) Super Panavision 70 (2.2:1).
b) Ultra Panavision 70 (2.75:1).

2 Una vez determinado el orden de lectura del *storyboard* (de izquierda a derecha o de arriba hacia abajo) este se debe mantener hasta el final.
3 Aunque existe un sinnúmero de formas para indicar la transición entre las imágenes de un *storyboard*, la siguiente nomenclatura puede resultar sencilla de utilizar:

a) Las transiciones por corte directo no se indican.
b) Las transiciones por movimiento de cámara laterales (*travelling*, paneo) o verticales (*tilt*) se indican con una flecha dirigida hacia

---

[5] Leonard Maltin, *Leonard's Maltin movie and video guide 1994*. New York, Penguin Books, 1993, pp. 1554–1555.

donde va el movimiento (de izquierda a derecha, de derecha a izquierda, de arriba hacia abajo o de abajo hacia arriba).

c) Las transiciones por movimiento de cámara hacia o desde el tema (*dolly in, dolly out*) se indican con una flecha diagonal, dirigida hacia donde va el movimiento.

d) Las transiciones por movimiento del lente de la cámara (*zoom*) se indican con cuatro flechas dibujadas dentro de la viñeta, todas dirigidas hacia donde va el movimiento (hacia dentro de la imagen o desde dentro de la imagen).

e) Las transiciones por disolvencia entre una imagen y otra se indican con dos líneas curvas cruzadas en *x*.

A continuación presentamos un ejemplo práctico de formato de *storyboard*. Toma en cuenta todas las indicaciones que aparecen en el formato. Estas te pueden resolver dudas específicas sobre la redacción del guión.

Después del formato encontrarás el ejemplo de *storyboard* [6] de la historia *Testigo inesperado* [7], escrita por Dinorah Cortinas.

[6] *Storyboard* realizado por Nicolás Frausto, en septiembre de 1993. Basado en los dibujos originales de Dinorah Cortinas, realizados en noviembre de 1991.

[7] Historia de Dinorah Cortinas, basada en una idea del Lic. Jesús Torres, escrita en noviembre de 1991. Reproducida con permiso de la autora.

FORMATO DE STORYBOARD

TÍTULO DEL PROYECTO: En todas las hojas se debe escribir el titulo del proyecto.

En las viñetas se deben dibujar sólo las imágenes más importantes de la acción. El tamaño de las viñetas debe ser proporcional al formato de pantalla que se vaya a utilizar.

ESC: 1 **IDENT.** EXT.-PARQUE-NOCHE **P.** 1.1
ACCIÓN _____

AUDIO: Aquí se describen brevemente los sonidos del plano. Por ejemplo: "ruido nocturno" o el diálogo.
OBSERVACIONES: _____

La información debajo de cada viñeta es escencial para identificar la acción dibujada en ella. En este formato se muestra cómo llenar los espacios con información.

ESC: 1 **IDENT.** EXT.-PARQUE-NOCHE **P.** 1.2
ACCIÓN: Aquí se describe brevemente la acción del plano. Por ejemplo: "Laura se esconde detrás del carro".
AUDIO: _____
OBSERVACIONES: _____

Las transiciones entre las imagénes se pueden dar por: corte directo, movimiento de la cámara, movimiento del lente de la cámara (zoom) o disolvencia entre una imagen y otra.

ESC: 1 **IDENT.** EXT.-PARQUE-NOCHE **P.** 1.3
ACCIÓN: _____
AUDIO: _____

OBSERVACIONES: Los planos se numeran tomando como base la escena a la que pertenecen (1.1, 1.2, etcétera).

Si la transición entre dos imagénes se da por corte directo, la transición no se indica en el storyboard (se entiende que la mayoría de las transiciones son de este tipo).

ESC: __ **IDENT.** _____ **P.** ___
ACCIÓN: _____
AUDIO: _____

OBSERVACIONES: _____

FORMATO DE STORYBOARD

TÍTULO DEL PROYECTO: Todas las hojas se numeran   **HOJA No.:** 2
a partir de la segunda.

Las transiciones que se dan por movimiento lateral de la cámara (paneo o "travelling") se indican mediante una flecha dirigida hacia donde va el movimiento. En este caso, el movimiento va hacia la derecha.

Las flechas deben continuar hasta la imagen en que termina el movimiento. Normalmente un movimiento de cámara requiere tres imágenes (principio, desarrollo y final del movimiento.

ESC:__ IDENT._____ P. ____
ACCIÓN: _____
AUDIO: _____
OBSERVACIONES: Las observaciones que se anotan aquí sirven para indicar detalles específicos del plano. Por ejemplo: "intercorte","cruce de eje" o "travelling".

ESC:__ IDEN. _____ PNO. ___
ACCIÓN: _____
AUDIO: _____
_____
OBSERVACIONES: _____
_____
_____
_____

La flecha de la izquierda indica que el movimiento de cámara termina en esta viñeta. Si el movimiento es muy rápido sólo se utilizan dos viñetas (principio y final del movimiento).

Las flechas diagonales indican un movimiento de cámara hacia o desde el tema ("dolly in" o "dolly out"). También, se indican con tres o dos viñetas según la rapidez del movimiento.

ESC:__ IDENT. _____ P.___
ACCIÓN: _____
AUDIO: _____
_____
OBSERVACIONES: _____
_____
_____
_____

ESC: __ IDENT. _____ P. ___
ACCIÓN: _____
AUDIO: _____
_____
OBSERVACIONES: _____
_____
_____
_____

FORMATO DE STORYBOARD

TÍTULO DEL PROYECTO: Todas las hojas se numeran   **HOJA No.:** 3
a partir de la segunda.

Las flechas verticales indican un movimiento de cámara en esa dirección (hacia arriba o hacia abajo). Estos movimientos se denominana "tilt up" y "tilt down".

También los "tilts" se deben indicar con tres o dos viñetas, según la rapidez del movimiento. Los movimientos verticales hechos con grúa ("crane shots") se indican también de esta manera.

ESC:__ IDENT. _____ P. ___
ACCIÓN: _____
AUDIO: _____
_____
OBSERVACIONES: _____
_____
_____
_____

ESC:__ IDENT. _____ P. ___
ACCIÓN: _____
AUDIO: _____
_____
OBSERVACIONES: _____
_____
_____
_____

La viñeta anterior muestra la manera de indicar un movimiento del lente de la cámara hacia el tema ("zoom in"). Los "zooms" se indican en una sola viñeta, con las flechas dirigidas hacia donde va el movimiento.

ESC:__ IDENT. _____ P. ___
ACCIÓN: _____
AUDIO: _____
_____
OBSERVACIONES: _____
_____
_____
_____

ESC:__ IDENT. _____ P. ___
ACCIÓN: _____
AUDIO: _____
_____
OBSERVACIONES: _____
_____
_____
_____

FORMATO DE STORYBOARD

TÍTULO DEL PROYECTO: Todas las hojas se numeran **HOJA No.:** 4
a partir de la segunda.

El efecto óptico en el cual una imagen va desapareciendo al mismo tiempo que otra aprece en su lugar, se indica con dos líneas curvas cruzadas en "x".

ESC: __ IDENT. _____ P. ___
ACCIÓN: _____
AUDIO: _____
_____
OBSERVACIONES: _____
_____
_____
_____

Este efecto tiene el nombre de "disolvencia", "encadenado", "fundido", "fade" o "disolve". Si la imagen se funde con una pantalla negra o de algún otro color, el efecto se denomina "fade out" o "fundido a" y el nombre del color.

ESC: __ IDENT. _____ P. ___
ACCIÓN: _____
AUDIO: _____
_____
OBSERVACIONES: _____
_____
_____
_____

La indicación del "fade" sólo se hace si el efecto se realiza en medio de la acción. No se indica ni al principio ("fade in") ni al final ("fade out").

ESC: __ IDENT. _____ P. ___
ACCIÓN: _____
AUDIO: _____
_____
OBSERVACIONES: _____
_____
_____
_____

La flecha anterior ejemplifica la manera de indicar un movimiento de cámara desde el tema ("dolly out"). Los "dollys" se indican utilizando dos viñetas (principio y fin del movimiento).

ESC: __ IDENT. _____ P. ___
ACCIÓN: _____
AUDIO: _____
_____
OBSERVACIONES: _____
_____
_____
_____

FORMATO DE STORYBOARD

TÍTULO DEL PROYECTO: Todas las hojas se numeran   **HOJA No.:** 5
a partir de la segunda.

La viñeta anterior muestra la manera de indicar un movimiento del lente de la cámara desde el tema ("zoom out"). Los "zooms" se indican en una sola viñeta, con las flechas dirigidas hacia donde va el movimiento.

ESC:__ IDENT. _____ P. ___
ACCIÓN: _____
AUDIO: _____

OBSERVACIONES: _____
_____
_____
_____

ESC:__ IDENT. _____ P. ___
ACCIÓN: _____
AUDIO: _____

OBSERVACIONES: _____
_____
_____
_____

ESC:__ IDENT. _____ P. ___
ACCIÓN: _____
AUDIO: _____

OBSERVACIONES: _____
_____
_____
_____

ESC:__ IDENT. _____ P. ___
ACCIÓN: _____
AUDIO: _____

OBSERVACIONES: _____
_____
_____
_____

EJEMPLO

Sinopsis y fragmento del storyboard de una película

"TESTIGO INESPERADO"[8]
Sinopsis original de Dinorah Cortinas.

David toma una taza de café antes de salir rumbo a su
trabajo. Se da cuenta de que se le hace tarde y sale
apresurado.
Al ir caminando por la calle, David escucha gritos
provenientes de un callejón. Al acercarse, David es
testigo de un asesinato.
El asesino se da cuenta de que David lo ha visto y lo
persigue por varios callejones. David llega a una
bodega, entra y se esconde detrás de unas cajas.
Mientras David está escondido, el asesino llega a la
bodega. Descubre a David y forcejea con él. Durante el
forcejeo alguien entra a la bodega. David golpea al
asesino con un tubo de hierro y lo mata. Al tratar de
huir, David descubre que la persona que entró a la
bodega ha sido testigo de su asesinato.

---

[8] Sinopsis redactada por Dinorah Cortinas, en noviembre de 1991. Reproducida con permiso
de la autora.

FORMATO DE STORYBOARD

TÍTULO DEL PROYECTO: _____ *Testigo inesperado*

ESC: _1_ **IDEN.** *Int.– casa – día* _____ **P.** _1.1_
ACCIÓN: _M. S. de David (de pie) tomando_
café _____
AUDIO: _____

OBSERVACIONES: _____
_____

ESC: _1_ **IDENT.** *Int. – casa – día* _____ **P.** _1.2_
ACCIÓN: _M. S. de David mirando su reloj_
de pulso _____
AUDIO: _____

OBSERVACIONES: _____
_____

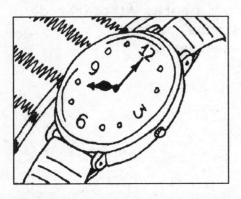

ESC: _1_ **IDENT.** *Int. – casa – día* _____ **P.** _1.3_
ACCIÓN: _T. S. (inserto) del reloj marcando_
las 8:00 am. _____
AUDIO: _____

OBSERVACIONES: _____
_____

ESC: _1_ **IDENT.** *Int. – casa – día* _____ **P.** _1.4_
ACCIÓN: _C. U. (reaction shot) de David_
asustado porque se le hizo tarde _____
AUDIO: _____

OBSERVACIONES: _____
_____

FORMATO DE STORYBOARD

TÍTULO DEL PROYECTO: *Testigo inesperado*   **HOJA No.** *2*

ESC: 2 **IDENT.** *Ext. – calle – día*   **P.** *2.1*
ACCIÓN: *L. S. de David caminando apresuradamente por la calle*
AUDIO: *Ruido de calle*
OBSERVACIONES: *Se inicia traveling*

ESC: 2 **IDENT.** *Ext. – calle – día*   **P.** *2.1*
ACCIÓN: *L. S. de David pasando por un callejón*
AUDIO: *Ruido de calle*

OBSERVACIONES: *Continúa traveling*

 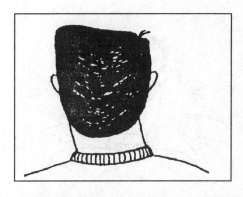

ESC: 2 **IDENT.** *Ext. – calle – día*   **P.** *2.1*
ACCIÓN: *M. L. S. de David que se detiene al oír gritos*
AUDIO: *Gritos de mujer*

OBSERVACIONES: *Termina traveling*

ESC: 2 **IDENT.** *Ext. – calle – día*   **P.** *2.2*
ACCIÓN: *C. U. de David que voltea hacia el callejón a ver qué pasa*
AUDIO:

OBSERVACIONES:

FORMATO DE STORYBOARD

TÍTULO DEL PROYECTO: *Testigo inesperado* **HOJA No.** 3

ESC: 2 **IDENT.** *Ext. – callejón – día* **P.** 2.3
ACCIÓN: *L. S. (two shot) de un hombre*
acuchillando a una mujer
AUDIO: *Gritos de mujer*

OBSERVACIONES: _____
_____

ESC: 2 **IDENT.** *Ext. – calle – día* **P.** 2.4
ACCIÓN: *M. L. S. del asesino que voltea y*
se da cuenta que tiene un testigo
AUDIO: _____

OBSERVACIONES: _____

ESC: 2 **IDENT.** *Ext. – calle – día* **P.** 2.5
ACCIÓN: *C. U. de David al ser descubierto*

AUDIO: *Música de suspenso (continúa*
hasta el final)
OBSERVACIONES: *Termina traveling*
_____

ESC: 2 **IDENT.** *Ext. – calle jón – día* **P.** 2.6
ACCIÓN: *F. S. del asesino que comienza a*
correr hacia David
AUDIO: *Pasos corriendo (eco)*
_____

OBSERVACIONES: _____
_____

FORMATO DE STORYBOARD

TÍTULO DEL PROYECTO: _Testigo inesperado_   **HOJA No.** _4_

ESC: 2 **IDENT.** _Ext. – calle – día_   **P.** 2.7
ACCIÓN: _M. L. S. de David que titubea y_
decide correr
AUDIO: _____

OBSERVACIONES: _Se inicia traveling_

ESC: 2 **IDENT.** _Ext. – calle – día_   **P.** _2.7_
ACCIÓN: _M. L. S. de David que comienza_
a correr
AUDIO: _____

OBSERVACIONES: _Continúa traveling_

ESC: 2 **IDENT.** _Ext. – calle – día_   **P.** _2.7_
ACCIÓN: _L. S. de David corriendo_

AUDIO: _Ruido de calle. Pasos corriendo_

OBSERVACIONES: _Termina traveling_

ESC: 2 **IDENT.** _Ext. – calle – día_   **P.** _2.8_
ACCIÓN: _L. S. del asesino corriendo tras_
David
AUDIO: _Ruido de calle. Pasos corriendo_

OBSERVACIONES: _____

FORMATO DE STORYBOARD

TÍTULO DEL PROYECTO: ___*Testigo inesperado*___ **HOJA No.** __5__

ESC: *3* **IDENT.** *Ext. – calle – día* **P.** *3.1*
ACCIÓN: *L. S. de David entrando a una*
bodega
AUDIO: _____

OBSERVACIONES: *Reverse cut* _____

ESC: *3* **IDENT.** *Int. – bodega – día* **P.** *3.2*
ACCIÓN: *M. L. S. de David buscando*
dónde esconderse
AUDIO: _____

OBSERVACIONES: _____

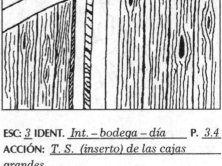

ESC: *3* **IDENT.** *Int. – bodega – día* **P.** *3.3*
ACCIÓN: *M. L. S. de David que voltea y*
ve unas cajas grandes
AUDIO: _____

OBSERVACIONES: _____

ESC: *3* **IDENT.** *Int. – bodega – día* **P.** *3.4*
ACCIÓN: *T. S. (inserto) de las cajas*
grandes
AUDIO: _____

OBSERVACIONES: _____

FORMATO DE STORYBOARD

TÍTULO DEL PROYECTO: *Testigo inesperado*   **HOJA No.** 6

ESC: 3 **IDENT.** *Int. – bodega – día*   **P.** 3.5
ACCIÓN: *M. L. S. de David escondiéndose*
detrás de las cajas
AUDIO:

OBSERVACIONES:

ESC: 2 **IDENT.** *Ext. – calle – día*   **P.** 3.6
ACCIÓN: *M. L. S. de la puerta de la*
bodega
AUDIO:

OBSERVACIONES:

ESC: 3 **IDENT.** *Ext. – calle – día*   **P.** 3.7
ACCIÓN: *M. S. del asesino que llega a la*
bodega y se detiene en la puerta
AUDIO:

OBSERVACIONES:

ESC: 3 **IDENT.** *Int. – bodega – día*   **P.** 3.8
ACCIÓN: *X. L. S. del asesino que entra a*
la bodega
AUDIO: *Pasos "huecos"*

OBSERVACIONES: *High angle, Reverse cut*

FORMATO DE STORYBOARD

TÍTULO DEL PROYECTO: _Testigo inesperado_   **HOJA No.** 7

ESC: _3_ **IDENT.** _Int. – bodega – día_   **P.** _3.9_
ACCIÓN: _C. U. de David temeroso de ser_
encontrado
AUDIO:

OBSERVACIONES:

ESC: _3_ **IDENT.** _Int. – bodega – día_   **P.** _3.10_
ACCIÓN: _M. L. S. del asesino que_
comienza a caminar para buscar a David
AUDIO:

OBSERVACIONES: _Se inicia traveling._
Dolly out

ESC: _3_ **IDENT.** _Int. – bodega – día_   **P.** _3.10_
ACCIÓN: _M. L. S. del asesino buscando a_
David
AUDIO:

OBSERVACIONES: _Continúa Dolly out_

ESC: _3_ **IDENT.** _Int. – bodega – día_   **P.** _3.10_
ACCIÓN: _M. L. S. del asesino que se_
detiene y voltea al escuchar un ruido
AUDIO: _Pasos corriendo (eco)_

OBSERVACIONES: _Termina Dolly out_

FORMATO DE STORYBOARD

TÍTULO DEL PROYECTO: *Testigo inesperado*　　**HOJA No.** 　8

ESC: *3* **IDENT.** *Int. – bodega – día*　**P.** *3.11*
ACCIÓN: *M. L. S. del asesino que comienza a caminar hacia unas cajas*
AUDIO:

OBSERVACIONES: *Se inicia traveling*

ESC: *3* **IDENT.** *Int. – bodega – día*　**P.** *3.11*
ACCIÓN: *M. L. S. del asesino llegando a las cajas*
AUDIO: *Pasos "huecos"*

OBSERVACIONES: *Continúa traveling*

ESC: *3* **IDENT.** *Int. – bodega – día*　**P.** *3.11*
ACCIÓN: *M. L. S. del asesino que encuentra a David*
AUDIO:

OBSERVACIONES: *Termina traveling*

ESC: *3* **IDENT.** *Int. – bodega – día*　**P.** *3.12*
ACCIÓN: *F. S. (two shot) de los dos forcejeando*
AUDIO: *Forcejeo*

OBSERVACIONES:

FORMATO DE STORYBOARD

TÍTULO DEL PROYECTO: *Testigo inesperado*　　**HOJA No.** 9

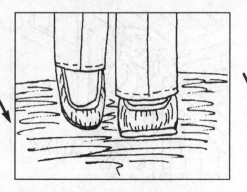

ESC: *3* **IDENT.** *Int. – bodega – día*　**P.** *3.13*
ACCIÓN: *C. U. de los zapatos de alguien que viene caminando*
AUDIO: *Pasos*

OBSERVACIONES: *Se inicia Dolly out*

ESC: *3* **IDENT.** *Int. – bodega – día*　**P.** *3.13*
ACCIÓN: *C. U. de los zapatos que continúan avanzando*
AUDIO: *Pasos*

OBSERVACIONES: *Continúa Dolly out*

ESC: *3* **IDENT.** *Int. – bodega – día*　**P.** *3.13*
ACCIÓN: *C. U. de los zapatos que se detienen*
AUDIO:

OBSERVACIONES: *Termina Dolly out*

ESC: *3* **IDENT.** *Int. – bodega– día*　**P.** *3.14*
ACCIÓN: *M. L. S. (two shot) de David y asesino forcejeando entre las cajas*
AUDIO: *Forcejeo*

OBSERVACIONES:

FORMATO DE STORYBOARD

TÍTULO DEL PROYECTO: _____ *Testigo inesperado* _____ **HOJA No.** _10_

ESC: _3_ **IDENT.** *Int. – bodega – día*   **P.** *3.15*
ACCIÓN: *M. S. de David que descubre*
un tubo sobre una caja
AUDIO: _____

OBSERVACIONES: _____

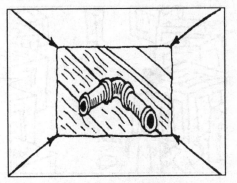

ESC: _3_ **IDENT.** *Int. – bodega – día*   **P.** *3.16*
ACCIÓN: *M. L. S. (inserto) del tubo*
_____
AUDIO: _____

OBSERVACIONES: *Zoom in*

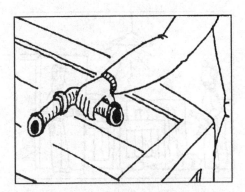

ESC: _3_ **IDENT.** *Int. – bodega – día*   **P.** *3.17*
ACCIÓN: *C. U. del brazo de David*
agarrando el tubo
AUDIO: _____

OBSERVACIONES: _____

ESC: _3_ **IDENT.** *Int. – bodega– día*   **P.** *3.18*
ACCIÓN: *L. S. (two shot) de David*
golpeando al asesino con el tubo
AUDIO: *Golpe con efecto de eco*

OBSERVACIONES: _____

FORMATO DE STORYBOARD

TÍTULO DEL PROYECTO: *Testigo inesperado*   **HOJA No.** *11*

ESC: *3* **IDENT.** *Int. – bodega – día*   **P.** *3.19*
ACCIÓN: *X. L. S. David sale de entre las*
cajas y ve a un testigo
AUDIO: _____

OBSERVACIONES: _____

ESC: *3* **IDENT.** *Int. – bodega – día*   **P.** *3.20*
ACCIÓN: *C. U. de David percatándose de*
la presencia del testigo
AUDIO: _____

OBSERVACIONES: _____

ESC: *3* **IDENT.** *Int. – bodega – día*   **P.** *3.21*
ACCIÓN: *C. U. del testigo al ser*
descubierto
AUDIO: _____

OBSERVACIONES: _____

ESC: *3* **IDENT.** *Int. – calle jón – día*   **P.** *3.22*
ACCIÓN: *X. L. S. (two shot) de David y*
el testigo frente a frente
AUDIO: _____

OBSERVACIONES: _____

Parte II

EL GUIÓN INFORMATIVO

Capítulo 7

REALIDAD, INFORMACIÓN Y ESTRUCTURA INFORMATIVA

La realidad

SIN INTENCIÓN DE iniciar una disertación filosófica sobre un tema tan complejo como lo es la naturaleza de la realidad, consideramos importante analizar las bases sobre las que se sustenta la redacción de un guión informativo cuya finalidad es informar a un público o audiencia, o proporcionarle los medios para que se informe.

Desde el enfoque de la Teoría de Sistemas[1], la realidad se puede definir como *una serie de sucesos o eventos sobre los cuales es posible establecer una relación y ciertos límites.* La realidad es el punto de partida para la redacción de guiones informativos. Estos guiones intentan reflejar, con la mayor fidelidad posible, la naturaleza de un evento de la realidad.

A pesar de que un evento de la realidad puede ser también fuente de información para un guión dramático, la estructura que se le da a la información es lo que establece la diferencia entre ambos géneros del guionismo. Si el resultado final de un guión dramático es la *construcción* de una realidad que no existe más que en la imaginación del guionista, la redacción de un guión informativo tiene como objetivo esencial la *reconstrucción* fiel de la realidad que nos circunda.

---

[1] La Teoría de Sistemas proporciona elementos de diagramación adaptables a los medios audiovisuales. Ver Mark L. Knapp, *El rol del comportamiento no verbal en la interacción humana,* en Carlos Fernández Collado y Gordon L. Dahnke, *La comunicación humana.* México, McGraw-Hill, 1986, pp. 199-222.

La información

Si la realidad es el punto de partida para el guionismo informativo, la información es la esencia de sus contenidos. El paso de la realidad a la información es el primer momento decisivo dentro del proceso de transformación de un evento en mensaje.

Un aspecto importante a señalar es la voluntariedad de la información. La información es el resultado de que alguien seleccione voluntariamente algunos aspectos de la realidad para convertirlos en un mensaje. Este aspecto voluntario de la información es, hasta la fecha, motivo de discusión entre los estudiosos del tema. La voluntariedad implica un proceso consciente de selección, similar en muchos aspectos al de la creación dramática. Viéndolo de esta manera parecería como si la información fuese, hasta cierto punto, resultado de la arbitrariedad. En realidad, la información es resultado de la voluntad por establecer un vínculo, lo más directo posible, entre la realidad y el público o audiencia del mensaje.

Para que un evento de la realidad se convierta en información, la persona o personas encargadas del proceso deben determinar la importancia del evento en relación a una audiencia o público. La Teoría de Sistemas proporciona una base para establecer los límites de importancia de un evento y la decisión de su relato a través de un medio de comunicación. El evento se convierte en información y ésta entra a un sistema donde se realiza el proceso de su transformación. El resultado de este proceso es un mensaje estructurado para transmitirse a través de un medio de comunicación.

Por ejemplo, en la plaza principal de una ciudad se lleva a cabo una manifestación de protesta. Un reportero de una estación de radio acude voluntariamente o es enviado por la estación al lugar de los hechos. Ya ahí, el reportero debe decidir si el evento merece ser convertido en información para ser transmitida a través de los bloques informativos de la estación. La decisión se lleva a cabo con base en varios aspectos. El más importante de ellos es, o debe ser, las características del público o audiencia del medio por el cual se piensa transmitir el mensaje.

El reportero toma notas, entrevista a participantes y testigos para obtener datos. En un momento dado, de acuerdo a las circunstancias, el reportero se convierte en testigo del evento. Al llegar a la estación, toma decisiones sobre la estructura que dará a la información: el estilo de redacción que utilizará, el tiempo que se le dedicará a la transmisión, los recursos radiofónicos que se deberán utilizar para la producción del mensaje, la búsqueda de datos adicionales para ampliar la información, entre otras. Además, el jefe de noticias de la estación de radio decide finalmente si el mensaje debe ser transmitido o no. Si el mensaje será transmitido, el jefe de noticias decide el momento y el orden de transmisión con respecto a otros mensajes.

En términos de la Teoría de Sistemas, la manifestación, es un evento que forma parte de la realidad, mientras que la conversión de esta realidad en información provoca una entrada al sistema. La construcción de la estructura –la decisión sobre cómo informar al público– es el proceso que se lleva a cabo dentro del sistema. Por último, el mensaje estructurado sobre el evento se convierte en la salida del sistema hacia el exterior.

ESQUEMA

Transformación de la realidad en mensaje desde el enfoque de la Teoría de Sistemas

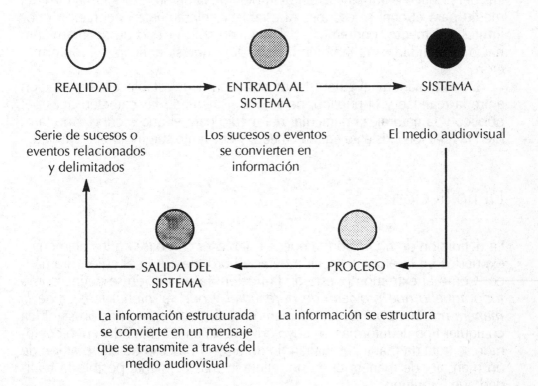

REALIDAD ⟶ ENTRADA AL SISTEMA ⟶ SISTEMA

Serie de sucesos o eventos relacionados y delimitados

Los sucesos o eventos se convierten en información

El medio audiovisual

SALIDA DEL SISTEMA ← PROCESO ←

La información estructurada se convierte en un mensaje que se transmite a través del medio audiovisual

La información se estructura

Otros dos elementos de la Teoría de Sistemas que deben considerarse en este proceso son:

1 El *contexto* en el que está ubicado el sistema.
2 Las *relaciones* del sistema con otros sistemas.

El contexto influye directamente en la decisión de aceptar o rechazar una entrada al sistema (por ejemplo, a una estación de radio local puede no interesarle un evento ocurrido en otra ciudad), mientras que las relaciones del sistema establecen los límites en la forma de estructurar la información (por ejemplo, un canal de televisión con intereses comerciales en la práctica de un deporte puede dedicar mayor profundidad y tiempo a la información de ese deporte en particular).

La importancia de esta visión sistémica al momento de elaborar un guión informativo radica en establecer previamente cuál es el proceso, el contexto y las relaciones del medio audiovisual para el cual escribimos. La redacción de un guión informativo no sólo depende de las características del público o audiencia, sino también de la naturaleza y limitantes del medio para el cual se escribe. Al establecer claramente el contexto y los límites del medio, podremos establecer no sólo el tipo de acercamiento hacia la realidad, sino también la estructura que se aplicará a la información.

De esta manera, el guionista informativo puede establecer una relación entre la realidad y el público, no sólo considerando las características del público y la naturaleza particular del medio para el que escribe, sino también la relación existente entre el medio y el evento surgido de la realidad.

La no ficción

La definición de *no ficción* se puede establecer con base en los elementos expuestos en la primera sección de este libro, dedicada al guión dramático. Como el extremo opuesto de la ficción, la *no ficción* se define como *todo aquello que proviene de la realidad y que se intenta reflejar de la manera más fiel posible.* En los medios audiovisuales, no ficción significa cualquier tipo de información cuyo origen está en la realidad y cuyo contenido se trata de mantener inalterado durante el proceso de elaboración de un mensaje, de manera que éste refleje lo más fielmente posible la realidad que lo originó.

A diferencia del drama, donde se pueden tomar elementos de la realidad para construir una historia que no pretende ser un reflejo fiel de ésta, el género informativo establece su principal valor en un término de vital importancia: la objetividad.

Con objetividad nos referimos *al grado de fidelidad con que un medio de comunicación refleja una porción de la realidad.* La naturaleza del género informativo radica en establecer un vínculo entre la realidad y los receptores de un mensaje transmitido a través de un medio de comunicación. El grado de fidelidad que presente el mensaje con respecto al evento real determinará su objetividad.

La objetividad perfecta no existe en los medios de comunicación. De existir, una de las utopías del ser humano sería realidad. Nunca será posible establecer una relación perfecta entre la realidad determinada a través de los eventos y su relatoría a través de un medio de comunicación.

Así se diga que *diferentes testigos darán su versión de los hechos,* que *las cámaras y micrófonos estarán presentes en el evento,* o que *no existe interés alguno detrás del mensaje,* no se puede ser cien por ciento objetivo. Puesto que la relatoría de un evento a través de un medio audiovisual es resultado de la voluntad de una o más personas, siempre existirá en ella algo de subjetividad, de punto de vista personal y de percepción sobre cómo sucedieron las cosas.

Se dice que la única manera de lograr la objetividad en los medios de comunicación se lograría presentando el relato de todos los testigos del evento: que todos tuvieran una grabadora o una cámara de televisión para comunicar sus experiencias. Aún así, no podría lograrse la fidelidad del relato a la realidad sino que simplemente tendríamos más percepciones que ampliarían la subjetividad con que se percibe un evento.

Es por esto que cuando hablamos de no ficción estamos hablando de una decisión voluntaria por reflejar la realidad a través de un medio de comunicación. La información, por sí sola, no posee un valor de fidelidad a la realidad. Este valor es producto de la voluntad de quien posee la información y los medios para convertirla en mensaje.

La noticia

El elemento esencial para definir los límites y alcances de esta sección del libro es establecer la diferencia entre información y noticia. Al hacerlo, podremos definir las fronteras que separan al guionismo informativo del periodismo audiovisual, ambos extremos del género informativo.

Existen tantas definiciones de lo que es noticia como libros sobre el tema. Juan Gargurevich[2] señala que la noticia *es el resultado de establecer la importancia de un evento con base en dos aspectos: su acontecimiento reciente en el tiempo y su relación con el público o audiencia.* En este sentido, la noticia es información con dos valores agregados: el tiempo y la importancia para el público o audiencia.

Además de la importancia del factor temporal, la noticia establece su relación con el público o audiencia a partir de un valor determinado por el sistema: la relevancia. Este valor se define como *el grado de importancia que el sistema otorga a una información, con base en su estimación de los intereses del público o audiencia.* Esta estimación se lleva a cabo con base en la cercanía percibida por el sistema entre la información y los intereses del público o audiencia.[3]

La relevancia de una información no convierte a ésta automáticamente en noticia, pero sí la determina en gran medida. Es interesante observar que la voluntariedad es un factor importante para definir la naturaleza de la noticia. La relevancia es un valor otorgado voluntariamente a una información. En este sentido podemos determinar que el valor noticioso de una información es producto de decisiones previas a su entrada a un sistema.

El tiempo y la relevancia determinan la diferencia entre información y noticia. Esta diferencia también establece los límites entre el periodismo audiovisual y el guionismo informativo. Aunque estos límites son arbitrarios y discutibles, su establecimiento es necesario para definir el terreno sobre el cual nos moveremos en las siguientes páginas.

La noticia es el elemento básico del periodismo audiovisual. La información sin valor noticioso es la esencia del guionismo informativo. Entre estos dos extremos existe una amplia zona donde sus actividades se funden. A diferencia del guionismo dramático, el guionismo informativo se desarrolla en una área sobre la cual no es posible ejercer control: la realidad. De ahí la necesidad de definir límites más o menos precisos para el ejercicio de esta labor.

---

2 Juan Gargurevich, *Géneros periodísticos.* Quito, Editorial Belén, 1982, p. 25.
3 Cabe aclarar que a su vez el público es quien determina la relevancia final de la salida del sistema, con base en sus propias percepciones sobre la cercanía de la información contenida en el mensaje y sus propios intereses.

Ejercicio 1

Realidad, información, no ficción y noticia

1 Selecciona algún evento que sepas vaya a suceder en tu ciudad. De ser posible, acude al evento y toma notas sobre lo que ahí sucede:

a) Compara tus notas con las publicadas o presentadas en los diferentes medios de comunicación de tu ciudad (prensa, radio y televisión).

b) Si no puedes asistir al evento, compara la información presentada por los diferentes medios.

c) ¿Qué similitudes encuentras en los datos presentados por los diferentes medios?

d) ¿Qué similitudes encuentras entre los datos presentados por los medios y tus notas?

e) ¿Qué diferencias encuentras en ambos casos?

f) ¿Cuál crees que sea la versión más objetiva? ¿Por qué?

g) Analiza tus comparaciones y elabora un reporte donde destaques el tema de la objetividad en los medios audiovisuales.

2 Selecciona un evento al cual no hayas podido asistir (un concierto, un partido de fútbol, una función de teatro, un baile). Pídele a alguien que haya asistido que te relate lo que sucedió allí. Toma notas o graba la narración:

a) Con base en tus notas, trata de hacer un relato fiel de lo que sucedió.

b) Aparte, toma tus notas e intenta elaborar una historia de ficción alterando los hechos significativos del evento.

c) Seguramente en el relato de la otra persona habrá detalles que no entiendas o que falten para completar la información. Sustituye estos detalles por otros que te gustaría que hubiesen sucedido.

d) Compara tus dos redacciones y evalúa las diferencias que se presentan entre el intento de reflejar fielmente los eventos y el de tomarlos como base para elaborar una historia de ficción.

3 Selecciona una noticia transmitida a través de un noticiario radiofónico o televisivo. De ser posible graba la transmisión de la noticia para revisarla varias veces:

a) Determina qué aspecto de la realidad es el que otorga un valor noticioso a la información.

b) Determina el contexto en que se ubica el sistema (estación o canal) que transmite la noticia.
c) Determina las relaciones de ese sistema con otros.
d) Determina el grado de influencia del contexto y de las relaciones del sistema en la decisión de otorgar valor noticioso a la información. Elabora un reporte con tus observaciones.

La estructura informativa

La entrada de una información a un sistema da inicio al proceso de construcción de la estructura informativa. En este proceso, los datos o elementos básicos que constituyen la información son ordenados de acuerdo a un criterio.

Los elementos básicos que constituyen la estructura informativa están presentes tanto en el guionismo informativo como en el periodismo audiovisual.[4] En este sentido, la estructura informativa es independiente de la existencia de un valor noticioso otorgado a la información. La estructura informativa se compone de los siguientes datos o elementos:

1 El evento de la realidad
2 Los participantes y testigos
3 El tiempo
4 El lugar
5 Las causas y circunstancias

Estos elementos responden a las preguntas básicas del periodismo: *¿Qué, quién, cuándo, dónde, por qué y cómo?*, las cuales tienen su fundamento en las preguntas del modelo de comunicación de Lasswell[5]: *¿Quién dice qué por qué canal a quién y con qué efecto?*

Así como la estructura dramática es la manera en que están ordenados los elementos de una historia, la estructura informativa *es la manera en que están ordenados los elementos que constituyen una información.*

El orden de los elementos de la estructura informativa depende de la naturaleza del evento y de la relevancia atribuida a cada elemento. En el

---

[4] La mayoría de los profesionales de los medios audiovisuales que desarrollan productos informativos basan su experiencia en el ejercicio del periodismo impreso. En México, hasta hace poco, sólo unas cuantas escuelas y universidades distinguían al periodismo audiovisual del periodismo impreso.
[5] Harold Lasswell citado en John Fiske, *Introduction to communication studies*. London, Methuen & Co. Ltd., 1982 p.24.

periodismo, la recomendación antigua señalaba la importancia de iniciar siempre con el *qué,* luego presentar a los participantes o testigos, hasta llegar a *lo que se consideraba como menos importante: las causas y circunstancias.* Esta práctica se basaba en el supuesto de que pocas personas estaban interesadas en todos los elementos de la información. Así, era obligación del periodista presentar *lo más importante* al principio.

En el periodismo contemporáneo, las causas y el impacto de un evento se consideran como los factores más importantes para establecer la cercanía entre el evento y el público. Desde esta perspectiva, se considera recomendable que el periodista busque la empatía[6] con el público: que trate de despertar su interés hacia el mensaje y que logre destacar la relevancia de éste, sin olvidar que la objetividad es el punto de partida y el destino final de su trabajo.

El guionismo informativo mantiene estrechos nexos con los preceptos del periodismo contemporáneo, de ahí la dificultad de separar ambas disciplinas. Más que destacar sus diferencias, nuestro objetivo es señalar los elementos comunes que las identifican como manifestaciones del género informativo.

Los elementos de la estructura informativa

1 *Evento de la realidad (Qué)*
 Es el elemento más importante y complejo de la estructura informativa. Podría definirse como *un conjunto de acciones voluntarias o involuntarias que guardan relación entre sí y que se establecen dentro de los límites de la realidad.*

2 *Participantes y testigos (Quién)*
 Son quienes participan, de manera directa o indirecta, en el desarrollo de un evento de la realidad. En ambos casos, son la fuente de información más directa sobre el evento. En este sentido, los participantes directos se consideran como la fuente de información con mayor credibilidad[7] y exactitud. Los participantes indirectos o testigos proporcionan información de referencia y su valor como fuente de información aumenta ante la ausencia de los participantes. Una

---

[6] La recomendación se refiere a establecer un vínculo con el público para saber qué es lo que le puede interesar conocer primero para poder presentar los elementos de la estructura informativa en un orden adecuado. En este sentido, la primera pregunta a responder debe ser ¿Qué le interesará conocer al público?. Sólo así se logrará una verdadera empatía.

[7] Se define credibilidad como la calidad de lo creíble. En el género informativo siempre será prioritario que el público considere al medio de comunicación y a los que ahí trabajan como creíbles.

función paralela de los testigos es la de servir como fuente de información alternativa para comprobar el grado de objetividad de la información recibida a través de los participantes.

3 *Tiempo (Cuándo)*
Es el elemento más abstracto de la estructura informativa. Como en el género dramático, dentro de la estructura informativa el tiempo tiene diferentes facetas:

A *Tiempo en el que transcurre el evento*
Es la época en la que transcurre el evento de la realidad. Determina el valor noticioso de la información.

a) Evento pasado: Posee el menor valor noticioso.
b) Evento reciente: Posee valor noticioso.
c) Evento inmediato: Posee el mayor valor noticioso.

B *Tiempo total del evento*
Es el tiempo que transcurre entre el principio y el final del evento.
C *Tiempo de la narración o descripción del evento*
Es el tiempo que dura el mensaje o salida del sistema. Es determinado por el sistema, con base en el contexto en el que está ubicado y a su relación con otros sistemas.

4 *Lugar (Dónde)*
Cumple con la función de ubicar al evento o suceso de la realidad en un contexto específico. Además, ubica al evento en relación con el público o audiencia y es un factor importante para determinar la relevancia de la información.

5 *Causas y circunstancias (Por qué y cómo)*
Las causas son las acciones, voluntarias o involuntarias, que provocan un evento. Las circunstancias son las condiciones bajo las cuales se presenta el evento. Ambas constituyen el contexto en el cual se manifiesta un evento de la realidad. Son los elementos que justifican el tiempo que se utilice en un medio para narrar o describir un evento. Un adecuado manejo de estos dos elementos puede ayudar a establecer una mayor credibilidad y aumentar la objetividad percibida por el público o audiencia sobre el mensaje.

No existe un orden perfecto para organizar estos elementos al momento de elaborar un guión informativo. El orden y la importancia atribuidos a cada uno de ellos están determinados por el medio y el tipo de producto audiovisual informativo. El parámetro más efectivo para determinar un orden a los elementos de la estructura informativa está determinado por el grado de objetividad que el público o audiencia perciba en el mensaje y por la credibilidad atribuida a la información.

Para ello, el guionista debe tomar en cuenta que el público siempre percibirá la información en función a la relevancia que ésta tiene en sus vidas. El grado de relevancia real de un mensaje es un compromiso entre los intereses del medio audiovisual (el sistema) y los del público o audiencia.

Ejercicio 2

La estructura informativa

1 Selecciona un hecho o evento importante para una audiencia que conozcas bien (familia, amigos, compañeros) y realiza los siguientes ejercicios:

a) Contesta a todas las preguntas, es decir, desarrolla todos los elementos de la estructura informativa.

b) Redacta tres diferentes narraciones, colocando en diferente orden cada uno de los elementos.

c) Presenta las tres narraciones a tu público y pídele que las evalúe en cuanto a su objetividad, credibilidad y relevancia.

d) Redacta un reporte breve donde analices las diferencias resultantes del cambio de orden en los elementos: ¿Existen verdaderas diferencias en la información al alterar el orden de los elementos? ¿Cómo se destacan las diferencias? En relación con el público ¿Cómo varió su apreciación de la información?

2 Selecciona una noticia que sea transmitida a través de un noticiario radiofónico y de un noticiario televisivo. Graba ambas transmisiones para poder revisarlas. Compara la estructura informativa presentada por ambos medios sobre el mismo evento.

a) ¿Existen diferencias en cuanto al orden de los elementos de la estructura informativa?

b) ¿Cuáles son estas diferencias y cómo se presentan?

c) ¿Cómo modifican tu percepción sobre el mensaje?

d) ¿Cómo influye la naturaleza del medio en la estructura informativa?

e) ¿Qué impacto tiene cada estructura en la objetividad, credibilidad y relevancia de la información?

f) Redacta un reporte donde respondas a las preguntas anteriores.

La estructura informativa y los medios audiovisuales

La construcción de la estructura informativa para productos audiovisuales depende de un evento de la realidad; de la información proporcionada por los participantes y testigos del evento; del tiempo y lugar en que sucede el evento, así como de las circunstancias y causas que lo conforman. Estos elementos constituyen una *entrada* al sistema donde se llevará a cabo la construcción de la estructura informativa. Este sistema es el medio audiovisual encargado de producir el mensaje o *salida* que tendrá como destino final un público o audiencia.

Como todo sistema, un medio audiovisual no es una entidad autónoma. Está relacionado con otros sistemas y ubicado en un contexto. Estos factores determinan el tipo de estructura informativa adecuado a las características propias del medio. Adicionalmente, los miembros integrantes del sistema influyen con sus ideas en la elaboración de los mensajes informativos.

Desde sus inicios, la naturaleza particular de cada medio ha jugado un papel decisivo en la construcción de la estructura de los productos audiovisuales informativos. En la primera sección de este libro, al referirnos a la estructura dramática, establecimos las diferencias entre los distintos medios audiovisuales, con base en las distinciones funcionales de cada uno de ellos. En esta sección, estableceremos el desarrollo del género informativo en los medios audiovisuales.

El desarrollo del género informativo en el cine

Cuando los hermanos Lumière colocaron su cámara de cine ante las puertas de su fábrica en Lyon, no sólo estaban creando el cine, sino que además inauguraban uno de sus géneros más importantes: el informativo.

Llamado *el género de la realidad* o *el género de los hechos*, el género informativo es, junto con el dramático, una de las dos grandes divisiones en las que se clasifica no sólo al cine, sino a todos los productos de los medios audiovisuales. Sus orígenes como género se localizan en esas *vistas* filmadas por los primeros cineastas: imágenes de los eventos que sucedían frente a la cámara.

Antecedentes de esta maravilla testimonial fueron la fotografía y la narración periodística. Sin embargo, el impacto de estos medios cedió considerablemente ante la aparición del cine. La prensa escrita exige, hasta nuestros días, de una alfabetidad necesaria en su público. La fotografía, por su parte, carece del movimiento de la imagen cinematográfica. El cine, con su libertad para narrar visualmente, cambió la perspectiva en la presentación de la información.

Los que filmaban esos primeros testimonios de la vida diaria no tenían idea de que se convertirían en documentadores de la historia. Aquellos primeros filmes adquirieron su carácter de documentos con el paso de los años. Sin embargo, es en esos primeros años del cine cuando empieza a despuntar la importancia del nuevo invento como un medio para capturar eternamente un evento trascendental.

De la reproducción pura y sin elaborar de la realidad, el cine pasó rápidamente a la narración sucinta de eventos de interés público. Los orígenes del periodismo audiovisual datan de 1898, cuando cineastas de la compañía Lumière filmaron la ceremonia de coronación del Zar Nicolás II de Rusia. Esta cobertura del evento permitió a los espectadores de cine *asistir* a la coronación y ver de cerca los principales momentos de la ceremonia. El éxito de esta experiencia provocó un alud de cortometrajes con mayor contenido noticioso.

Es curioso el hecho de que, en la búsqueda intuitiva por permanecer fiel a su naturaleza original, el cine terminara transformando la realidad. Los primeros noticiarios cinematográficos recurrieron a la recreación de los eventos con el fin de *llevar* la realidad ante los ojos del público. Es famosa la recreación filmada por Georges Méliès de la coronación de Eduardo VII de Inglaterra (1902) en la que mezcló imágenes de la procesión verdadera con la reconstrucción en estudio de la abadía de Westminster.

Las *actualidades reconstruidas* forman parte de una etapa de transición que condujo al nacimiento del cine de ficción. Durante los primeros años del siglo XX, el divorcio entre el cine y su naturaleza realista parecía inminente. Sin embargo, el inmenso poder que ejercían sus imágenes en el público acabó convenciendo a los realizadores cinematográficos de que la narración de la realidad no tenía por qué ser abandonada del todo.

La década de 1910 a 1920 fue decisiva para el nacimiento de los dos únicos productos informativos del cine: *el noticiario y el documental*. La Primera Guerra Mundial, la Revolución Mexicana y la Revolución Rusa se convirtieron en eventos que *pedían a gritos* ser registrados por las cámaras. Paradójicamente, la destrucción generada por el hombre acabó creando una nueva forma de expresión.

El documental y el nacimiento del guionismo informativo

Si el noticiario cinematográfico es el punto de partida para el desarrollo del periodismo audiovisual, el documental dio origen al guionismo informativo. Surgido cuando el cine ya había desarrollado un lenguaje narrativo propio, el documental posee una estructura informativa más cercana a los preceptos del drama que a los del periodismo. El documental *dramatiza la realidad sin transformarla*. En este sentido, el documental es el menos periodístico de los productos audiovisuales informativos.

Los orígenes más precisos del documental cinematográfico se remontan a la década de los veinte. El mérito de establecer los preceptos básicos de construcción informativa en el cine corresponde al cineasta y explorador norteamericano Robert J. Flaherty. A diferencia de los primeros cineastas realistas, Flaherty construyó y articuló una estructura narrativa en sus filmes. Román Gubern afirma que Flaherty "trascendió la mera apariencia de las cosas para convertirlas en drama veraz, sin trampa ni cartón".[8]

Con filmes como *Nanook, el esquimal (Nanook of the north*, 1920-22) y *Sombras blancas en los mares del sur (White shadows in the south seas*, 1927-28), Flaherty consolidó un género que continúa vigente hasta nuestros días. El documental es el único producto informativo cinematográfico que se sigue realizando en la actualidad, aunque su producción sea escasa y, en muchos casos, sea exhibida únicamente a través de la televisión o el video.

El desarrollo del género informativo en la radio

A principios del siglo xx, el nacimiento de la telefonía sin hilos o radiotelefonía permitió transmitir la narración aural de eventos de la realidad, en el mismo instante y desde el lugar de su acontecimiento. Este desarrollo, convertido en radiodifusión a partir de 1920, llevó los principales eventos de la historia moderna a todos los rincones del planeta.

El nacimiento de la radio tuvo un gran impacto en el desarrollo del periodismo audiovisual. La magnitud de este impacto radica en la naturaleza transmisora de la radio, característica que la emparenta más con medios de comunicación directa como el telégrafo y el teléfono que con la prensa o el cine.

La radio proporcionó una línea mucho más directa y sólida entre la realidad y la audiencia que la que podían proporcionar la prensa escrita

[8] Román Gubern, *Historia del Cine. Volumen 1*. Barcelona, Editorial Baber, S. A., 1992, p. 108.

o el cine. Este hecho fue decisivo para crear en la radio la necesaria credibilidad que debe tener todo medio informativo.

Esta credibilidad provocó una lucha directa entre la prensa escrita y la radio en la década de los treinta. En esos años, las presiones de la prensa norteamericana y europea para lograr que las agencias noticiosas dejaran de proporcionar servicios informativos a las estaciones de radio provocaron, como reacción, el nacimiento de servicios informativos propios del medio radiofónico.[9]

Con un sistema de producción autosuficiente, la radio pudo expandir sus servicios informativos rápidamente y logró reconvertir el paradigma tradicional del periodismo. A partir de los años cuarenta, la prensa escrita se abocó a desarrollar estilos que hasta entonces se consideraban ajenos a su naturaleza, como el periodismo interpretativo y el periodismo de investigación.

Durante la Segunda Guerra Mundial, el papel de la radio como medio informativo fue de vital importancia. Los locutores no sólo buscaban mantener informado al público sobre lo que sucedía en el campo de batalla, sino que tenían la misión de exaltar a los combatientes y amedrentar a los enemigos con la información que se presentaba.

La amplia cobertura y el factor de la inmediatez de la radio lograron que el género informativo alcanzara un alto grado de desarrollo. El noticiario y la revista[10] –productos del cine– alcanzaron una gran popularidad en este medio. Los preceptos básicos del guionismo informativo establecidos por el cine se trasladaron a la radio en la forma de radio-documentales. Las radio-cápsulas informativas y los radio-reportajes constituyeron la zona intermedia entre el periodismo y el guionismo informativo radiofónicos. En suma, el género informativo encontró en la radio a un medio versátil y con grandes ventajas para su desarrollo.

El desarrollo del género informativo en la televisión

Al surgir la televisión, las producciones informativas manejadas por la radio y el cine se trasladaron al nuevo medio electrónico. La televisión hizo más estrecha la línea establecida por la radio entre la realidad y la audiencia. A la instantaneidad del sonido, la televisión añadió la instantaneidad de la imagen. La combinación de las cualidades del cine y de la

[9] Stan Le Roy Wilson, *Mass Media/Mass Culture: An Introduction.* New York, Random House, 1989.
[10] Variante del noticiario con una periodicidad más amplia.

radio hizo de la televisión un medio natural para el desarrollo del género informativo.

A lo anterior contribuyó también el papel de la prensa escrita. El desarrollo de la televisión se produjo en una época en que la prensa ya había asimilado la lección de la radio y esto la ayudó a no cometer el error de enfrentarse con el nuevo medio. En la mayoría de los casos, fue la prensa quien proporcionó los primeros servicios informativos para las estaciones de televisión.

La tardía independencia de la televisión en el área informativa fue resultado de la lenta velocidad de los adelantos tecnológicos de este medio. Hasta los años sesenta, el desarrollo del género informativo televisivo estuvo limitado al ejercicio del periodismo audiovisual: la cobertura de eventos en vivo y la producción de noticiarios y revistas que repetían la información de los periódicos y la radio, ilustrada con fotografías o películas.

La cinta de video hizo su aparición en 1956, casi veinte años después del nacimiento de la televisión comercial.[11] Los equipos portátiles de video profesional –imprescindibles para el trabajo informativo en este medio– sólo estuvieron disponibles hasta finales de la siguiente década.

Con base en lo anterior, podemos considerar al guionismo informativo para televisión como un desarrollo reciente. Prueba de ello es el hecho de que, hasta la fecha, la televisión sólo ha desarrollado versiones electrónicas, más o menos modificadas, de lo productos informativos creados por el cine y la radio.

El desarrollo del género informativo en el audio y el video

El desarrollo del género informativo en el audio y el video ha tenido una acelerada historia en los últimos años. Aunque Edison inventó el fonógrafo con fines eminentemente informativos,[12] su evolución hacia el campo del entretenimiento desvió a la tecnología del audio de esa primera función. A pesar de que los discos fueron utilizados para la grabación de discursos y otro tipo de mensajes, las posibilidades de este medio dentro del campo de la información fueron limitadas por razones de mercado.

A partir de los años cincuenta, el acelerado desarrollo de las tecnologías de grabación de audio abrió nuevos caminos a las producciones de tipo informativo. Desde el surgimiento de los equipos portátiles de grabación, esta tecnología se ha utilizado, cada vez con mayor frecuencia, para crear

---

[11] La televisión comercial hizo su aparición en 1939, pero su desarrollo fue *congelado* por motivos de la Segunda Guerra Mundial hasta 1946. La expansión de la televisión comenzó a principios de los años cincuenta.

[12] Edison consideraba su invento como un auxiliar de oficina para el dictado de cartas.

productos informativos. La miniaturización del equipo, el abaratamiento de su costo y su fácil manejo han convertido a la tecnología del audio en un medio independiente y vigoroso.

El audio es un medio de uso privado y portátil y esto ha determinado la creación de una gran cantidad de productos informativos con contenidos que aprovechan estas características. En todos ellos se utilizan las estructuras y formatos tradicionales de la radio, adaptados a las características particulares de cada mensaje.

Aunado a lo anterior, la disponibilidad pública de tecnologías de grabación de audio cada vez más sofisticadas ha creado un nuevo modelo de producción, desligado de las organizaciones formales de medios audiovisuales. Cada vez son más los particulares y las organizaciones independientes que producen audios informativos con fines privados.

A partir de los años ochenta, el auge de las producciones privadas de tipo informativo ha tenido su mayor desarrollo en el área del video. Esto puede explicarse por las mismas razones que hicieron accesible al audio: miniaturización, abaratamiento y fácil manejo de la tecnología. A lo anterior habría que añadir la experiencia de la imagen. Como sucedió con la televisión, el video vino a mejorar la oferta hecha por el audio.

También al igual que el audio, el video informativo utiliza estructuras propias de los medios tradicionales. No ha surgido un producto audiovisual informativo propio del video ni se espera que surja. En todo caso, los nuevos formatos surgirán de los multimedios, en los que se combinan las estructuras tradicionales de los medios audiovisuales con las estructuras de los sistemas computacionales.

El papel del medio en la construcción de la estructura informativa

A diferencia de lo que sucede en la construcción de la estructura dramática, el papel del medio en la conformación de la estructura informativa es más complejo y variado. No sólo se combinan el ejercicio del periodismo y el guionismo, sino que el número de medios a considerar aumenta con la inclusión del audio y el video.

En primera instancia, hemos establecido que el periodismo audiovisual y el guionismo informativo constituyen dos extremos del género informativo, diferenciados por el valor noticioso de sus contenidos. Entre ambos extremos del espectro podemos ubicar a los distintos medios audiovisuales, de acuerdo al mayor o menor valor noticioso de sus productos más representativos. Estos productos son:

1 Noticiario
2 Revista
3 Cápsula
4 Reportaje
5 Documental
6 Audio informativo
7 Video informativo

ESQUEMA

Ubicación de los medios audiovisuales en el espectro del género informativo

GÉNERO INFORMATIVO

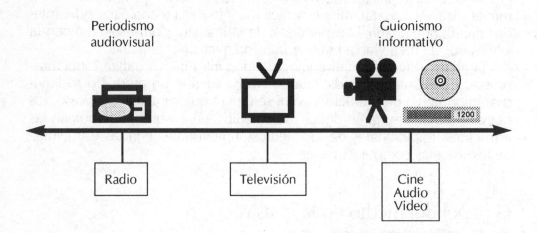

Periodismo audiovisual

Guionismo informativo

Radio

Televisión

Cine
Audio
Video

Con base en el esquema anterior, la radio es el medio audiovisual cuyos productos, en general, poseen el mayor contenido noticioso. La televisión se ubica en la parte media del espectro, mientras que el cine, el audio y el video se localizan en el extremo correspondiente al guionismo informativo.

Los distintos productos audiovisuales informativos también se pueden ubicar dentro del espectro de acuerdo al mayor o menor valor noticioso de sus contenidos. Esta ubicación contempla además el hecho de que a mayor contenido noticioso corresponde una mayor complejidad estructural del producto.

En el esquema de la página siguiente, el noticiario y la revista se ubican en el extremo del espectro correspondiente al periodismo audiovisual. Esta ubicación corresponde a las siguientes consideraciones:

ESQUEMA

Ubicación de los productos audiovisuales en el espectro del género informativo

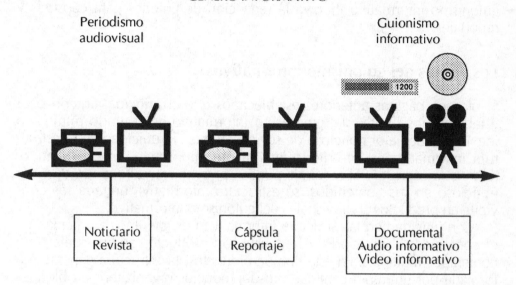

GÉNERO INFORMATIVO

Periodismo
audiovisual

Guionismo
informativo

| Noticiario Revista | Cápsula Reportaje | Documental Audio informativo Video informativo |

a) El alto valor noticioso de sus contenidos.
b) Su estructura informativa múltiple integrada por varios subproductos.
c) Su naturaleza de productos periódicos (radio y televisión).

En la parte media del espectro se localizan la cápsula y el reportaje. Su ubicación corresponde a las siguientes consideraciones:

a) El grado variable de valor noticioso en sus contenidos.
b) Su estructura informativa unitaria que les permite existir de manera independiente o como subproductos del noticiario y la revista.
c) Su naturaleza de productos periódicos (radio y televisión).

En la parte del espectro correspondiente al guionismo informativo se localizan el documental, el audio y el video informativo. Las consideraciones tomadas para su ubicación son las siguientes:

a) El grado mínimo o inexistente de valor noticioso de sus contenidos.
b) Su estructura informativa unitaria que les permite existir de manera independiente.

c) Su naturaleza de productos únicos (cine, televisión,[13] audio y video).

De esta manera, podemos establecer que el ejercicio del guionismo informativo abarca, en sentido estricto, la redacción de guiones para documentales, audios y videos informativos. En un sentido más amplio, el guionismo informativo incluye la redacción de guiones para cápsulas y reportajes.

Los límites del guionismo informativo

Si bien en páginas anteriores establecimos que el principal criterio para establecer los límites del guionismo informativo es el grado mínimo o inexistente de valor noticioso de sus contenidos, la unicidad en la estructura informativa es un criterio igualmente importante. En este sentido, aunque la cápsula y el reportaje pueden presentar un alto grado de valor noticioso en sus contenidos, su estructura informativa unitaria los convierte en productos audiovisuales del guionismo informativo.

Con unicidad en la estructura informativa nos referimos a unicidad en el contenido. El noticiario y la revista son productos audiovisuales con contenidos múltiples. En este tipo de productos, la estructura general está formada por una gran cantidad de subproductos organizados en bloques informativos o secciones: notas, entrevistas, comentarios, crónicas, cápsulas, reportajes, reseñas, críticas, editoriales y gráficos, por mencionar unos cuantos.

En el noticiario y la revista, la redacción del guión se sustituye por la elaboración de una *guía de continuidad* que ordena la presentación de sus diversas secciones. La redacción de cada una de ellas se lleva a cabo con base en los lineamientos del periodismo audiovisual.

La cápsula y el reportaje poseen una estructura informativa unitaria, semejante a la del documental, el audio y el video informativo. Si bien es cierto que el reportaje se estructura con base en técnicas periodísticas, esto indica únicamente que el *reportaje es el más periodístico de los productos del guionismo informativo.*

La unicidad del producto final es el tercer criterio importante para determinar los límites del guionismo informativo. El hecho de que en el cine se tenga que elaborar un producto final único obliga al guionista a trabajar de acuerdo a esta unicidad. Esta característica también es particular a los productos informativos de audio y video.

---

13 Consideramos en este grupo al documental producido para la televisión.

La radio y la televisión, por su parte, son medios de programación y transmisión de una amplia variedad de productos audiovisuales. Las estructuras de programación de estos medios producen, además, la necesidad de fragmentar estos productos en capítulos y actos. En este sentido, el guionista de radio o de televisión tiene un mayor número de opciones para desarrollar su labor. Sin embargo, todas estas opciones son, a fin de cuentas, productos únicos.

Posibilidades y limitaciones de los medios para el guionismo informativo

Las posibilidades y limitaciones técnicas, creativas y de uso de cada medio en particular, son aspectos importantes que se deben considerar en la elaboración de guiones informativos.

El elemento visual del cine, la televisión y el video es uno de los aspectos técnicos más importantes a tomar en cuenta en la elaboración de un guión informativo. Mientras que en la radio y el audio un mensaje puede estructurarse con base en los cuatro elementos del lenguaje radiofónico[14] (voz, música, sonidos y silencios) el cine, la televisión y el video tienen en la imagen a su elemento principal y diferencial.

El elemento creativo no es exclusivo de los guiones dramáticos. En el guión informativo, la palabra, la música, el efecto sonoro, la presencia o ausencia de imagen y los silencios auditivos son elementos que se combinan para elaborar un mensaje. El énfasis en alguno o en varios de estos elementos es lo que distingue a un producto informativo de otro del mismo tipo. Sin embargo, hay que tomar en cuenta que el énfasis en algún elemento en particular tiene un impacto definitivo en las interpretaciones que el público o audiencia haga de dicho mensaje.

Un ejemplo histórico de lo anterior lo protagonizó Orson Welles en 1938, al transmitir una representación de *La guerra de los mundos* de H. G. Wells utilizando el formato de noticiario. En este caso, la decisión de aplicar las convenciones del periodismo audiovisual a un producto dramático fue de índole creativa, pero gran parte de la audiencia no lo interpretó de esa manera.

En cuanto al uso que el público hace de los medios audiovisuales, el guionista informativo debe considerar que existen diferencias significativas entre un medio y otro. Aunque el guionismo informativo nació con el cine, este medio es poco utilizado en nuestros días para géneros diferentes

[14] Walter Ouro Alves, *Radio: la mayor pantalla del mundo.* Quito, CIESPAL, Cuadernos de trabajo, 1985.

al dramático. Su inmediatez sustancialmente menor, su alto costo de producción y su elaborado sistema de producción han alejado al cine de su naturaleza original de medio que servía para *capturar la realidad*.

Instantaneidad, amplia cobertura e inmediatez fueron las características que hicieron de la radio el medio informativo por excelencia. Paradójicamente estas mismas características son las que han propiciado la falta de profundidad en el guionismo informativo radiofónico. El uso de la radio como medio de información está determinado principalmente por su cualidad de medio para obtener información de manera rápida. En este sentido, la radio no comercial[15] es una de las pocas alternativas existentes en la actualidad para encontrar una mayor profundidad en la estructura de la información radiofónica.

La televisión, como medio cuya evolución definitiva aún no ha terminado, ofrece mayores alternativas para la profundidad en la estructura informativa. El advenimiento de los sistemas de transmisión por cable y por satélite ha modificado el panorama del guionismo informativo en el medio televisivo. A la instantaneidad, amplia cobertura e inmediatez se han añadido la selectividad y especialización como características de los nuevos productos informativos de la televisión.

Por otro lado, el vertiginoso avance tecnológico en el desarrollo de los medios audiovisuales ha transformado el acceso del público a las producciones de tipo informativo. El paso de los equipos portátiles de proyección de transparencias a la moderna tecnología de multimedios –pasando por los equipos portátiles de audio y video– ha facilitado el acceso de particulares a productos audiovisuales informativos con propósitos esencialmente privados. Además, el usuario se ha convertido en productor, de modo que la producción informativa ya no es exclusiva a las organizaciones formales de medios.

Esta ampliación del rango de cobertura del uso y producción de los medios ha permitido la elaboración de mensajes informativos con infinidad de propósitos. Los audiovisuales organizacionales, los cursos de idiomas, los videos promocionales, los cursos de capacitación, los videos de ejercicios, los videos corporativos, los videos de *hágalo usted mismo*, o los audio-cassettes instruccionales, son sólo algunos ejemplos de las aplicaciones del guionismo informativo en áreas que no son específicas de la proyección o transmisión. En la actualidad, cualquier organización puede utilizar la tecnología de audio y video para realizar sus propios programas. El guionismo informativo es el más utilizado para estos propósitos.

---

[15] María Cristina Romo, *La otra radio. Voces débiles, voces de esperanza.* México, Fundación Manuel Buendía/IMER, 1990.

Capítulo 8

PRODUCTOS AUDIOVISUALES INFORMATIVOS

EN EL CAPÍTULO anterior establecimos una clasificación de los productos audiovisuales informativos más representativos de los medios audiovisuales con base en los siguientes criterios:

1 Grado de valor noticioso de sus contenidos.
2 Grado de multiplicidad o unicidad de su estructura informativa.
3 Naturaleza periódica o única del producto.

Esta clasificación tuvo como objetivo ubicar a los distintos productos audiovisuales dentro del espectro del género informativo:

a) El noticiario y la revista en el extremo correspondiente al periodismo audiovisual.
b) La cápsula y el reportaje en la parte media del espectro.
c) El documental y las producciones informativas en audio y video en el extremo correspondiente al guionismo informativo.

En este capítulo presentaremos un análisis más detallado de las características particulares de cada producto audiovisual informativo. El objetivo de este análisis es destacar los elementos estructurales comunes a todos estos productos, de manera que podamos establecer un método general para el análisis y la redacción de guiones informativos.

Kaplún afirma que cualquier clasificación sobre formatos o tipos de productos audiovisuales suele ser muy relativa.[1] A este respecto cabe aclarar que la clasificación de productos audiovisuales informativos que

---

[1] Mario Kaplún, *Producción de programas de radio: el guión, la realización*. Quito, Colección Intiyán, CIESPAL, 1985, p. 154.

presentamos no pretende ser exhaustiva. Sin embargo, es importante tomarla en cuenta porque sirve como punto de partida para analizar el funcionamiento de la estructura informativa en los medios audiovisuales.

En el mundo de la información existen diversas clasificaciones o taxonomías. *Formato, género* o *programa* son algunas categorías asociadas a los productos audiovisuales. Todas ellas son válidas mientras ayuden al guionista informativo a aclarar los conceptos relacionados con su trabajo.

Productos del periodismo audiovisual

Se consideran como productos del periodismo audiovisual aquellos formatos que presentan las siguientes características:

1 Alto grado de valor noticioso en sus contenidos.
2 Estructura informativa múltiple integrada por varios subproductos.
3 Naturaleza de productos periódicos.

El noticiario y la revista son los productos más representativos del periodismo audiovisual. Además de las características antes mencionadas, el noticiario y la revista se caracterizan por:

1 Ser versiones audiovisuales de productos del periodismo impreso.
2 Utilizar los géneros y técnicas del periodismo para la construcción de sus estructuras.

Los géneros periodísticos y el periodismo audiovisual

Los géneros periodísticos "son las formas que busca el periodista para expresarse, debiendo hacerlo de modo diferente según las circunstancias y causas de la noticia, su relevancia y, sobre todo, el objetivo de su publicación." [2]

A pesar de que hoy en día existen distintas clasificaciones de los géneros periodísticos propios de los medios audiovisuales, es imposible distanciar al periodismo audiovisual de sus orígenes en el periodismo escrito. Los géneros del periodismo escrito sustentan muchas de las reglas, principios generales y técnicas que se utilizan en el periodismo audiovisual. Estas

[2] Juan Gargurevich, *Géneros Periodísticos*. Quito, Editorial Belén, Colección INTIYAN, 1982, p. 11.

reglas y principios básicos ayudan a establecer la estructura informativa particular de los noticiarios y revistas audiovisuales.

Juan Gargurevich establece una clasificación de los géneros periodísticos que, a juicio de varios autores, son de uso generalizado en la prensa y en los medios audiovisuales:

En resumen, y teniendo en cuenta los autores citados y la observación directa del periodismo americano, la lista de géneros periodísticos que se cultiva hoy sería la siguiente: nota informativa, entrevista, crónica, reportaje, gráficos (fotos, caricaturas, mapas, tiras cómicas), columna, artículo, testimonio, reseña, crítica, polémica (o debate), campaña (cruzada), titulación, folletón (o folletín) en sus formas modernas (ya no de novela exclusivamente).[3]

Gargurevich advierte que lo más común es la existencia de géneros híbridos que sobrepasan las fórmulas y técnicas elaboradas para estos géneros principales.

El noticiario [4]

Un noticiario es el equivalente audiovisual del periódico. Podría definirse *como un producto del periodismo audiovisual, estructurado con base en una serie de descripciones y narraciones de eventos que se consideran relevantes porque afectan directa o indirectamente a un público o audiencia.* Al igual que en la prensa escrita, la estructura informativa de un noticiario está diseñada por un jefe de redacción, editor, coordinador o director de noticias.

Dentro de los medios audiovisuales, los orígenes del noticiario se localizan en el cine. Se considera que el noticiario cinematográfico tuvo como antecedente directo a las *vistas* impresas por los primeros cineastas. En realidad este antecedente es circunstancial, ya que la mayoría de esos filmes no cubrían eventos con valor noticioso. Sólo aquellas filmaciones en las que coincide el registro del evento con su relevancia para el público pueden ser consideradas como antecedentes inmediatos de los noticiarios.

El surgimiento de la radio y la televisión provocó la obsolescencia del noticiario cinematográfico, pero trajo a cambio un mayor potencial para el desarrollo de este producto del periodismo audiovisual. El noticiario se convirtió en el principal producto informativo de los medios de transmisión y alcanzó en ellos un alto grado de complejidad en su estructura.

[3] Juan Gargurevich, *Op. cit.,* p. 20.
[4] El término más popular aunque incorrecto semánticamente es *noticiero*.

En nuestros días, los sistemas de multimedios han creado nuevos soportes para la transmisión y recepción de información noticiosa. De los sistemas de teletexto y diarios electrónicos, la tecnología computacional está abriéndose paso hacia las interfases con video y audio. Es muy probable que, en pocos años, el noticiario experimente una nueva etapa en su evolución que lo conduzca hacia una relación más interactiva con el público usuario. Mientras tanto, la radio y la televisión continúan siendo los medios principales en los que existe este tipo de producto del periodismo audiovisual.

TIPOLOGÍA DE LOS NOTICIARIOS

Existen varias maneras de clasificar a los noticiarios:

a) Por su cobertura geográfica: locales, regionales, nacionales e internacionales.
b) Por su periodicidad: horarios, diarios y semanales.
c) Por sus contenidos: generales y especializados.
d) Por su duración: flash informativo, cápsula y noticiario.
e) Por su horario de programación: matutinos, vespertinos, nocturnos y continuos o permanentes.[5]
f) Por sus recursos de producción: dependientes, mixtos y autosuficientes.
g) Por la estructura económica de su organización productora: comerciales y no comerciales.

El manejo de la estructura informativa –de la misma manera que en la prensa escrita– varía de acuerdo a las características particulares de cada noticiario. La longitud y profundidad de la estructura informativa, así como los géneros utilizados y el estilo[6] del noticiario, son aspectos relacionados con la estructura informativa que se ven afectados por la combinación de estas características. A lo anterior se añaden las posibilidades y limitaciones técnicas, creativas y de uso de cada medio.

---

[5] Este último sería el caso de Radio Red, del servicio informativo ECO de Televisa, de la organización CNN de los Estados Unidos y de servicios similares que existen en la radio y televisión de Europa y Asia.

[6] Consideramos como *estilo* a una cualidad percibida por el público que califica a todo un producto audiovisual. Es un valor subjetivo que depende, en alto grado, del manejo de la línea de interés y de la estructura de presentación del producto audiovisual informativo (ver Capítulo 9).

GÉNEROS PERIODÍSTICOS UTILIZADOS POR LOS NOTICIARIOS

Lo más común al construir la estructura informativa de un noticiario es que se utilice una combinación de géneros periodísticos para presentar la información. De la clasificación de Gargurevich (1982) los más utilizados para estructurar un noticiario son:

a) Nota informativa
b) Entrevista
c) Reportaje
d) Crónica
e) Comentario (que correspondería a la columna o al artículo)
f) Reseña
g) Crítica
h) Gráficos (en televisión)

ESTRUCTURA INFORMATIVA DE UN NOTICIARIO

Con ligeras variaciones, los noticiarios presentan la siguiente estructura informativa:

1 *Entrada*
Primera sección del noticiario. Se divide en dos partes:

a) Bienvenida institucional, expresada en un texto no mayor a treinta segundos de duración, en la que se presenta la identificación del noticiario: nombre del programa; nombre de la estación, canal o empresa productora; *slogan* y nombre del locutor(es) o conductor(es).
b) Bienvenida diaria, expresada de manera cordial, en la que el locutor(es) o conductor(es) invita al público o audiencia a recibir la información.

2 *Cabezas*
Sección del noticiario en la que se presentan los titulares de la información considerada como la más relevante para el público o audiencia, así como un resumen de esta información.

3 *Bloques informativos*
Sección del noticiario en la que se presenta la información utilizando una combinación de géneros periodísticos. Para estructurar los bloques informativos:

a) Se realiza una división del tiempo total del programa.

b) Con base en esta división se deciden el número y la duración de cada una de las secciones.

c) Las secciones pueden ser fijas o semifijas y pueden agrupar información sobre un mismo tema general (internacionales, nacionales, locales, deportes, espectáculos, finanzas, etcétera) o agrupar información sobre diversos temas.

d) En este último caso el criterio de agrupación es, de nuevo, la relevancia de la información para el público.

4 *Resumen*
Antes de despedir el noticiario se repite la información presentada en las cabezas, o bien, se presenta información de último momento.

5 *Salida*
Última sección del noticiario. Se divide en dos partes:

a) Salida diaria, expresada de manera cordial, en la que el locutor(es) o conductor(es) se despide del público o audiencia y lo invita a sintonizar la próxima emisión del noticiario.

b) Salida institucional, en la que se presentan los créditos de producción del noticiario.

La revista

Los orígenes de la revista audiovisual se localizan en el noticiario. Así como éste es el equivalente audiovisual del periódico, la revista es el equivalente audiovisual de las revistas o magazines ilustrados. En la revista audiovisual, las imágenes adquieren movimiento y el sonido substituye al texto descriptivo. Su definición se desprende de la definición del noticiario. La revista *es un producto del periodismo audiovisual, estructurado con base en una serie de descripciones y narraciones de eventos con menor valor noticioso y con mayor variedad temática que los presentados en el noticiario, y cuyos contenidos se consideran relevantes para un público o audiencia.*

La revista puede incluir contenidos que no tienen cabida en el noticiario por su menor valor noticioso. Esta característica hace que la revista pueda presentar una mayor variedad de contenidos. Por otro lado, la periodicidad de la revista –más amplia que la del noticiario– le permite una mayor profundidad en el tratamiento de la información. La revista recapitula, expone causas y consecuencias de la información que el noticiario, por razones de tiempo, presenta de manera superficial.

La revista puede ser general o especializada en sus contenidos, de acuerdo al tema general y a los intereses del público o audiencia al cual va dirigida. La revista se estructura en bloques informativos, integrados por una amplia variedad de subproductos, en los que se utiliza una combinación de géneros periodísticos para presentar la información.

A diferencia del noticiario, la revista presenta mayor libertad para adecuar los géneros periodísticos a sus necesidades temáticas. En la revista no hay límites determinados por la fidelidad a la realidad. Si el tema lo permite, es posible incluir dramatizaciones dentro de su estructura. También se pueden incluir presentaciones musicales, literarias, de discusión y, en general, cualquier tipo de formato periodístico o no periodístico.

El tiempo real o duración de una revista suele ser considerablemente mayor al del noticiario. En promedio, el tiempo real de una revista varía entre treinta minutos y tres horas. En ocasiones, y gracias a la flexibilidad de su formato, la revista puede ser el producto audiovisual más extenso de la programación de una estación de radio o canal de televisión.

La revista radiofónica es un formato muy popular en las estaciones de corte cultural y educativo. Es uno de los formatos radiofónicos de uso más extendido en Europa y América del Sur. En televisión, la revista ha encontrado una amplia aceptación entre el público de los canales comerciales y culturales. En ambos medios, el grado de especialización temática de una revista depende directamente del grado de especialización del medio.[7]

En México existen innumerables ejemplos de programas radiofónicos y televisivos que utilizan el formato de revista con diferentes contenidos: culturales (*Para gente grande*), educativos e infantiles (*Plaza Sésamo* y *El tesoro del saber*), de entretenimiento (*En vivo* y *Este domingo*) o dirigidos a públicos específicos (*De mujer a mujer*), por mencionar sólo unos cuantos.

TIPOLOGÍA DE LAS REVISTAS

Existen varias maneras de clasificar las revistas:

a) Por su periodicidad: diarias y semanales.
b) Por sus contenidos: de actualidad, de divulgación, generales y especializadas.
c) Por su tipo de audiencia: infantiles, juveniles, para adultos, femeninas, masculinas y generales.

[7] Si el medio es público, las revistas generales se programan en horarios de mucha audiencia y las revistas especializadas, en horarios de mediana o poca audiencia. Si el medio es especializado (como las estaciones culturales de radio o algunos canales de televisión por cable) sus contenidos –entre ellos la revista– tenderán también a ser especializados.

d) Por su propósito específico: informativas, educativas, culturales y de entretenimiento.

e) Por su horario de programación: matutinas, vespertinas y nocturnas.

f) Por sus recursos de producción: dependientes, mixtas y autosuficientes.

g) Por la estructura económica de su organización productora: comerciales y no comerciales.

El manejo de la estructura informativa de una revista –de la misma manera que en los noticiarios– varía de acuerdo a las características particulares de cada una. La longitud y profundidad de la estructura informativa, así como los géneros utilizados y el estilo de la revista dependen en gran medida de la combinación de esas características. A lo anterior se añaden la posibilidades y limitaciones técnicas, creativas y de uso de cada medio.

GÉNEROS UTILIZADOS POR LAS REVISTAS

La estructura informativa de una revista está integrada por una combinación de géneros y formatos, periodísticos y no periodísticos. De Kaplún, Gargurevich y González I Monge [8] se desprende la siguiente clasificación:

Del campo de los géneros periodísticos:

a) Nota
b) Entrevista
c) Reportaje
d) Crónica
e) Comentario
f) Reseña
g) Crítica

Del campo de los géneros no periodísticos:

a) Cuento
b) Novela
c) Drama
d) Panel de discusión (mesa redonda o debate)
e) Charla

[8] Ferrán González I Monge, *En el dial de mi pupitre.* Barcelona, Ediciones Gustavo Gili, S. A., 1989.

Del campo de los productos audiovisuales:

a) Cápsula
b) Reportaje
c) Documental

ESTRUCTURA INFORMATIVA DE UNA REVISTA

En una revista es posible utilizar una amplia variedad de formatos para estructurar la información. La selección más adecuada del formato o de la combinación de formatos está en función del tema y del propósito que se quiera lograr con el público o audiencia.

Una vez seleccionado el formato más adecuado, las secciones de la revista se deben organizar de manera que presenten una estructura informativa coherente en la que la variedad y el ritmo de presentación de la información apoyen al tema y propósito general. La estructura informativa típica de una revista podría ser la siguiente:

1 *Entrada*
   Sección en la que se presentan la bienvenida institucional y la bienvenida particular de la revista, de manera similar al noticiario.
2 *Menú*
   Sección en la que se presentan los bloques o secciones temáticas que integran el cuerpo de la revista. Su objetivo es capturar la atención del público o audiencia.
3 *Bloques o secciones temáticas*
   Constituyen el cuerpo de la revista y se estructuran en función de:

   a) La relevancia de su contenido para el público o audiencia. Generalmente, las secciones de mayor interés se presentan al principio y al final de los bloques.
   b) El tema particular de cada sección y su relación con los temas de las demás secciones.
   c) La extensión de cada sección.
   d) La periodicidad asignada a cada sección: fija o semifija.

4 *Despedida y avance*
   Sección en la que se presenta una recapitulación del contenido presentado en los bloques y se extiende una invitación al público para que vea o escuche el siguiente programa. Generalmente, se presenta un avance de la información contenida en la siguiente emisión.
5 *Salida*
   Sección en la que se presentan los créditos de producción del programa.

Productos audiovisuales informativos híbridos

Se consideran como productos audiovisuales informativos híbridos aquellos formatos que presentan las siguientes características:

1 Grado variable de valor noticioso de sus contenidos.
2 Estructura informativa unitaria que les permite existir de manera independiente o como subproductos del noticiario y la revista.
3 Naturaleza de productos periódicos (radio y televisión).

La cápsula y el reportaje son productos audiovisuales informativos híbridos porque presentan rasgos del periodismo audiovisual (contenidos con valor noticioso y naturaleza periódica) y del guionismo informativo (estructura informativa unitaria). Además de las características antes mencionadas, la cápsula y el reportaje se caracterizan por:

1 Presentar correspondencia directa con algunos productos del guionismo dramático.
2 Utilizar algunos géneros y técnicas del periodismo y del drama para la construcción de sus estructuras.

La cápsula y el reportaje se localizan en el punto medio del espectro del género informativo. Para la construcción de sus estructuras informativas se utilizan guiones y algunos géneros periodísticos, como la entrevista y la crónica. En algunos casos, este tipo de productos audiovisuales utilizan las convenciones del drama para la construcción de sus estructuras.[9]

La cápsula

Al surgir la televisión, la programación de las estaciones comerciales de radio comenzó a especializarse en sus contenidos. La cápsula es un formato producto de esta especialización. Las estaciones de radio encontraron que la cápsula era un formato adecuado a sus necesidades de presentar información de manera condensada sobre temas especializados. Como los anuncios publicitarios, la cápsula tiene una duración breve que oscila entre veinte segundos y tres minutos.

El formato de cápsula fue adoptado rápidamente por la televisión. La versatilidad, corta duración y amplia capacidad para incluir cualquier tipo de temas hicieron de la cápsula el formato favorito para presentar informa-

---

[9] La reconstrucción de eventos es, en sentido estricto, una dramatización. Las cápsulas y los reportajes hacen uso frecuente de la reconstrucción de eventos en sus estructuras.

ción importante, única y contundente, sin incurrir en el riesgo de perder la atención del público por la larga duración del mensaje.

Estas características hicieron que la cápsula sea percibida como un formato *serio*. La radio y la televisión utilizan la cápsula como un equivalente no comercial del anuncio publicitario. De esta manera, los mensajes utilitarios y de responsabilidad social transmitidos por estos medios, se estructuran preferentemente en este tipo de formato.

La cápsula se define como un producto *audiovisual híbrido, constituido por un bloque informativo de corta duración, que utiliza una combinación de géneros periodísticos y no periodísticos en su estructura, y cuyo objetivo principal es transmitir un mensaje sin alto grado de valor noticioso que se considera útil o importante para el público o audiencia.*

La cápsula es un producto del guionismo informativo que acepta prácticamente cualquier técnica o recurso periodístico, informativo o dramático dentro de su estructura. Sus posibilidades y limitaciones corresponden a las del medio audiovisual en que se presente. Por su versatilidad y por las posibilidades creativas que ofrece, la cápsula es un formato excelente para presentar información de manera entretenida y amena.

Por su estructura informativa unitaria, la cápsula puede existir como un formato independiente dentro de la programación radiofónica o televisiva. Como producto independiente, la cápsula debe ser transmitida varias veces para que su contenido sea recibido por el mayor número de personas posible. Como un subproducto de formatos más complejos, la cápsula se integra de manera natural a la estructura informativa de noticiarios y revistas. En estos contextos, la cápsula es un formato muy similar a la nota informativa, pero sin valor noticioso en su contenido.

TIPOLOGÍA DE LAS CÁPSULAS

Existen varias maneras de clasificar a las cápsulas:

a) Por su contenido: de actualidad, de divulgación, generales y especializadas.
b) Por su estructura: narrada o leída, dramatizada y musical.
c) Por su tipo de audiencia: infantiles, juveniles, para adultos, femeninas, masculinas y generales.
d) Por su propósito específico: informativas, educativas, culturales y de entretenimiento.
e) Por sus recursos de producción: dependientes, mixtas y autosuficientes.
f) Por la estructura económica de su organización productora: comerciales y no comerciales.

g) Por la naturaleza de su producción: productos únicos o subproductos de un noticiario o revista.

La anterior clasificación no intenta ser exhaustiva. La cápsula es un formato adaptable e inclusivo de todos los formatos existentes para productos audiovisuales.

GÉNEROS UTILIZADOS POR LAS CÁPSULAS

Así como no es posible establecer una tipología exhaustiva de las cápsulas, tampoco es posible establecer todos los géneros que la utilizan en su estructura informativa. En este sentido, la estructura de una cápsula es muy similar a la del anuncio publicitario, en el que todos los recursos son válidos para estructurar el mensaje. Algunos de los géneros más importantes utilizados para estructurar cápsulas son:

Del campo de los géneros periodísticos:

a) Nota
b) Entrevista
c) Crónica
d) Comentario
e) Reseña
f) Crítica

Del campo de los géneros no periodísticos:

a) Cuento
b) Drama
c) Musical
d) Charla

El reportaje

Como género del periodismo impreso, Gargurevich considera que el reportaje es uno de los más completos del periodismo moderno. Término proveniente del latín *reportare* –que significa transmitir o descubrir–[10], el reportaje tiene sus orígenes en la búsqueda por proporcionar profundidad al tratamiento de la información noticiosa.

---

[10] *Op. cit.*, p. 252.

Julio Del Río Reynaga[11], Vicente Leñero y Carlos Marín[12] ubican el origen de la palabra *reportaje* en el francés *reportage: un compte rendu, rendición de cuentas o información sobre un acontecimiento o viaje escrito por un periodista.*

Del Río ubica el origen del reportaje en la Inglaterra de principios del siglo xix, cuando los periodistas tomaban notas clandestinas de lo que sucedía en el Parlamento, para luego publicarlas en periódicos como el *Gentleman's magazine.*

Los acontecimientos bélicos de principios del siglo xx, como la Primera Guerra Mundial, obligaron a los periodistas a ir más allá de la exposición sucinta de la información noticiosa. La sociedad mundial exigía no sólo la presentación de los eventos sino la explicación de sus causas y la proyección de sus consecuencias.

El surgimiento simultáneo de la radio y de las revistas informativas semanales como *Time* y *Newsweek* –a las que pronto se unieron las revistas informativas gráficas como *Life* o *Paris match*– modificó sustancialmente el trabajo del periodista del siglo xx. La *fórmula Time* –creada por Henry Luce y Briton Hadden fundadores de esta revista norteamericana– influyó notablemente en el periodismo escrito de diarios y revistas. En esta fórmula, la noticia es tan solo el punto de partida para buscar antecedentes y establecer causas y consecuencias de la información.

Los años de 1920 a 1940 fueron decisivos para el nacimiento y consolidación de una nueva faceta del periodismo: el periodismo de investigación e interpretativo. A diferencia del periodismo informativo tradicional, aquel busca ubicar al evento noticioso en un contexto, con el fin de establecer una relación entre el evento y el interés de un público o audiencia que no posee un conocimiento profundo sobre la información. El reportaje se considera como la principal manifestación del periodismo de investigación e interpretativo.

Existe un sinnúmero de definiciones acerca de lo que es un reportaje. Gargurevich propone, entre otras, la definición de Máximo Simpson:

El reportaje es una narración informativa en la cual la anécdota, la noticia, la crónica, la entrevista o la biografía están interrelacionadas con los factores sociales estructurales, lo que permite explicar y conferir significación a situaciones y acontecimientos; constituye, por ello, la investigación de un tema de interés social en el que, con estruc-

11 Julio Del Río Reynaga, *Periodismo interpretativo: El reportaje.* Quito, Editorial Epoca, Colección Intiyán, 1978, p. 24.
12 Vicente Leñero y Carlos Marín, *Manual de Periodismo.* México, Tratados y manuales Grijalbo, Editorial Grijalbo, 1986, p. 185.

tura y estilo periodístico, se proporcionan antecedentes, comparaciones y consecuencias, sobre la base de una hipótesis de trabajo y de un marco de referencia teórico previamente establecido.[13]

Del Río define al reportaje como "un género periodístico que consiste en narrar la información sobre un hecho o una situación que ha sido investigada objetivamente y que tiene el propósito de contribuir al mejoramiento social."[14]

Del Río considera como características del reportaje:

a) La necesidad de partir de una información noticiosa de interés para el público o audiencia, para posteriormente profundizar en las causas y circunstancias del evento.

b) La necesidad de adoptar –en la mayoría de los casos– un formato narrativo o descriptivo para presentar la información, en el que se pueden utilizar formas y técnicas periodísticas, literarias o dramáticas.

c) El contenido social o de hechos sociales, que puede ser general o específico según las necesidades de información del público o audiencia.

d) El uso de técnicas de investigación con metodologías propias de las ciencias sociales.

e) El respeto a la objetividad de la información presentada.

f) El propósito de contribuir al mejoramiento social.

EL REPORTAJE EN LOS MEDIOS AUDIOVISUALES

El reportaje para medios audiovisuales hizo su aparición en la radio durante los años de la Segunda Guerra Mundial. De nueva cuenta, un acontecimiento bélico de interés mundial provocó la necesidad de utilizar formatos que no sólo presentaran los hechos, sino que los explicaran y proyectaran sus consecuencias.

La radio era el medio idóneo para cumplir esta función. El cine informativo presentaba dificultades para mantenerse al día con respecto a los acontecimientos. El documental y el noticiario cinematográficos no eran suficientes para mantener informado a un público ávido de explicaciones. La radio se había desarrollado como un medio poderoso e independiente en estos terrenos y el resultado fue el surgimiento del reportaje para medios audiovisuales.

---

[13] *Op. cit.*, p. 257
[14] *Op. cit.*, p. 77

En la televisión, el reportaje encontró un medio óptimo para su desarrollo. El periodismo gráfico iniciado en las revistas tuvo su continuación visual en el reportaje televisivo. A la imagen fija se añadieron las dimensiones de inmediatez, movimiento y sonido, heredadas en gran medida del reportaje radiofónico.

Kaplún define al reportaje audiovisual como "una monografía sobre un tema dado".[15] Es la presentación completa de un tema, con duración variable, que implica el despliegue de una amplia gama de recursos y formatos propios del lenguaje audiovisual. Como en el caso de la cápsula el reportaje incluye, dentro de los formatos que se utilizan para construir su estructura informativa, una variedad de géneros periodísticos y no periodísticos.

Dentro de los medios audiovisuales, podemos definir al reportaje como un *producto audiovisual híbrido, constituido por un bloque informativo de mediana o larga duración, que utiliza una combinación de géneros periodísticos y no periodísticos en su estructura, y cuyo objetivo principal es: contextualizar uno o varios eventos de la realidad y profundizar en sus causas y consecuencias.*

El reportaje es un producto del guionismo informativo que acepta prácticamente cualquier técnica o recurso periodístico, informativo o dramático dentro de su estructura. Sus posibilidades y limitaciones corresponden a las del medio audiovisual en que se presente.

Por su estructura informativa unitaria, el reportaje puede existir como un formato independiente dentro de la programación radiofónica o televisiva. Como un subproducto de otros formatos, el reportaje se integra de manera natural a la estructura informativa de noticiarios y revistas. En estos contextos, el reportaje es el más completo y complejo de los subproductos del periodismo audiovisual.

TIPOLOGÍA DE LOS REPORTAJES

Existen varias maneras de clasificar los reportajes:

a) Por sus contenidos: de actualidad, de divulgación, generales y especializados.
b) Por su estilo periodístico: descriptivos e interpretativos.
c) Por su estructura: testimonial y de reconstrucción.
d) Por su propósito específico: informativos, persuasivos, reflexivos, de motivación y de entretenimiento.

[15] *Op. cit.*, p. 142.

e) Por sus recursos de producción: dependientes, mixtos y autosuficientes.

f) Por la estructura económica de su organización productora: comerciales y no comerciales.

g) Por la naturaleza de su producción: productos únicos o subproductos de un noticiario o revista.

La anterior clasificación no intenta ser exhaustiva. El reportaje es un formato adaptable e inclusivo de todos los formatos existentes para productos audiovisuales.

GÉNEROS UTILIZADOS POR LOS REPORTAJES

El reportaje es el producto audiovisual más complejo de todos los que componen el espectro del género informativo. Al igual que la cápsula, el reportaje acepta todos los géneros y formatos del periodismo audiovisual, del guionismo dramático y del guionismo informativo. Algunos de los géneros más importantes utilizados para estructurar reportajes son:

Del campo de los géneros periodísticos:

a) Nota
b) Entrevista
c) Crónica
d) Comentario
e) Reseña
f) Crítica

Del campo de los géneros no periodísticos:

a) Drama

Productos del guionismo informativo

Se consideran como productos del guionismo informativo aquellos formatos que presentan las siguientes características:

1 Grado mínimo o inexistente de valor noticioso en sus contenidos.
2 Estructura informativa unitaria que les permite existir de manera independiente.
3 Naturaleza de productos únicos (cine, televisión, audio y video).

El documental y las producciones informativas en audio y video son los productos más representativos del guionismo informativo. Además de las características antes mencionadas, el documental y las producciones informativas en audio y video se caracterizan por:

1 Presentar correspondencia directa con productos informativos híbridos y con productos del guionismo dramático.
2 Utilizar algunos géneros y técnicas del periodismo y del drama para la construcción de sus estructuras.

El documental

Como su nombre lo indica, el documental *es un documento o testimonio sobre un aspecto de la realidad registrado a través de un medio audiovisual.* A diferencia de los productos del periodismo audiovisual o de los productos audiovisuales informativos híbridos, el documental no presenta contenidos que posean un valor noticioso o de actualidad. La intemporalidad del tema es un factor esencial para poder calificar como documental a un producto audiovisual de carácter informativo. Si el tema posee un grado considerable de valor noticioso, el producto audiovisual entra dentro del rango de cobertura del reportaje.

TIPOLOGÍA DE LOS DOCUMENTALES

La clasificación más general de las producciones cinematográficas divide a éstas en dramas y documentales. Como hemos señalado, el drama se divide en una cantidad enorme de géneros y subgéneros mientras que el documental, aparentemente, es una clasificación unitaria.

En realidad, el documental puede dividirse en el mismo número de subproductos que el drama. Sin tratar de establecer una tipología exhaustiva, podríamos clasificar a los diferentes tipos de documentales de acuerdo al propósito específico con que fueron realizados:

1 Informativo
2 Persuasivo
3 Reflexivo o de creación de conciencia
4 De motivación a la acción
5 De entretenimiento

En la historia del documental podemos encontrar tendencias marcadas hacia el predominio de un tipo de propósito específico. Los documentales de Flaherty se inscriben dentro de la tradición de la literatura popular sobre viajes y lugares exóticos. Sus obras son eminentemente informativas, aunque no pueden desprenderse de una visión occidental llena de prejuicios y estereotipos. Por otra parte, fueron éxitos enormes de taquilla. Tomando esto en cuenta, podemos considerar que los primeros documentales de la historia fueron, además de informativos, persuasivos y de entretenimiento.

El propósito persuasivo es uno de los más discutidos en la historia del documental. Los documentales propagandísticos filmados por Leni Riefenstahl para el Tercer Reich son el mejor ejemplo de ello. Por una parte, el trabajo de esta directora alemana en *Triunfo de la libertad* (*Triumph des willens*, 1934–36) y *Olimpíada* (*Olympia*, 1936–38) es un ejemplo del poder persuasivo de las imágenes. Por otra, es innegable que este poder persuasivo actuó en favor de una imagen positiva del nazismo.

El documental persuasivo busca convencer. El documental reflexivo y el de motivación a la acción buscan un respuesta más concreta y visible en su audiencia. El surgimiento de este tipo de documentales va de la mano con el nacimiento del *nuevo periodismo* o *periodismo subjetivo* en los años sesenta. A partir de esa década, la subjetividad hizo su aparición de manera abierta en el terreno documental y se ha convertido en algo aceptable y normal dentro de este tipo de productos informativos. Documentales recientes como *Roger y yo* (*Roger & me*, 1989), *En la cama con Madonna* (*Truth or dare*, 1991) o *La decepción panameña* (*The Panama deception*, 1992) son prueba de ello.

Es claro que al establecer esta clasificación entra en juego un alto grado de subjetividad. Por un lado, el propósito específico de un documental puede ser completamente evidente o sutilmente velado. Por otro, es prácticamente imposible encontrar un documental que cumpla con sólo uno de estos propósitos.

Producciones informativas en audio y video

Los audios y videos informativos *son productos del guionismo informativo, constituidos por uno o varios bloques de información de duración variable, que utilizan una combinación de géneros periodísticos y no periodísticos en su estructura y cuyo objetivo principal es presentar un mensaje específico a un público o audiencia homogénea.*

Las producciones informativas en audio son tan antiguas como el medio mismo. Además de los usos iniciales que tuvo el fonógrafo de Edison, los discos y las cintas de audio fueron utilizados indistintamente con fines informativos o de entretenimiento desde que fueron inventados. La primera diferenciación importante dentro del medio de la grabación de audio tuvo lugar durante la Segunda Guerra Mundial. Las grabadoras portátiles de cinta magnética fueron creadas en Alemania para ser utilizadas por los militares en la grabación de mensajes.

La miniaturización del equipo de grabación de audio significó el primer paso en la popularización de este medio con fines informativos y privados. Durante las décadas de los cincuenta y sesenta era una costumbre más o menos generalizada la grabación en disco o cinta de discursos y mensajes importantes de organizaciones públicas o privadas, dirigidas a públicos específicos.

La anterior explicación del desarrollo histórico de las producciones informativas en audio es importante para señalar un detalle que puede pasar desapercibido: las estructuras informativas de estos productos se desarrollaron de manera independiente a las estructuras de los productos radiofónicos. En sentido estricto, la grabación de audio es una tecnología más antigua que la radio.

La popularización de la tecnología de audio –producto de la miniaturización, bajo costo y fácil manejo del equipo– apuntaba a un mayor uso de este medio con fines informativos. Este desarrollo se vio frenado, aunque no del todo, por la aparición de las tecnologías portátiles de video.

Aunque la historia del video no es tan antigua como la del audio –la primera cinta de video apareció sólo hasta 1956– su desarrollo ha sido muy acelerado. Básicamente, el auge del video puede explicarse por su característica esencial: la imagen. A esto habría que añadir la ventaja competitiva que tiene la tecnología de video en comparación con el cine portátil. A diferencia de la película, que sólo puede utilizarse una vez, la cinta de video puede ser utilizada cuantas veces sean necesarias. Este hecho otorga al video la supremacía definitiva dentro de los medios de registro de imágenes y/o sonidos.[16]

El audio y el video han despejado el camino abierto por el cine para el uso de tecnologías audiovisuales en las organizaciones públicas y privadas. En estas organizaciones, las producciones audiovisuales se utilizan con diversos propósitos, según las necesidades de cada usuario. En general, el principal propósito de estas producciones es informar.

Los contenidos, técnicas y géneros utilizados para producir audios y videos informativos son exactamente los mismos que se utilizan en producciones radiofónicas o televisivas. Los elementos que varían son el medio y la naturaleza del público.

---

[16] Hay que recordar que los medios audiovisuales se dividen en dos grandes grupos: medios de transmisión de señales (radio y televisión) y medios de captura o registro de imágenes y/o sonidos (cine, audio y video).

En la producción de audios y videos informativos para las organizaciones aparece un elemento que no existe en otro tipo de producciones audiovisuales: el cliente. El cliente es quien determina el tema y el propósito específico de un producto audiovisual informativo en audio y/o video. Su interés por enviar un mensaje particular a un público o audiencia identificado por él, es lo que determina la producción de este tipo de productos informativos.

Para el cliente, el uso de los medios audiovisuales debe significar una ayuda para lograr su objetivo. Las posibilidades expresivas y de uso del audio y video convierten a estos medios en excelentes vías para la transmisión de mensajes particulares a públicos identificados.

Tipología de las producciones informativas en audio y video

Las producciones informativas en audio y video poseen, generalmente, un propósito específico definido por las necesidades de un cliente. Este propósito puede ser unitario o múltiple. Independientemente de la complejidad del propósito, el contenido de un audio o video informativo es el elemento que determina la tipología de estas producciones. Los audios y videos informativos se pueden clasificar de la siguiente manera:

a) Por sus contenidos: de inducción, de capacitación, de entrenamiento, de divulgación, de promoción, de exposición.
b) Por su propósito específico: informativos, persuasivos, reflexivos, de motivación y de entretenimiento.
c) Por su uso: privados o disponibles al público.
d) Por su estructura: dramatizados, informativos o mixtos.
e) Por sus recursos de producción: autosuficientes.
f) Por la estructura económica de su organización productora: comerciales y no comerciales.
g) Por la naturaleza de su producción: productos únicos.
h) Por su tipo de audiencia: infantiles, juveniles, para adultos, femeninos, masculinos y generales.
i) Por la tecnología empleada en su producción: audiocassettes, videocassettes, discos compactos y videodiscos.

Cada producción de audio o video puede pertenecer a una o varias categorías. El resultado es una amplia variedad de opciones: desde audiocassettes con dramatizaciones que explican partes de la Biblia, dirigidos a público infantil, producidos por instituciones religiosas y de venta al público en tiendas de artículos religiosos, hasta videos de *hágalo usted mismo* dirigidos a parejas de recién casados, con información sobre cómo aprender a hacer reparaciones sencillas en el hogar, que se pueden alquilar en las tiendas de videos.

En términos de uso estrictamente privado, un producto audiovisual informativo puede ayudar a un ejecutivo a presentar el informe anual de la empresa ante el consejo administrativo, o a un profesor universitario para enseñar a sus alumnos la manera de resolver un complejo problema de química. En un museo, un video presentado en la recepción puede ayudar a explicar a los visitantes las distintas exposiciones de la semana. En una feria internacional, una compañía puede presentar un video para promover sus nuevos productos.

En todos los casos citados anteriormente, la información pudo haber sido presentada de otra manera, pero el producto audiovisual ayuda a hacer más atractiva e interesante la presentación. Los sonidos y las imágenes se quedan grabados en la mente del público, de manera más efectiva que la letra impresa.

En el presente, el audio y el video informativos han abierto camino a nuevas tecnologías de presentación de información. Los videodiscos interactivos, los *CD ROM* y los *CD ROM* interactivos, son parte de esta avanzada tecnológica que hoy en día denominamos *multimedios*. Estas tecnologías –que combinan audio, imagen en movimiento, gráficas y textos controlados por una computadora– están cambiando rápidamente los paradigmas lineales de construcción de guiones hacia modelos donde el usuario tiene que tomar decisiones y *crear* sus propios caminos para relacionarse con el mensaje. En todo caso, estas nuevas tecnologías continuarán el camino abierto por los audios y videos informativos: la producción de mensajes informativos independientes de las grandes organizaciones de medios de comunicación.

Capítulo 9

ANÁLISIS Y CONSTRUCCIÓN DE LA ESTRUCTURA INFORMATIVA

EN LOS CAPÍTULOS anteriores determinamos que el guionismo informativo es un extremo del espectro del género informativo, opuesto al periodismo audiovisual, cuyo ejercicio abarca, en sentido estricto, la redacción de guiones para documentales, audios y videos informativos. En un sentido más amplio, el guionismo informativo incluye la redacción de guiones para cápsulas y reportajes.

La estructura de un guión informativo no sólo responde a un orden impuesto a los elementos básicos que integran la información. Independientemente del orden que se decida para cada elemento, la estructura depende también de las características propias del medio para el cual se escribe el guión y de las ideas que las personas involucradas en la producción del mensaje tengan sobre cómo informar al público.

Un método útil para el análisis y la construcción de estructuras informativas para medios audiovisuales consiste en esquematizar el contenido del guión de la misma manera como se esquematiza la estructura dramática. Los paradigmas que ayudan a construir la estructura de un guión informativo se denominan:

1 Línea de información
2 Línea de interés
3 Estructura de presentación

La línea de información

El propósito de la línea de información es asegurar la inclusión y el orden más efectivo de los elementos que constituyen la información. Mediante la línea de información se establecen los límites de contenido del guión y se determina el punto de vista más adecuado para presentar la información, de acuerdo al propósito que se pretenda alcanzar con el mensaje.

El proceso para desarrollar la línea de información de un guión informativo implica los siguientes pasos:

1 Determinar el tema general y el propósito específico del producto audiovisual.
2 Determinar las características del público al cual va dirigido el mensaje.
3 Realizar una investigación sobre el tema.
4 Con base en la investigación, determinar el tema exacto y el punto de vista.
5 Enfocar el tema a una cuestión específica, con apoyos que sustenten la idea principal.
6 Determinar imágenes aurales y/o visuales que refuercen la idea principal.

Determinar el tema general y el propósito específico del producto audiovisual

La determinación del tema general y del propósito específico de un guión informativo depende de la naturaleza del producto audiovisual para el cual se escribe el guión.

El tema general está determinado por la combinación de los elementos de la estructura informativa:

1 El evento de la realidad
2 Los participantes y testigos
3 El tiempo
4 El lugar
5 Las causas y circunstancias

La determinación del propósito específico es un paso simultáneo a la determinación del tema general del producto audiovisual. El propósito específico es el objetivo final de un producto audiovisual informativo. Se define como *la acción que deseamos que ejerza el contenido de un producto audiovisual en el público o audiencia*. Un producto audiovisual informativo puede tener los siguientes propósitos específicos para con el público o audiencia:

1 Informar
2 Persuadir
3 Crear conciencia
4 Motivar a una acción
5 Entretener

Los propósitos no son excluyentes entre sí, sino que generalmente se combinan de varias formas en todos los productos audiovisuales informativos.

La decisión de determinar el tema general y el propósito específico de un guión informativo depende de dos factores:

a) El medio por el cual se va a presentar el producto audiovisual.
b) El tipo de producto audiovisual para el cual se escribe el guión.

Cada medio posee características de uso distintas. La radio y la televisión son medios eminentemente públicos en cuanto a su uso, mientras que el cine es un medio semipúblico y el video y el audio son medios privados.[1] En este sentido, los medios públicos tienen toda la libertad para informar y entretener, pero tienen limitantes legales para persuadir, crear conciencia o motivar a una acción. Los medios privados no tienen ninguna limitante para ninguno de estos propósitos.

Sin embargo, no hay que olvidar que las consideraciones anteriores dependen enormemente del tema a tratar. Hay temas cuya naturaleza necesita primordialmente de un enfoque netamente informativo, mientras que para otros, se puede establecer un propósito más allá de la presentación de información.

El tipo de producto audiovisual para el cual se escribe el guión es el segundo factor importante para determinar el tema general y el propósito específico de un guión informativo.

---

[1] Esta clasificación de medios públicos y privados se hace tomando en cuenta las condiciones de uso de cada medio. Un programa de radio o televisión se transmite por un canal o frecuencia a todos los hogares que cuenten con un aparato receptor capaz de captar la señal transmitida. Una grabación en audio o en video se utiliza en un contexto privado, personal o grupal, pero no masivo (a menos que esa grabación se transmita por un medio público).

DETERMINAR EL TEMA GENERAL Y EL PROPÓSITO ESPECÍFICO
PARA CÁPSULAS Y REPORTAJES

En la redacción de guiones para cápsulas y reportajes, el guionista debe tomar en cuenta que ambos son productos de medios públicos (radio o televisión). Esta característica determina:

1 Que el tema general debe ser relevante para un público o audiencia heterogéneo.
2 Que el propósito específico debe ser, esencialmente, informativo.

La relevancia del tema la determina el sistema, con base en sus percepciones sobre los intereses del público o audiencia. Este hecho provoca que la decisión sobre el tema general del guión sea tomada por varios individuos pertenecientes al sistema, incluyendo al guionista. En la redacción de guiones para cápsulas y reportajes el guionista no puede trabajar de manera aislada.

La naturaleza de los medios públicos impide o dificulta la búsqueda de propósitos específicos más allá de informar. En este sentido, hay que recordar que la redacción de guiones para cápsulas y reportajes es una actividad intermedia entre el periodismo audiovisual y el guionismo informativo. La naturaleza periodística de estos productos es la que determina, en gran parte, los límites de sus propósitos específicos.

Al formar parte de un medio público, el guionista debe estar consciente de que la determinación de sus temas es una actividad en la que intervienen varias voluntades. Además, el guionista de cápsulas y reportajes debe ser también un periodista audiovisual.

En el periodismo audiovisual, la redacción y la producción van de la mano. Es una práctica generalizada que el reportero sea quien escribe el guión, haga las entrevistas, grabe la narración y supervise la edición del reportaje. En el caso de las cápsulas, lo más común es que el locutor, narrador o conductor sea el mismo guionista. En algunos casos, es el productor de la cápsula o del reportaje quien escribe el guión. En todo caso, es muy raro que el guionista se dedique exclusivamente a redactar el guión.

Finalmente, es importante recordar que las cápsulas y los reportajes pueden ser subproductos de formatos más complejos, como el noticiario o la revista, o bien, pueden ser productos independientes dentro de la programación diaria de la radio o la televisión. Esto determina el tiempo de duración del producto final, así como el grado de profundidad con el que se puede manejar la información.

DETERMINAR EL TEMA GENERAL Y EL PROPÓSITO ESPECÍFICO PARA DOCUMENTALES

En la redacción de guiones para documentales, el guionista debe tomar en cuenta que estos pueden ser productos de un medio semipúblico (cine) o de un medio público (televisión)[2]. Esta característica determina:

1 Que en el caso del cine, el tema general puede ser relevante para un público o audiencia homogéneo, con intereses comunes.
2 Que en el caso de la televisión, el tema general debe ser relevante para un público o audiencia heterogéneo.
3 Que en el caso del cine, el propósito específico puede ser de cualquier tipo.
4 Que en el caso de la televisión, el propósito específico debe ser, esencialmente, informativo.

El guionismo documental implica la necesaria ausencia de un alto grado de valor noticioso en sus contenidos. Esta característica aleja al guionismo documental del ejercicio periodístico. En este sentido, es una actividad menos limitada que el guionismo de cápsulas y reportajes.

Esta libertad del guionismo documental no es total. El sistema que produce el documental es quien determina la relevancia del tema. En este aspecto, el cine se diferencia considerablemente de la televisión. El cine es un medio que no tiene necesariamente que responder a un público heterogéneo. Por ello, los temas de interés para públicos particulares encuentran en el cine un medio más adecuado para su transformación en mensaje.

El documental televisivo tampoco responde totalmente a las limitantes de un público heterogéneo. Comparado con el reportaje, el documental para televisión no necesita satisfacer el requisito de *ser accesible para todos.* La especialización que está experimentando el medio televisivo es un punto a favor de lo anterior. En una era de la televisión especializada, el público de los nuevos canales es más homogéneo y ello permite el desarrollo de productos informativos con temas más específicos.

En el guionismo documental, la relación entre redacción y producción es menos estrecha que en el periodismo audiovisual, pero mayor que en el guionismo dramático. Es una práctica común que el director y/o el productor del documental sean quienes escriben el guión. La narración o conducción del documental puede correr a cargo de otra persona.

---

[2] El documental radiofónico es muy escaso en nuestros días. De cualquier manera, las observaciones sobre el documental televisivo se aplican en su totalidad al documental radiofónico.

DETERMINAR EL TEMA GENERAL Y EL PROPÓSITO ESPECÍFICO
PARA AUDIOS Y VIDEOS INFORMATIVOS

En la redacción de guiones para audios y videos informativos, el guionista debe tomar en cuenta que estos son productos de medios privados (audio o video). Esta característica determina:

1 Que el tema general debe ser relevante para un público o audiencia homogéneo.
2 Que el propósito específico puede ser de cualquier tipo.

El guionismo informativo para audio y video es el ejercicio más alejado del periodismo audiovisual. El valor noticioso de sus contenidos es escaso o inexistente. Sin embargo, en su práctica interviene un elemento sumamente importante: el cliente.

En general, la producción de audios y videos informativos es resultado de la necesidad que tiene una persona u organización por transmitir un mensaje particular a un público homogéneo, a través de un medio audiovisual. El cliente –la persona u organización que solicita la producción– es el principal elemento a tomar en cuenta para determinar el tema general y el propósito específico del guión.

Lo anterior no excluye la existencia de guiones para audios o videos informativos producidos independientemente de la existencia de un cliente externo. Pero aún en estos casos existe un cliente: el guionista mismo.

Determinar las características del público al cual va dirigido el mensaje

En el desarrollo de la línea de información de un guión, este paso con frecuencia puede pasar inadvertido para el guionista. El principiante muchas veces no toma en cuenta la importancia de definir a la audiencia, mientras que el guionista experimentado puede olvidarse de que lo más importante de su mensaje no está en la manera de producirlo, sino en la manera en que es recibido.

En esta etapa, el guionista debe responder a tres preguntas:

1 ¿A qué público va dirigido el mensaje?
2 ¿Cuánto sabe el público sobre el tema?
3 ¿Qué se espera que haga el público después de recibir el mensaje?

La respuesta a la primera de estas preguntas es vital para el éxito o fracaso del producto audiovisual informativo. En los medios públicos, la definición de la audiencia puede ser más difícil de lograr por el carácter masivo de estos medios. Sin embargo, existen indicadores que pueden facilitar la definición de la audiencia: horario de transmisión, cobertura del canal o de la estación, encuestas, llamadas telefónicas, etcétera. En general, para responder a esta pregunta el guionista debe considerar:

a) La diversidad del público al cual va dirigido el mensaje.
b) El tipo de lenguaje que maneja ese público.
c) Las necesidades de información del público.
d) El interés del público por el tema.

La segunda pregunta es más difícil de responder. Determinar cuánto sabe el público sobre el tema puede ser más fácil en los medios privados. Un video de capacitación para instructores de ejercicios aeróbicos, por ejemplo, parte del hecho de que el público posee un nivel mínimo de conocimientos sobre este tema. En cambio, un reportaje televisivo sobre estos ejercicios debe plantearse desde la perspectiva de que por lo menos una persona de la audiencia no sabe nada acerca del tema. Entre más específico sea el público al cual va dirigido el mensaje, más específica deberá ser la información que se maneje en el guión y viceversa.

En un guión informativo es imposible decirlo todo sobre algún tema. En este sentido, el guión es un trabajo de selección de la información más relevante, de acuerdo a un criterio establecido previamente a su redacción. Saber el nivel de conocimiento que posee el público con respecto a un tema ayuda al guionista a realizar con facilidad este proceso, a evitar repeticiones innecesarias y a enriquecer el contenido informativo del guión.

Finalmente, lo que esperamos que haga el público después de recibir el mensaje depende completamente del propósito específico establecido para el producto audiovisual. En este sentido, lo que podemos esperar del público es que se informe, se convenza, cree conciencia, realice una acción, se entretenga, o bien, que realice una combinación de varios propósitos.

Realizar una investigación sobre el tema

La investigación acerca del tema debe hacerse una vez que se han determinado el propósito, el tema y el público. Esta investigación debe ser lo suficientemente profunda como para tener un panorama completo; sin embargo, no debe ser tan amplia como para *perderse* en la información.

Existen varios caminos a seguir para establecer los límites sobre los cuales se basará la línea de información:

1 *Buscar información en fuentes escritas o grabadas.*
   Las fuentes escritas o grabadas como libros, periódicos, documentos, folletos, boletines, notas de prensa, grabaciones en audio o video, redes y bancos electrónicos de datos, entre otras, permiten al guionista acercarse a cualquier tema con conocimiento de causa. La búsqueda documental sirve para delimitar cuantitativamente la información.

2 *Buscar la asesoría de un experto en el tema.*
   Una de las maneras de determinar con mayor exactitud qué información es primordial y qué datos son accesorios, es contar con la asesoría de un experto en el tema. Además de poder entrevistarlo para obtener datos, su asesoría orientará la investigación hacia la determinación de un punto de vista.

3 *Realizar entrevistas con personas relacionadas con el tema.*
   La experiencia directa es una de las mejores fuentes de información y es un elemento importante para acercar al público con el tema. Nunca será lo mismo presentar los datos fríos y técnicos sobre un tema como el SIDA, que presentar la información directa, no sólo de los médicos y psicólogos que puedan orientar a la audiencia, sino de personas que puedan hablar desde su propia experiencia, estén o no directamente relacionados con la enfermedad.
   En el documental *Hilos comunes (Common threads: stories from the quilt, 1989)* –que trata el tema del SIDA en los Estados Unidos– las fuentes principales de información son los familiares y amigos de algunas víctimas de esta enfermedad. Al mismo tiempo que presenta una visión cercana al tema, el documental proporciona información sobre los diferentes grupos de riesgo, los avances en la investigación para encontrar una cura e incluso, denuncia al gobierno norteamericano en su aparente desinterés por dedicar fondos para la investigación.[3] La línea de información de este documental está estructurada principalmente con base en entrevistas.

4 *Realizar investigación de campo.*
   El visitar los lugares de donde proviene la información, para sensibilizarse con el ambiente en torno al tema, proporciona datos adicionales para establecer la línea de información. Este tipo de

---

[3] A estas conclusiones llega el documental, desde el punto de vista de sus autores Robert Epstein y Jeffrey Friedman.

investigación es sumamente importante en trabajos informativos para cine, televisión o video.

5 *La experiencia del guionista con el tema.*
La información importante puede provenir de datos tomados desde la propia experiencia del guionista. Si éste es testigo presencial de los eventos, su visión debe ser considerada como una fuente de primer orden. Las entrevistas que realice en el lugar del evento se consideran como fuentes de este tipo.

Es importante establecer de antemano un sistema para clasificar, discriminar y documentar la información que se va obteniendo. Descartar lo que se considera repetido, redactar papeletas con la información más importante, sintetizar pequeños bloques de información y llevar un diario de campo que permita documentar nuestras propias observaciones, son actividades que proporcionan un marco de referencia adecuado para establecer la línea de información.

Determinar el tema exacto y el punto de vista

Una vez llevada a cabo la investigación, el guionista debe determinar con exactitud cuál es el tema y qué punto de vista va a manejar en el guión. La determinación del tema exacto y del punto de vista es un paso importante en el desarrollo de la estructura informativa más adecuada para el producto audiovisual.

El punto de vista *es la postura o perspectiva que el guionista asume con respecto al tema.* El punto de vista no sólo determina la selección de la información, sino también el propósito final del mensaje. El hecho de determinar que se desea la mayor objetividad posible implica necesariamente un punto de vista asumido, así como un camino a seguir en la búsqueda, selección y redacción de la información.

La investigación sobre el tema general es lo que ayuda a definir el tema exacto y el punto de vista. Un tema puede tener una diversidad muy amplia de ángulos, pero la investigación encamina al guionista a determinar con exactitud cuál o cuáles de estos ángulos conformarán el tema del guión que escribe. Asimismo, existen infinidad de puntos de vista que es posible tomar en la redacción del guión. Sin embargo, el propósito específico, determinado al principio de la línea de información, es el principal factor para determinar el punto de vista.

Para determinar los límites del tema y el punto de vista es necesario volver a determinar:

1 El tema general.
2 El propósito específico del producto audiovisual para el cual se escribe el guión.

Pero ahora desde la nueva perspectiva otorgada por la investigación.

Es recomendable elaborar una lista que contenga todos los temas específicos y puntos de vista posibles, así como tomar en cuenta la naturaleza pública, semipública o privada del medio para el cual se escribe el guión. Esta lista servirá como guía para llegar a establecer el tema exacto y el punto de vista más adecuado. Durante la investigación se descubren ángulos del tema que pueden determinar el punto de vista en torno al cual girará la redacción del guión.

Enfocar el tema a una cuestión específica, con apoyos que sustenten la idea principal

Es sumamente importante no divagar en temas periféricos sin llegar a un punto concreto. Los mejores guiones informativos se centran en un tema específico. Los temas secundarios se definen en torno al tema central.

Los elementos de la estructura informativa revisados en el Capítulo 7 dan una idea de cómo puede establecerse un enfoque específico. Es posible enfocarse, por ejemplo, a los participantes y testigos relacionados con el tema, dejando como subtemas el lugar, el tiempo y el resto de los elementos de la estructura informativa.

Determinar imágenes aurales y/o visuales que refuercen los apoyos a la idea principal

Al escribir un guión informativo para cine, televisión o video, es importante recordar que todo lo que se diga debe ser mostrado visualmente. En muchos casos, es válido dejar que las imágenes hablen por sí solas. La clave en estos medios es *no decirlo, si el público lo está viendo*. Si algún punto del guión no es adecuadamente visualizado durante la producción, esto se reflejará en el producto final y en la atención del público al filme, programa o video. Normalmente, cuando el audio no coincide con las imágenes, el interés del público se pierde.

En el caso de los guiones informativos de radio o de audio, es recomendable pensar que la audiencia cree sus propias imágenes mentales a partir de lo que escucha. Así como en los otros medios la clave está en *no decirlo, si el público lo está viendo,* en la radio la clave es *no decirlo, si la audiencia puede escuchar e imaginar.* Los sonidos y la música pueden ser excelentes alternativas si deseamos transmitir información sin recargar el mensaje con palabras. De esta manera el público crea imágenes aurales que complementan la información proporcionada a través de las palabras.

No todos los temas son igualmente fáciles de visualizar en un guión informativo. Las siguientes características propias de algunos temas dificultan la visualización y la construcción de una adecuada estructura informativa:

1 *Estaticidad*

Hay temas estáticos que presentan dificultades para su visualización. Si el tema de un producto audiovisual informativo es la pintura, es preferible mostrar el proceso de pintar, que utilizar únicamente imágenes o explicaciones sobre lienzos para ilustrar la producción.

2 *Complejidad*

Cuando el tema es complejo, es preferible dar un panorama general sobre el mismo, o realizar varias producciones sobre distintos aspectos del tema, en vez de pretender hacer una producción larga y profunda sobre el tema.

3 *Simultaneidad*

Algunos temas presentan aspectos que suceden simultáneamente. Por ejemplo, el proceso de manufactura de un producto puede presentar diversas etapas que suceden al mismo tiempo. En estos casos, es importante planear la adecuada visualización de los aspectos simultáneos del tema. En caso contrario, el tema puede llegar a ser incomprensible.

4 *Duración*

Hay temas que requieren más tiempo que otros para explicarlos. Es importante recordar que una característica importante de todo trabajo audiovisual es la duración limitada de su producción. El público se cansa fácilmente cuando un producto audiovisual informativo dura más de lo que comúnmente está acostumbrado. Se recomienda que cualquier producción de tipo informativo no exceda de una hora de duración.

5 *Abstracción*

Un tema abstracto provoca dolores de cabeza para los realizadores de productos audiovisuales informativos. Una característica esencial de estos medios es su capacidad de mostrar o sugerir imágenes. Si el tema no se puede visualizar, directa o indirectamente, no es un tema para ser tratado por los medios audiovisuales.

ESQUEMA

La línea de información

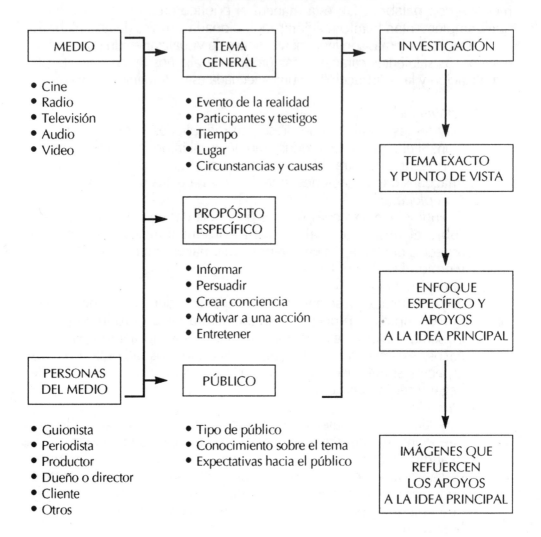

MEDIO

- Cine
- Radio
- Televisión
- Audio
- Video

TEMA GENERAL

- Evento de la realidad
- Participantes y testigos
- Tiempo
- Lugar
- Circunstancias y causas

PROPÓSITO ESPECÍFICO

- Informar
- Persuadir
- Crear conciencia
- Motivar a una acción
- Entretener

PERSONAS DEL MEDIO

- Guionista
- Periodista
- Productor
- Dueño o director
- Cliente
- Otros

PÚBLICO

- Tipo de público
- Conocimiento sobre el tema
- Expectativas hacia el público

INVESTIGACIÓN

TEMA EXACTO Y PUNTO DE VISTA

ENFOQUE ESPECÍFICO Y APOYOS A LA IDEA PRINCIPAL

IMÁGENES QUE REFUERCEN LOS APOYOS A LA IDEA PRINCIPAL

Ejemplo

Desarrollo de la línea de información
de un guión informativo

El siguiente ejemplo muestra el desarrollo de la línea de información del guión de un video de inducción[4] producido para el club recreativo de una empresa de la ciudad de Monterrey:

VIDEO DE INDUCCIÓN PARA UN CLUB RECREATIVO

1 *Determinar el propósito específico del producto audiovisual para el cual se escribe el guión.*
El director general de la empresa solicita al departamento de relaciones públicas la producción de un video para presentar el club recreativo a los nuevos empleados de la empresa. El propósito específico del video es informar.

2 *Determinar el tema general y qué se quiere decir acerca de él.*
El gerente del departamento de relaciones públicas hace contacto con un guionista especializado en videos de capacitación e inducción empresarial para iniciar el proceso de producción del video. Ambos determinan que el tema general del video es el club recreativo de la empresa y lo que se quiere decir acerca de él son sus atractivos y ventajas para los empleados.

3 *Determinar las características del público al cual va dirigido el mensaje.*
El tipo de público son los empleados de nuevo ingreso a la empresa. El conocimiento que tienen sobre el tema es, en general, escaso o nulo. Las expectativas que se tienen hacia el público, en primera instancia, es que se informen sobre el club.

4 *Realizar una investigación sobre el tema.*
El guionista solicita al departamento de relaciones públicas de la empresa toda la información disponible por escrito sobre el club recreativo. Solicita los nombres de las personas más relacionadas con el tema y la manera de localizarlas. La investigación se desarrolla en las siguientes etapas:

a) Recopilación de la información escrita en folletos, boletines y revistas de la empresa.

b) Entrevista al asesor del guión (el director del departamento de relaciones públicas) para determinar el objetivo principal del video y determinar la idea que la organización tiene sobre el club. En esta etapa el guionista determina que el propósito específico es combinado: informar a los nuevos empleados sobre el club, pero también motivarlos a hacer uso de sus instalaciones.

[4] Un video de inducción es un producto audiovisual realizado con técnicas de video, cuyo objetivo final es presentar a una organización ante un público que por primera vez entra en contacto con ella.

c) Grabación en audio de varias entrevistas con empleados de la empresa que han hecho uso de las instalaciones del club. La pregunta principal es: "¿Qué es lo que más te gusta del club?"

d) Grabación en video de las instalaciones, con la guía del asesor para seleccionar los lugares que se destacarán en el video.

e) Revisión de videos anteriores para encontrar más información.

5 *Con base en la investigación, determinar el tema exacto y el punto de vista.*
Después de clasificar, descartar y sintetizar la información, se determina el tema exacto: "El club recreativo es un lugar especial para que los empleados realicen una serie de actividades que van más allá de su trabajo". El punto de vista es motivacional, es decir: se pretende invitar al nuevo empleado a que acuda al club en donde encontrará una serie de facilidades para él y su familia.

6 *Enfocar el tema a una cuestión específica, con apoyos que sustenten la idea principal.*
Se decide enfocar la información de manera que motive a los nuevos empleados a que imaginen un lugar privilegiado para él y su familia. Se decide organizar por bloques las secciones o departamentos principales del club (instalaciones deportivas, instalaciones recreativas y cursos). Estas secciones o departamentos conformarán los títulos de cada bloque. Para pasar de un tema a otro se sigue la idea avalada por el punto de vista seleccionado: motivar a los empleados a que "imaginen un lugar donde..."

7 *Determinar imágenes aurales y/o visuales que refuercen los apoyos a la idea principal.*
El guionista toma la decisión de ser redundante con la información; es decir, repetir verbalmente la información, a pesar de que las imágenes son lo bastante atractivas para lograr el propósito del video. Se determina que habrá diferentes estímulos para cada sección. El efecto que provoca la redundancia está en función del poco tiempo que se tiene para presentar mucha información y lograr que el video realmente esté completo.

Ejercicio 3

La línea de información

1 Selecciona un tema cuyo propósito específico sea difícil de lograr con una audiencia determinada. Por ejemplo:

- Informar a quienes les disgusta la música moderna sobre cuáles son los distintos géneros musicales contemporáneos.
- Persuadir a quienes no hacen ejercicio a practicar constantemente un deporte.

- Crear conciencia en los fumadores sobre los peligros del tabaquismo.
- Motivar a quienes no leen a que se aficionen a la lectura.

a) Establece la línea de información del tema para tres medios audiovisuales distintos. Escoge por lo menos un medio público (radio o televisión) y un medio privado (audio o video).

b) Después, selecciona un tema distinto, que sea sencillo y que conozcas muy bien. Establece la línea de información de este tema para los mismos medios.

c) Compara tus resultados. ¿Cambia la línea de información de acuerdo con el medio? ¿Cuáles son estos cambios? ¿Se podría afirmar que entre más información se tenga de antemano es más fácil establecer la línea de información? ¿Por qué?

2 Si tienes contacto con alguna persona u organización que desee elaborar un producto audiovisual informativo en audio o video, intenta realizar este ejercicio ayudándolos a desarrollar la línea de información de su producto. De esta manera la experiencia será útil para ellos y para tu aprendizaje.

La línea de interés

El propósito de la línea de interés es capturar y mantener la atención del público. Es de suma importancia que una información interesante esté presentada de manera igualmente interesante.

¿Qué tan necesario es crear una línea de interés? Realmente no hay una regla que diga que todo trabajo de tipo informativo deba necesariamente ir acompañado de una historia de ficción para lograr su propósito principal. Sin embargo, es necesario tomar en cuenta que la atención del público hacia un tema presentado en medios audiovisuales radica principalmente en la forma en que se le presenta la información.

Una forma atractiva funciona como la envoltura de un regalo o el paquete de un producto. No es en sí misma el producto, pero llama la atención. Dos objetivos importantes que debe cumplir todo guión informativo son capturar y mantener la atención del público. Al crear una línea de interés, el guionista desarrolla un sentimiento de empatía en el público o audiencia. De esta manera, se garantiza una mayor atención hacia el mensaje.

Para elaborar una adecuada línea de interés es importante tomar en cuenta los siguientes puntos:

1 Desarrollar uno o varios personajes que empaticen con el público.
2 Enfrentar al personaje con el tema.
3 Llegar a una conclusión.

Desarrollar uno o varios personajes que empaticen con el público

Dentro de la amplia gama de producciones informativas, las que mejores resultados obtienen para capturar la atención del público son aquellas que presentan a un personaje que guía al público en el descubrimiento del tema. El personaje puede ser un reportero, un conductor, una voz o un personaje creado *ex-profeso* para el producto audiovisual. El propósito de crear un personaje en este tipo de producciones es desarrollar la empatía entre el público y el mensaje.

El desarrollo del personaje depende del tema y de los recursos disponibles para la producción final del guión. Si existen los recursos, se puede contratar a una personalidad con alta credibilidad para el público o audiencia. Independientemente de los recursos, el personaje debe ser considerado como atractivo por el público.

Cuando los recursos son limitados, una simple voz agradable puede convertirse en el personaje del guión. El éxito en el desarrollo de personajes atractivos radica en la manera en que se dirigen al público. Un tono coloquial y el uso de la segunda persona (*tú* o *usted* dependiendo de la formalidad de la presentación) suele ser lo más efectivo.

Enfrentar al personaje con el tema

Una vez creado el personaje, éste debe enfrentarse con el tema. Al ir descubriendo el tema junto con el personaje, el público se concentrará más en el texto y en las imágenes del producto audiovisual. El personaje debe experimentar conflicto, debe tener una meta que cumplir.

Sin llegar a la exageración, se recomienda que el personaje *invite* al público a *descubrir* cada sección o segmento del producto audiovisual informativo.

Llegar a una conclusión

Al final del guión, la línea de interés y la línea de información deben llegar a una conclusión. Todo tema desarrollado en la línea de información debe concluir. Todo conflicto presentado en la línea de interés debe ser resuelto.

Es necesario aclarar que una línea de interés puede lograrse no sólo con un personaje sino con efectos visuales o auditivos. Una frase impactante que llame la atención del público, animaciones computacionales en tercera dimensión o un cierto tipo de música, pueden ayudar a establecer una adecuada línea de interés si son bien utilizadas.

EJEMPLO

Desarrollo de la línea de interés de un guión informativo

El siguiente ejemplo muestra el desarrollo de la línea de interés del guión de un video de inducción producido para el club recreativo de una empresa de la ciudad de Monterrey:

VIDEO DE INDUCCIÓN PARA UN CLUB RECREATIVO

1 *Desarrollar uno o varios personajes que empaticen con el público.*
   En primera instancia se pensó en la cantante Gloria Trevi como un personaje adecuado para desarrollar la línea de interés del video de inducción. Ella es una personalidad conocida por el público al cual estaría dirigido el mensaje, capaz de crear la empatía necesaria para despertar el interés hacia el video.
   Las limitaciones de recursos provocaron que la decisión final fuera utilizar dos voces agradables (una femenina y una masculina) como personajes del video de inducción.
2 *Enfrentar al personaje con el tema.*
   En un video informativo para una empresa, se limita el tipo de personajes que se pueden utilizar. En algunas ocasiones se opta por pedir testimonios, o bien invitar a ejecutivos de alto nivel de la empresa para que sean los conductores del video. En radio, cine o televisión, puede ser una mejor decisión invitar a personajes con impacto en grandes audiencias.
   En el caso de este video, se decidió que las voces fueran anónimas y que presentaran cada bloque o sección de manera alternada. La voz masculina se utilizó para hablar sobre las instalaciones deportivas y la voz femenina para las instalaciones recreativas y de descanso. De esta manera, la línea de interés fue adecuada por el guionista a las características particulares de las voces de los conductores.

3 *Llegar a una conclusión.*
En el último bloque de información se combinaron las dos voces, de manera que ambas llegaran a la conclusión sobre el tema.

ESQUEMA

La línea de interés

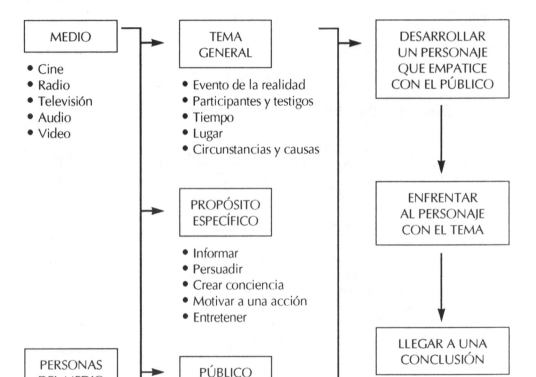

Ejercicio 4

La línea de interés

1 Con base en una de las líneas de información realizadas en el ejercicio anterior, elabora diferentes posibilidades de línea de interés:

- Para radio, con un personaje creado.
- Para televisión, con un personaje conocido públicamente.
- Para video, con varios personajes creados.

Redacta en uno o varios párrafos el desarrollo de cada una de las líneas de interés.

2 Con base en el ejercicio anterior, establece la línea de interés de la situación real que hayas contactado.

La estructura de presentación

La estructura de presentación es el equivalente al paradigma de estructura dramática presentado en la sección anterior de este libro. Su propósito es asegurar que todo el material incorporado en las líneas de información y de interés llegue a la audiencia de la manera más efectiva. La estructura de presentación implica establecer el orden previo de cada uno de los elementos o bloques de información establecidos en la línea de información y en la línea de interés.

La manera más tradicional para estructurar el contenido de un guión es similar a la manera en que se estructura un drama: principio, desarrollo y final. En el caso del guión informativo este orden se establece como:

INTRODUCCIÓN--------DESARROLLO--------CONCLUSIÓN

Es decir: inicio, desarrollo y final o establecimiento, confrontación y resolución.

Esta división de la estructura informativa en tres etapas responde a un criterio de organización temporal de la información:

1 En la introducción, el mensaje se prepara para ser relatado a un público que puede desconocer completamente o conocer parcial-

mente la información. Por lo tanto, es necesario presentar los antecedentes del mensaje para unificar el conocimiento del público y crear interés hacia él.

2 En el desarrollo se presenta la información principal y las evidencias de apoyo.

3 En la conclusión se llega a un punto y se presenta una orientación para lograr que el mensaje tenga trascendencia.

El hecho de establecer claramente la estructura de presentación del guión ayuda a evitar cambios y errores posteriores. La estructura de presentación es una herramienta que permite visualizar el guión final y probar su coherencia interna, antes de redactar la versión final.

Si bien es cierto que desarrollar la estructura de presentación de un guión informativo es un proceso que requiere de un tiempo con el que a veces es difícil contar en el trabajo diario, esta herramienta es indispensable para el mejor desempeño del guionista informativo. La cuidadosa construcción de su estructura es lo que define a un buen guión informativo.

La introducción

Al igual que en el género dramático, el objetivo de la introducción en un guión informativo es lograr atraer la atención del público, de tal manera que se interese en la información que se va a presentar. La construcción de la introducción del guión depende de la organización otorgada a los elementos de la estructura informativa:

1 El evento de la realidad.
2 Los participantes y testigos.
3 El tiempo.
4 El lugar.
5 Las causas y circunstancias.

Aunque el evento de la realidad es el elemento más importante de la estructura informativa, el resto de los elementos poseen una gran impacto en la percepción del público sobre la relevancia, objetividad y credibilidad del mensaje.

Los primeros segundos de la introducción deben *enganchar* al público con el tema. El inicio debe ser dinámico, impactante y sugestivo. La introducción debe involucrar emocionalmente al público.

En términos generales, la introducción de un guión informativo debe cumplir con cinco funciones:

1 Atraer la atención del público.
2 Interesar al público en la información que se va a presentar.
3 Presentar el tema general de la información que se va a presentar.
4 Justificar la relevancia de la información que se va a presentar.
5 Plantear el punto de vista con el que se va a presentar la información.

En algunas situaciones, es recomendable despertar la curiosidad del espectador sin presentar por completo el tema. Este tipo de introducción sólo es recomendable cuando el público o audiencia está dispuesto a recibir la información. Cuando el público no manifiesta una disposición positiva hacia la información, o cuando el público es muy heterogéneo, es más recomendable presentar el tema directamente en la introducción.

No existe un método único que asegure la mejor construcción de una introducción. Un ejercicio recomendable es elaborar varias introducciones posibles combinando los elementos de la estructura informativa en distinto orden. El orden más adecuado será aquél que responda a los intereses del público.

EJEMPLO

La introducción de un guión informativo

Para el guión del video de inducción para un club recreativo presentado en los ejemplos anteriores, se establecieron varias alternativas para la introducción:

a) Iniciar con la importancia de las personas para el club (tanto los trabajadores como los usuarios).
b) Iniciar con la importancia de tener un club recreativo (el concepto).
c) Iniciar con lo atractivo de las instalaciones.
d) Iniciar especificando para qué se creó el club y cómo se puede tener acceso a las instalaciones.

Se decidió finalmente iniciar el video resaltando la importancia de tener un lugar proporcionado por la empresa, que cumple funciones importantes. Se utilizó una imagen animada por computadora para lograr impactar a la audiencia.

La introducción se dividió en tres partes:

1 En una pantalla negra, en silencio, aparecen en letras blancas la misión y los objetivos del club.

2 Inmediatamente después se escucha una voz con efecto de eco que dice "IMAGINA", al tiempo que aparece la animación computarizada del logotipo del club, seguida de un acorde musical.

3 Junto con la música, una combinación de la voz masculina y la voz femenina invitan al público a imaginar "UN LUGAR DONDE..." afirmando al final: "ESE LUGAR ES EL CLUB RECREATIVO..." Este texto se escucha sobre imágenes del club, distorsionadas con un efecto de computadora para dar la sensación de ensueño.

Uno de los borradores[5] de la introducción es el siguiente:

EJEMPLO INTRODUCCION

SOBRE FONDO NEGRO Y EN FRIO SE PRESENTA LA MISION DE LA EMPRESA Y LOS OBJETIVOS DEL CLUB.
EFECTO ECO CON TEXTO (Eco): Imagina, imagina, imagina...
ANIMACION DEL LOGOTIPO
MUSICA RAFAGA ENTRA Y SE MEZCLA CON:
MUSICA ENTRA Y BAJA A FONDO.
IMAGENES RAPIDAS SIN SER CLARAMENTE DISTINGUIBLES DEL CLUB.

LOC1 Imagina un lugar en donde encontrarás deportes, amigos, cultura y diversión...
LOC2 ...Un lugar con árboles, pasto, agua y aire limpio.
LOC1 Un lugar que te pertenece a ti y a tu familia.
LOC2 Este lugar es Club ...

MUSICA FADE IN Y GOLPE MUSICAL

LOC1 Un lugar que nació con la imaginación puesta en un futuro mejor para quienes formamos la Familia...

[5] Es importante aclarar que en un borrador no es necesario respetar un formato específico de guión.

LOC2 Un futuro que toma en cuenta que la clave del
      éxito del Grupo ... es su gente: hombres y
      mujeres comprometidos con la calidad y con el
      cambio constante hacia la mejora y que requieren
      de espacios y oportunidades de crecimiento
      personal.
LOC1 Contribuir al desarrollo integral de los
      trabajadores y sus familias es parte de la misión
      que le da razón de ser al Club ...
LOC2 Entendiendo por desarrollo integral la búsqueda
      del equilibrio y la armonía entre todas las
      manifestaciones que perfilan al ser humano.
LOC1 La armonía física...
LOC2 emocional...
LOC1 intelectual...
LOC2 social..
LOC1 ...y espiritual.

Ejercicio 5

La introducción

Selecciona un producto informativo de la radio o televisión (cápsula, reportaje o documental). Grábalo en audio o video, o toma notas:

  a) Determina cuál es el propósito específico y el tema general del mensaje, con base en el análisis de la introducción.
  b) Determina cuál es el público al cual va dirigido el mensaje, con base en el análisis de la introducción.
  c) Desarrolla al menos dos tipos diferentes de introducción variando el propósito específico y el público al cual va dirigido el mensaje.

El desarrollo

El objetivo del desarrollo o cuerpo de un guión informativo es mostrar el tema. El manejo de una idea principal y varias ideas de apoyo es básico para la construcción de un cuerpo sólido que vaya a un punto específico. En el desarrollo del guión se debe tener siempre en mente la idea principal. Todas las ideas secundarias deben girar a su alrededor. La idea principal y las secundarias debe ser visualizadas por el público.

LA ESTRUCTURA POR SECUENCIAS

Esta parte de la estructura de presentación implica el desarrollo de secuencias o bloques de información. En el guión dramático, una secuencia *es una unidad de acción* que tiene un principio, un desarrollo y un final. En el guión informativo, una secuencia *es una unidad de acción y/o de concepto, idea o tema*, que tiene un principio, un desarrollo y un final.

Además de mantener una unidad de acción y/o de concepto, cada secuencia debe estar relacionada con la anterior y con la siguiente, de manera que el desarrollo total del guión esté formado por secuencias entrelazadas.

Los elementos importantes para identificar una secuencia son:

1 El tema o subtema que trata.
2 Lo que se ve (las imágenes).
3 Lo que se escucha (los sonidos, la música, el diálogo y/o la narración).

En el desarrollo de un guión informativo se pueden encontrar dos tipos de secuencias:

1 Secuencias de continuidad.
2 Secuencias de compilación.

Lo más recomendable es desarrollar una estructura que combine ambos tipos de secuencias. De esta manera, el guión se verá beneficiado con la variedad de estilos que posee cada tipo de secuencia.

LAS SECUENCIAS DE CONTINUIDAD

Las secuencias de continuidad *presentan una unidad de acción continua, que tiene un principio, un desarrollo y un final.* Visualmente, las imágenes narran el desarrollo de una acción que puede identificarse con un nombre: *la secuencia de la boda* o *la secuencia de la manifestación*, por ejemplo.

Las secuencias de continuidad sirven para profundizar en un aspecto específico del tema. Son ejemplos de secuencias de continuidad:

a) Las apariciones del reportero o conductor ante la cámara.
b) Las entrevistas.
c) Las apariciones del personaje desarrollado *ex-profeso* para el guión.
d) Las reconstrucciones o dramatizaciones que refuercen una idea de apoyo al tema principal.

LAS SECUENCIAS DE COMPILACIÓN

Las secuencias de compilación *presentan una serie de imágenes agrupadas que comparten una unidad conceptual, ideológica o temática.* No presentan acción, sino una serie de ideas agrupadas bajo un tema específico. Por lo general, son el tipo de secuencias que presentan una gran variedad de imágenes unidas por una narración que las relaciona y las explica.

Las secuencias de compilación sirven para *avanzar* rápidamente en el desarrollo del guión, pues agrupan mucha cantidad de información en poco tiempo. No son útiles para profundizar en un punto específico.

EJEMPLO

El desarrollo de un guión informativo

Para el guión del video de inducción para un club recreativo presentado en los ejemplos anteriores, se determinaron ocho bloques o secuencias de información. Cada secuencia presenta un aspecto distinto del club recreativo. Todas las secuencias inician con la misma frase: "IMAGINA UN LUGAR DONDE..."

La línea de interés se estableció alternando la voz masculina con la voz femenina en la narración de cada bloque. Para la estructura de presentación, se desarrollaron únicamente secuencias de compilación. Esta decisión se tomó con base en dos aspectos:

a) La necesidad de presentar una gran cantidad de información en poco tiempo.
b) La limitación de los recursos disponibles para elaborar secuencias de continuidad que requieren de más inversión de tiempo y dinero en su producción.

A continuación se presenta el texto de una de las secuencias:

EJEMPLO BLOQUE (DESARROLLO)

EFECTO MUSICAL CON TEXTO Imagina, imagina, imagina...
(Eco en tercer plano)
MUSICA ENTRA Y BAJA A FONDO
LOC1 Imagina un lugar en el que alguien, ahora...
LOC2 Canta
LOC1 Pinta
LOC2 Baila
LOC1 Actúa
LOC2 Ese lugar es Club ...
LOC1 Lugar donde es posible participar de las manifestaciones artísticas y culturales como creador o como espectador; aprendiendo o impartiendo conocimientos.
LOC2 En Club ... los socios y sus familias disponen de las instalaciones adecuadas para desarrollar sus habilidades artísticas y para exponerlas.

Ejercicio 6

El desarrollo

Con base en el mismo producto informativo seleccionado para el ejercicio anterior:

a) Redacta el bosquejo por secuencias de su desarrollo.
b) Identifica el número y los tipos de secuencias utilizados en el desarrollo.
c) Establece un orden de presentación distinto para las secuencias.
d) Redacta un desarrollo que utilice únicamente secuencias de compilación.
e) Determina cuál es el tipo de desarrollo más efectivo para el propósito específico, el tema general y el público al cual va dirigido el mensaje.

La conclusión

Todo guión informativo debe concluir las ideas desarrolladas y debe puntualizar al final el tema principal. Además, la conclusión debe lograr que el espectador o la audiencia se *lleve* el mensaje en la mente. Una adecuada estructura de la conclusión asegurará el éxito de este propósito.

La conclusión debe ser clara. Para lograr esto, se deben evitar los finales abiertos, los temas inconclusos, las ideas vagas o inconexas. Todas las ideas presentadas deben concluir en un punto.

Al igual que la introducción, la salida debe de ser brillante. Es la última oportunidad que tenemos para *aguijonear* a la audiencia antes de que regrese a su vida diaria. Además de ofrecer una conclusión conceptual del desarrollo de nuestro tema, se debe dejar un mensaje que sintetice el tema y su propósito. La conclusión no debe dejar lugar a dudas.

EJEMPLO

La conclusión de un guión informativo

Para la conclusión del video de inducción para un club recreativo presentado en los ejemplos anteriores, se decidió desarrollar una secuencia de continuidad en la que un trabajador real sale de su turno, se reúne con sus amigos y su familia y se dirige al club. Esta secuencia es acompañada por un texto narrado que comenta las acciones presentadas por las imágenes. En la versión final del guión se agregó, en un segundo plano, el audio original de las conversaciones de las personas que aparecen en el video.

De esta manera, la conclusión puntualiza el objetivo principal del video: invitar a los trabajadores y sus familias a hacer uso de las instalaciones del club deportivo.

El siguiente es el texto narrativo del borrador de la conclusión del video. Es importante hacer notar que en el borrador no es necesario describir las imágenes que visualizarán el texto:

```
            EJEMPLO CONCLUSION


MUSICA ENTRA Y BAJA A FONDO
LOC1 Al final de cada jornada, el hombre encuentra que
     ha dejado un poco de sí mismo en lo hecho, y con
     ello ha ganado un poco de eternidad...ha
     colaborado para construir un mundo mejor...
```

LOC2 Al final de cada jornada, el hombre se encuentra
     realizado y satisfecho... Ha dado lo mejor de sí
     mismo en beneficio de los demás...

LOC1 Las jornadas en ... empezaron hace casi 50 años y
     al final de cada una de ellas encontramos que los
     hombres y mujeres que forman la gran familia ...
     han dejado lo mejor de sí mismos para la
     construcción de un futuro mejor y han encontrado
     en Club ... el estímulo para continuar adelante,
     buscando la mejora continua...Y encontrando el
     orgullo de ser gente ...

APARECE SOBRE FONDO NEGRO LA MISION DEL CLUB
MUSICA: HIMNO DEL CLUB EN FADE IN

Ejercicio 7

La conclusión

Con base en el mismo producto informativo seleccionado para los ejercicios anteriores:

a) Determina si la conclusión es adecuada para el propósito específico y el tema general del mensaje.
b) Identifica el o los tipos de secuencias utilizados en la conclusión.
c) Desarrolla al menos dos tipos diferentes de conclusión variando el propósito específico y el público al cual va dirigido el mensaje.
d) Determina cuál es el tipo de conclusión más efectivo para el propósito específico, el tema general y el público al cual va dirigido el mensaje.

Capítulo 10

LA REDACCIÓN DEL GUIÓN INFORMATIVO

El método

EN LOS ANTERIORES capítulos de esta sección analizamos los elementos y variantes de las estructuras informativas para medios audiovisuales. En este capítulo nos concentraremos en establecer las técnicas de redacción informativa para los distintos productos del guionismo audiovisual.

El método que presentamos para la redacción dramática se aplica de igual forma a la creación de historias para cine, radio o televisión. En este sentido, la estructura dramática funciona de la misma manera para cualquier medio. El caso de la redacción informativa es distinto, los productos audiovisuales informativos son muy variados en sus estructuras y esto hace difícil desarrollar un método que se aplique de igual manera a cada uno de ellos.

Los productos del periodismo audiovisual no se sujetan a las técnicas y procedimientos del guionismo. Los productos audiovisuales informativos híbridos, como la cápsula y el reportaje, sustentan su estructura en un compromiso entre la práctica periodística y el ejercicio del guionismo.

El documental, el audio y el video informativos constituyen los únicos productos propios del guionismo informativo. Esta condición no excluye el uso de algunas técnicas de redacción periodística en los guiones para estos productos. Son productos del guionismo informativo porque sus contenidos poseen escaso o nulo valor noticioso, porque su estructura informativa es unitaria y, sobre todo, porque para su producción es necesario escribir un guión.

Consideramos que el método planteado en esta sección del libro toma en cuenta los elementos comunes a todos los productos informativos que utilizan, de manera parcial o total, guiones para estructurar sus contenidos: cápsulas, reportajes, documentales, audios informativos y videos informativos.

El método consta de los siguientes pasos:

1 Redactar la propuesta.
2 Redactar el tratamiento.
3 Desarrollar el bosquejo por secuencias.
4 Redactar la narración.
5 Redactar el guión.

El método se aplica de la misma manera a todos los productos del guionismo informativo. No limita la creatividad, sino que la encauza hacia un objetivo preciso: escribir un guión informativo con calidad profesional.

La propuesta

El guión informativo es una herramienta para la realización de un producto final: una cápsula, un reportaje, un documental, un audio o video informativo. Como en el caso del guión dramático, la redacción del guión informativo es un paso importante en este sentido, pero no el único. A diferencia del guión dramático, el guionista informativo debe estar más involucrado en el proceso de producción del mensaje final.

La práctica del guionismo informativo requiere que el escritor esté familiarizado completamente con el proceso de producción del producto audiovisual para el que escribe. En este sentido, la línea que divide al guionismo de la realización de productos informativos es muy delgada y con frecuencia, inexistente.

Lo anterior podría hacer pensar que la redacción de una propuesta es un paso innecesario en una actividad en la que el guionista es, muchas veces, quien realiza la producción. Nada más alejado de la realidad. La redacción de la propuesta para guiones informativos no sólo es un paso importante, sino necesario para el desarrollo adecuado del guión.

Como en el caso del guión dramático, la propuesta para un guión informativo *es un texto breve que tiene la función de visualizar el producto audiovisual informativo, a partir de unas cuantas palabras.*

¿Para quién se escribe la propuesta? En el caso de los guiones para cápsulas y reportajes –productos audiovisuales semiperiodísticos– la propuesta la escribe el reportero o el productor para que sea leída por el director del noticiario o del programa para el cual trabaja. Es una manera de pedir autorización por escrito para realizar una investigación sobre un tema. En la práctica, es posible que la asignación del tema venga de arriba: del director al reportero o productor. Aún en estos casos, la redacción de una propuesta ayuda a establecer una coincidencia entre los puntos de vista de ambos.

En el caso de las producciones privadas, el destinatario de la propuesta es evidente: el cliente. Es él quien tiene la última palabra para autorizar el trabajo del guionista en una producción de tipo privado.

Una propuesta debe incluir:

1 El tema exacto.
2 El propósito específico.
3 El punto de vista.

También debe incluir las necesidades técnicas, presupuestales, de tiempo y de asesoría para la realización del proyecto. En este sentido, el guionista informativo debe estar consciente de que, más que redactar una propuesta para un guión está redactando la propuesta para una producción. Las ventajas y limitantes que pueden existir son importantes de tomar en cuenta.

Para redactar una propuesta no es necesario haber desarrollado exhaustivamente la línea de información. Sin embargo, entre más trabajo previo haya, más completa resultará. Lo mismo es aplicable a la línea de interés: no es necesario haberla desarrollado, pero tener una idea de cómo desarrollarla ayuda a que la propuesta sea más sólida.

La propuesta debe estar redactada con el propósito de convencer al destinatario sobre la viabilidad y las ventajas del proyecto: es un texto que debe *vender* la idea. En este sentido, todos los recursos que ayuden a asegurar el éxito de esta *venta* son bienvenidos. Lo más importante de la propuesta es presentarla y demostrar que existe un compromiso formal por parte del guionista para con su trabajo.

EJEMPLO

Propuesta para guión de documental televisivo[1]

TONALI

Este documental, primero de una serie, pretende ser una ventana que familiarice al público con los movimientos arquitectónicos y pictóricos más importantes de nuestra cultura.

---

[1] Propuesta presentada por David Guzmán, en mayo de 1992. Citada con permiso del autor.

Nuestro objetivo es llegar, en primera instancia, al público que tradicionalmente evita este tipo de programas por considerarlos aburridos: los adolescentes. Es importante destacar, sin embargo, que al tratar de romper con la imagen de que los programas culturales son exclusivos a los públicos especializados e intelectuales, pretendemos lograr que un público más amplio se sienta identificado con el contenido.

La idea de TONALI surge a partir de la observación de distintos formatos de programas culturales que se presentan actualmente en la televisión. En la mayoría de ellos, el contenido *cultural* se asocia necesariamente con *no popular*. Nuestra propuesta intenta romper con este lugar común.

TONALI está planeado para transmitirse por algún canal de la Red Nacional. La serie se emitirá todos los domingos a las 4 de la tarde, cada emisión tendrá una duración de 30 minutos. La duración, que aparentemente es muy corta tomando en cuenta la riqueza de las manifestaciones artísticas mexicanas, obedece a la consideración de que una duración mayor exige mayor tiempo de producción y más dificultades para mantener la atención del público.

La mayor parte del programa será pregrabado y la producción se realizará durante la semana anterior a la emisión. De acuerdo al tema a tratar, las imágenes que se presentarán serán grabadas de libros, revistas y fotos exceptuando las obras pictóricas o arquitectónicas que se puedan conseguir o visitar. En contraste, el último segmento del programa, de cinco minutos de duración, será grabado en exteriores, procurando *cerrar fuerte* con el fin de llamar la atención para la siguiente emisión.

TONALI deberá contar con un conductor o conductora cuya función será introducir brevemente el tema a tratar y cerrar la transmisión en el último segmento. Deberá tener entre 24 y 28 años de edad, con fisonomía preferentemente autóctona, sin llegar al estereotipo. Para la producción se necesitarán dos camarógrafos para grabar el material en estudio y en exteriores. En este programa, la labor que requerirá más tiempo será la postproducción. Como apoyo principal a la riqueza visual, la música que se utilizará deberá marcar un contrapunto con los temas a tratar. La música, contrario a lo tradicional, no deberá tomarse del folclore mexicano sino del rock nacional, por considerar que este género posee una gran identificación con la audiencia a la que, en primera instancia, va dirigido el programa.

CENTRO DE TELEVISIÓN
ITESM – CAMPUS MONTERREY

Propuesta aprobada por:

Productor   _____   Fecha   _____

Cliente   _____   Fecha   _____

Ejercicio 8

La propuesta

Este es el primer ejercicio que tiene como objetivo final la redacción de un guión informativo:

1 Consulta el ejercicio 3 del capítulo anterior y utilízalo como modelo para determinar la línea de información de tu tema.
2 Redacta tu propuesta en una sola página. No olvides incluir los tres elementos principales:

   a) Tema exacto.
   b) Propósito específico.
   c) Punto de vista.

3 Para la presentación puedes basarte en el ejemplo de la página anterior.

El tratamiento

El tratamiento de un guión informativo *es una narración sucinta, en tiempo presente y en tercera persona, del contenido del producto audiovisual propuesto.* Su propósito es ampliar la propuesta mediante una presentación mucho más detallada del contenido y enfoque del producto propuesto.

Al igual que la propuesta, el tratamiento es un paso que en muchas ocasiones es considerado innecesario por obvio. El guionista considera muchas veces que una simple idea es más que suficiente para lanzarse a producir kilómetros de material audiovisual. Es precisamente en este punto donde el valor del tratamiento adquiere su verdadera dimensión.

La falta de apreciación de la importancia del tratamiento para un guión informativo es producto, en el mejor de los casos, de la inexperiencia del guionista. En otras ocasiones –desgraciadamente las más numerosas– es resultado del exceso de confianza y de la falta de previsión.

En los medios públicos, el guionista frecuentemente trabaja en contra del tiempo. El reportaje o la cápsula tienen que producirse para una fecha determinada, muchas veces para el mismo día. Esta situación se contempla como la norma que rige el trabajo del guionista informativo, de ahí que el establecer pasos intermedios entre la idea original y el producto final sea considerado como una anomalía propia de los idealistas que no conocen el medio.

Nada más equivocado. El tratamiento es una herramienta que ayuda al guionista a planear el producto informativo. Como actividad de la etapa de preproducción, la redacción del tratamiento ayuda al guionista a establecer claramente las necesidades básicas de la producción. En un tratamiento se establecen los recursos visuales y aurales necesarios para la producción del guión. Más que representar un obstáculo, el tratamiento ayuda a hacer más eficiente el trabajo del guionista.

La importancia y el valor del tratamiento se pueden apreciar en la siguiente anécdota: en una ocasión, el equipo de producción de un famoso programa de reportajes salió de viaje para cubrir aspectos y entrevistas de una producción que estaba desarrollando. Un día antes de la salida, el director del programa le pidió al reportero que encabezaba al equipo que aprovecharan el viaje para grabar imágenes de artesanías propias de la región que iban a visitar. El objetivo de esto era, en sus palabras, "hacer una serie de reportajes sobre la cultura popular y folclórica de esa región."

Ni el director del programa tenía una idea concreta y desarrollada sobre lo que quería, ni el reportero se tomó la molestia de preguntar cuál era el tratamiento de la serie de reportajes. El equipo regresó con más de doscientos videocassettes, de veinte minutos de duración cada uno, repletos de imágenes, entrevistas y aspectos pintorescos de la zona visitada: más de sesenta horas de imágenes bellas pero inconexas.

La serie de reportajes nunca se produjo. El reportero nunca tuvo tiempo para revisar el material. Un guionista fue asignado al proyecto y escribió un tratamiento para la información. Cuando revisó los cassettes se dio cuenta de que hacían falta imágenes para ilustrar algunas partes del guión. Con el material grabado no pudo estructurar un reportaje coherente, finalmente el material fue borrado para aprovechar los cassettes en otras producciones.

La anécdota es verídica desgraciadamente, e ilustra la manera en que frecuentemente se trabaja en los medios informativos. El desdén hacia la planeación suele hacer estragos en las mejores intenciones por hacer más eficiente el trabajo de producción en esta área. De ahí que la elaboración de un tratamiento para la información de un producto audiovisual sea un paso de enorme importancia.

Para redactar un tratamiento se requiere desarrollar en el producto audiovisual que estamos trabajando:

1 La línea de información
2 La línea de interés
3 La estructura de presentación

El desarrollo de estos tres paradigmas ha sido discutido ampliamente en el Capítulo 9 (Análisis y construcción de la estructura informativa). Estos paradigmas son las herramientas básicas de construcción de estructuras informativas para medios audiovisuales, son los medios para asegurar un mejor desempeño en nuestra labor como guionistas.

El desarrollo del tratamiento consta de dos fases:

1 La conceptualización
2 La redacción

La conceptualización es la fase en que el guionista estructura sus ideas sobre el tema, en base a los paradigmas de construcción informativa. La redacción es la fase final del proceso, en la que las ideas estructuradas *cobran vida* en el tratamiento.

No existe una fórmula única para redactar el tratamiento de un guión informativo. Al igual que la propuesta, el tratamiento debe responder a las siguientes características:

a) Brevedad
b) Claridad
c) Visualización de ideas
d) Fluidez
e) Inclusión de todos los aspectos de la información

El tratamiento debe estar redactado en tiempo presente y en tercera persona. Debe ser un texto que ayude al lector a visualizar el producto audiovisual informativo de manera completa y en poco tiempo.

EJEMPLO

Tratamiento para guión de video informativo

POR AMOR AL ARTE
(Título provisional)

Los créditos iniciales serán (1) el del Museo de Monterrey y el del Centro de Televisión del ITESM - Campus Monterrey, (2) el título, y (3) los créditos principales de producción. Estos créditos aparecen sobre las imágenes de niños pintando, esculpiendo y realizando trabajos de grabado y *collage*.

De un autobús escolar se bajan varios niños frente a la puerta principal del Museo de Monterrey. Carlitos, de ocho años, se detiene a mirar la fachada de ladrillo rojo. Se muestra poco entusiasmado mientras la maestra ordena a los niños en filas y les habla sobre la exposición que van a ver.

El grupo de niños entra desordenadamente, mientras Carlitos se queda atrás. La maestra y el grupo suben las escaleras al segundo piso del Museo. Carlitos se queda en la planta baja. Nadie se ha dado cuenta.

Carlitos camina por las salas de la planta baja del Museo, Se detiene a observar, con cara de aburrimiento, las pinturas y esculturas que encuentra a su paso. De repente algo le llama la atención. En una sala, un grupo de quince niños están sentados en el suelo pintando en lienzos de papel. Los niños se muestran muy divertidos: comentan entre sí, se hacen bromas y se tiran pintura unos a otros. Al fondo de la sala está un adulto al que los niños acuden a hacerle preguntas.

Carlitos camina entre los niños. De repente el adulto lo llama y le entrega un lienzo y un estuche de pinturas. Le encarga que copie una de las pinturas que están colgadas en la sala. Sin atreverse a decir que no, Carlitos hace lo que el instructor le pide. Poco a poco comienza a bromear con los demás niños. Nadie le hace preguntas, ni parece extrañado por su presencia entre ellos.

Con un poco de esfuerzo, Carlitos termina su trabajo. El instructor lo felicita. Realmente es un buen trabajo. Los demás niños celebran y felicitan a Carlitos, quien se muestra orgulloso y sonríe.

De repente llega la maestra y regaña a Carlitos por haberse separado del grupo. Carlitos se despide de sus nuevos amigos. Uno de ellos se le acerca y le regala un lienzo y unas pinturas que no utilizó, le dice que lo esperan el próximo sábado.

Muy orgulloso, Carlitos sube al autobús escolar con su obra de arte. Sus compañeros lo rodean y lo felicitan. La maestra sonríe. A través de la ventanilla, Carlitos mira sonriente hacia el Museo. Después de todo, la idea de la maestra de visitar el Museo no fue tan aburrida como pensaba.

Los créditos finales aparecen sobre la imagen del autobús escolar que se aleja por la avenida.

Aprobado por:

Productor _____ Fecha _____

Cliente _____ Fecha _____

Ejercicio 9

El tratamiento

1 Redacta el tratamiento del tema que presentaste en tu propuesta en una sola página. No olvides que el texto debe responder a las siguientes características:

a) Brevedad
b) Claridad
c) Visualización de ideas
d) Fluidez
e) Inclusión de todos los aspectos de la información

2 Para la presentación puedes basarte en el ejemplo de la página anterior.

El bosquejo por secuencias

El bosquejo por secuencias *es una descripción, lista esquemática o cuadro sinóptico de las secuencias que serán incluidas en el guión informativo.* Su propósito es dividir el cuerpo del guión en unidades temáticas o de acción. De esta manera el guionista se obliga a visualizar cada punto del tema principal y a establecer las ideas secundarias para apoyarlo.

Además de mantener una unidad de acción y/o de concepto, cada secuencia debe estar relacionada con la anterior y con la siguiente, de manera que el desarrollo total del guión esté formado por secuencias entrelazadas.

El bosquejo por secuencias de un guión informativo es el resultado final de haber desarrollado:

1 La línea de interés
2 La línea de información
3 La estructura de presentación
4 El tratamiento

De manera que el guión final se perfile a partir de su lectura.

En la estructura de presentación –que es la base inmediata para desarrollar el bosquejo por secuencias– se debe tomar en cuenta que la combinación de secuencias de continuidad y secuencias de compilación es el tipo de estructura más adecuado para un producto audiovisual informativo. Las secuencias de continuidad ayudan a profundizar en algunos aspectos de la información y las secuencias de compilación permiten presentar una gran cantidad de información en un tiempo corto.

Las siguientes son algunas recomendaciones importantes para el desarrollo de un bosquejo por secuencias:

1 Recuerda que las secuencias de continuidad son más difíciles de producir que las secuencias de compilación. Estas últimas

requieren, sobre todo, de un trabajo de edición bien elaborado. Las primeras implican la grabación o filmación de acción continua.

2 Las secuencias de continuidad atraen más la atención del público o audiencia que las secuencias de compilación. Esto se debe a que la acción presentada en ellas se percibe como *viva* y natural. Las secuencias de compilación con frecuencia son acompañadas por narración, la cual en ocasiones puede llegar a *alejar* el interés del público.

3 Trata de comenzar siempre con una secuencia de continuidad. Son el mejor recurso para capturar la atención del público.

4 Trata de terminar siempre con una secuencia de continuidad. Son el mejor recurso para dirigirse de manera directa al público y recordarle la importancia de lo que ha visto y/o escuchado.

5 En el desarrollo del cuerpo del guión, trata de alternar las secuencias de continuidad con las secuencias de compilación en un ritmo adecuado. Puedes establecer secuencias rítmicas de la siguiente manera:

$$1 - 1 - 1 - 1$$
$$1 - 2 - 1 - 2$$
$$2 - 1 - 2 - 1$$
$$2 - 2 - 1 - 1$$

o utilizar cualquier combinación que ayude a establecer un ritmo natural al producto audiovisual.

6 Las secuencias deben ser más cortas hacia el final del producto audiovisual. Esto es necesario porque el nivel de atención del público tiende a decaer conforme aumenta su tiempo de exposición ante la información. El nivel de atención aumenta justo antes del final. Tomando en cuenta esto, la secuencia final puede ser relativamente más larga que aquellas que la anteceden.

7 Recuerda que una secuencia posee una unidad estructural propia, ya sea de acción o de idea. Evita mezclar ideas o acciones distintas en una misma secuencia.

8 La comparación, el contraste, la similitud y la analogía son características que se deben considerar a la hora de decidir el orden de las secuencias.

9 Trata de llevar siempre tus ideas al papel. Aunque prefieras *armar* el guión en tu mente, escribir tus ideas te ayudará a visualizar el producto final.

10 Intenta variaciones en cuanto al orden de las secuencias. Experimenta hasta encontrar el orden más adecuado.

EJEMPLO

Bosquejo por secuencias para guión informativo de radio[2]

RADIO TECH
The Cure 1993

Secuencia 1 Presentación del programa. Bienvenida e invitación a escucharnos. Presentación general del tema del programa: el grupo inglés *The Cure*. Canción: *In between days.*

Secuencia 2 Antecedentes del grupo. Primeras grabaciones. Primer concierto.

Secuencia 3 Saludos y felicitaciones. Canción: *Three imaginary boys.*

Secuencia 4 Entrevista grabada con Robert Smith. Al final se liga canción: *Just like heaven.*

Secuencia 5 Influencias musicales y estilo de *The Cure*. Su influencia en otros grupos. Canción: *Why can't I be You.*

Secuencia 6 Primeros éxitos internacionales del grupo. Canciones: *Love song* y *Close to me.*

Secuencia 7 Avance de la próxima emisión dedicada a *Toto*. Recepción de llamadas telefónicas para comentarios sobre *The Cure*.

Secuencia 8 Consolidación del grupo. Los años noventa. Canción: *Boys don't cry.*

Secuencia 9 Comentarios finales. Comentario sobre la próxima emisión. Canción: *A forest.*

Secuencia 10 Salida del programa.

Ejercicio 10

El bosquejo por secuencias

1 Redacta el bosquejo por secuencias del guión que estás desarrollando. Selecciona una combinación de distintos tipos de secuen-

[2] Bosquejo realizado por Humberto Abiel Garza para el programa informativo *Radio Tech*. Emisión del 28 de marzo de 1993. Reproducido con permiso del autor.

cia, de manera que la estructura presente un ritmo adecuado al tema.

2 Desarrolla varias combinaciones de secuencias hasta que encuentres la combinación más adecuada.

3 Utiliza como ejemplo el formato presentado en esta página.

La narración

De acuerdo con Swain[3] la narración *es el comentario hablado que en la mayoría de los casos acompaña a las imágenes visuales (o meramente auditivas) en un producto audiovisual y que en gran medida señala, complementa o es suplementario al objetivo del mensaje.* La narración consiste en un texto con la información que será leída o representada por los conductores, personajes o locutores de la producción informativa. Es, en gran medida, el equivalente a los diálogos del género dramático.

Se pueden distinguir dos procedimientos para elaborar la narración. El primero está encaminado a conseguir la autorización del cliente o responsable directo de la producción. Este procedimiento se denomina: borrador del guión. Una vez autorizado el borrador, el texto se convierte en parte de la materia prima para realizar el segundo procedimiento: la elaboración del guión para la producción. En este paso se combina el texto con las descripciones y recomendaciones de imágenes, música y sonidos.

Los pasos anteriores del método sirven para establecer con claridad el objetivo y el punto de vista de la narración. A partir del tratamiento realizado, se realiza la redacción de los párrafos completos que se tendrán que incluir en el guión.

A continuación presentamos algunas recomendaciones para elaborar la narración. Swain recomienda ensayar más de un acercamiento hacia la narración, hasta encontrar el que mejor satisfaga las necesidades propias del mensaje:

1 Seleccionar un estilo que vaya de acuerdo con la audiencia y el objetivo: coloquial, formal, en tercera persona, impersonal, emotivo.

2 Seleccionar el vocabulario de acuerdo con el análisis del conocimiento del tema de la audiencia: formal, técnico o especializado, simple, humorístico.

---

[3] Dwight V. Swain, *Film scriptwriting.* Nueva York, Hastings House, 1976, p. 69 y *Scripting for video and audiovisual media.* Boston, Focal Press, 1983, p. 73.

3 Seleccionar los contenidos: cuáles para texto y cuáles para visualización o audio, o bien con entrevistas.
4 Seleccionar el nivel de acercamiento de cada tema del contenido: cronológicamente, problema-solución, causa-efecto, de lo simple a lo complejo, de lo particular a lo general o viceversa, espacial, o una combinación.
5 Seleccionar los temas principales y agregar los apoyos que los refuercen. Recordar que la redundancia puede ser visual o auditiva además del texto.
6 Con base en el bosquejo por secuencias y el tratamiento, seleccionar el orden más adecuado para el mensaje: Un inicio impactante para llamar la atención, un desarrollo en donde se construya la idea principal del mensaje y un cierre impactante para ser recordado y que refuerce el contenido.

En cuanto al estilo de redacción para los textos, a continuación se presentan algunas recomendaciones:

1 Preferir la voz activa.
2 Claridad y simplicidad en el lenguaje, evitar los términos técnicos o definirlos cuando sea inevitable eliminarlos.
3 Referirse a la audiencia en segunda persona (tú o usted).
4 Utilizar oraciones cortas (15 palabras aproximadamente por oración y no más de una oración por cada 10 segundos del guión) y construcción de oraciones sencillas (verbos de acción, sustantivos ilustrativos). Donna Matrazzo[4] recomienda redactar frases cortas que representen las imágenes que deseamos que la audiencia perciba.
5 Escribir para *hablar*, como si fuera un discurso, evitando el uso de *juegos de palabras* (aliteraciones).
6 Evitar lo más posible el uso de datos complejos como números y estadísticas.

Una vez redactada la narración, es conveniente revisarla evaluando cada parte según las siguientes características de las cualidades de una narración efectiva:

1 Unidad. Al concentrar todas las partes de la narración a la idea central o tema. La narración debe de establecer cada uno de los

---

[4] Donna Matrazzo, *The corporate scriptwriting book*. Portland, Communicom Publishing Company, 1986, p. 112.

conceptos elaborados en el bosquejo y el tratamiento, que a su vez
hacen referencia al tema central y punto de vista

2 Progresión. El ritmo y la secuenciación de temas deben de ir evolu-
cionando y construyéndose a lo largo de la narración.

3 Proporción. En cada una de las secuencias de la narración debe de
existir un énfasis equilibrado, brindando el tiempo y espacio apropiado a cada parte de la narración.

4 Continuidad. Evitar brincos inconsistentes de una parte a otra, utilizando elementos del lenguaje audiovisual para ayudar a la narración a progresar suavemente (a menos de que el impacto radique
en el cambio brusco de un tema a otro).

EJEMPLO

Narración para guión informativo de reportaje radiofónico[5]

```
EMISION:        "CAIFANES"
GUION:          NORMA ANGELICA REYNAGA
DURACION:       30'
FECHA:          8 DE NOVIEMBRE DE 1992
LOCUTORES:      ANGELICA: NORMA ANGELICA REYNAGA
                ANGIE: MARIA ANGELICA MEOUCHI
                GABRIEL: GABRIEL PEREZ


001 ANGIE:      Su nombre está inspirado en la expresión
                pachuca "cai fan", que significa "cae
                bien". Sus integrantes son: Saúl
                Hernández, Diego Herrera, Alfonso André
                González, Sabo Romo y Alejandro
                Marcovich.
(CONTINUA)
```

[5] Narración de Norma Angélica Reynaga para el programa informativo *Radio Tech*, escrita en noviembre de 1992. Basada en la investigación realizada en mayo de 1992 por Lucía Santiago, Margarita Santiago y Carlos López, para el curso de Introducción a los medios audiovisuales del ITESM–Campus Monterrey. Citada con permiso de la autora.

002 GABRIEL: Los "Caifanes" surgen de un grupo llamado "Las insólitas imágenes de Aurora", a finales de Marzo de 1984. El hermano de Alejandro Marcovich organizó una presentación informal para reunir fondos con el fin de hacer una película. En este lugar Alfonso conoce a Alejandro Marcovich y más tarde los dos son presentados con Saúl Hernández. Después de este evento, Alejandro le propuso a Saúl que siguieran unidos como grupo, y adoptaron el nombre de un cuento que había escrito Saúl que se llamaba "Entre las insólitas imágenes de Aurora".

003 ANGELICA: Saúl estaba con un grupo que se llamaba "Frac" cuando Alejandro llegó y le propuso unírsele. Saúl le dijo que ya estaba en un grupo y Alejandro le dijo que lo pensara. A los pocos días Saúl le enseñó un cuento a Alejandro que se llamaba "Entre las insólitas imágenes de Aurora" y de ahí surgió el nombre del grupo y el concepto del mismo. De la calle extraían las esencias de sus temas, que eran de humor bizarro, huérfano y neurótico y tocaban donde podían y así se fue marcando su estilo. El grupo duró tres años.

004 ANGIE: Saúl y Diego se encuentran casualmente una noche con Sabo. Sabo va a la discoteca "Rocotitlán" y Fernando Arau, un empresario artístico, le propone que se junte con Saúl y Diego les ofrece unas

(CONTINUA)

004 ANGIE   fechas de presentaciones para abril de 1987. Como no tenían grupo, le piden al baterista de "Ritmo peligroso" que los acompañe y después es reemplazado por Alfonso. Puede considerarse este momento como el nacimiento de los "Caifanes".

005 GABRIEL: Los "Caifanes" graban su primer "demo" en 1987. A mitad de ese mismo año, tocan regularmente en un lugar llamado "Tutifruti" en la Ciudad de México y la gente comienza a conocerlos. Cuando la compañía CBS considera la posibilidad de grabar sus canciones, los rechazan con el argumento de que "ellos no vendían cajas de muertos", refiriéndose a la temática de sus canciones y al maquillaje de los integrantes del grupo.

006 ANGELICA: El grupo toca en "High tower", donde se encuentran a gente de Ariola, pero no los quieren por andróginos y exóticos, lo que indica que van bien. En noviembre abren un concierto en el Hotel de México, donde tocan Miguel Mateos y "Neón". La raza corea "Mátenme porque me muero" y prenden el ambiente, cosa que no hacen los otros. Un productor argentino, Oscar López, contactado en Ariola decide que los quiere y posteriormente les dice que van a grabar bajo este sello. Juan Manuel Aceves lo graba. Diego y Saúl se van a Argentina a mezclarlo. El disco es lanzado en 1988 en una conferencia de prensa, y los periodistas no logran asimilar qué onda con los "Caifanes" y su música.

007 ANGIE: "Caifanes" aparece junto con "Bon y los
                enemigos del silencio" en un programa
                conducido por Verónica Castro. A pesar de
                su inexperiencia en la televisión,
                gracias a este programa empiezan a ser
                conocidos por el público. A partir de
                este momento, son contratados para
                trabajar en lugares y ciudades donde
                nunca se pensó que tocaría un grupo de
                rock. Pasado el verano de 1988 la gente
                tiene que hacer una fila de 4 horas para
                ver a los "Caifanes" en sus presentaciones
                en el Distrito Federal.

008 GABRIEL: En Diciembre de 1988 "Caifanes" saca un
                sencillo de Navidad en el que estaban
                incluidas "La negra Tomasa" y "Perdí mi
                ojo de venado". Para 1989, su compañía
                disquera descubre que los "Caifanes"
                vendían tantos o más discos que sus
                baladistas. "La negra Tomasa" acercó al
                grupo a la gente común. Los "Caifanes"
                nunca se imaginaron el éxito que tendrían
                con esta canción. Saúl pensó que sería
                un buen tema para abrir los conciertos,
                y para que la gente ampliara más su
                criterio frente a distintas propuestas
                musicales e ideológicas.

009 ANGELICA: A sus conciertos en el Auditorio Nacional
                van desde secretarias que quieren un
                greñudo, hasta punks. Los escuchan por su
                esencia musical y no por un mensaje o por
                lo que se supone debe de tocar un grupo.
                Ariola los deja trabajar libremente,

(CONTINUA)

009 ANGELICA: cambian su apariencia y comienzan a hacer más apariciones en televisión. Alejandro se dedica a acompañarlos en sus conciertos con la esperanza de que se le presente la oportunidad de unírseles, a Saúl no le gusta mucho la idea de ser guitarrista y vocalista. En una presentación en el "Danzoo", una disco de la capital, se encuentran Alejandro y Saúl, éste le propone que se les una para su nuevo disco y debuta en el "Taizz", una discoteca de Cuernavaca. Hacen sus últimas presentaciones para luego marcharse a Nueva York a grabar su segundo disco que sale en 1990 bajo el nombre de "El diablito".

010 ANGIE: Después del lanzamiento de su disco, "Caifanes" realiza una gira y se presenta en Europa, en el Festival Iberoamericano de Rock de Huelva, España, batallando para ganarse a la gente pero lo logran. Lo mismo sucede en Madrid y en Holanda. En ese mismo año estuvieron en el Festival de ¡Viva Chicago! junto con otros artistas de distintos géneros. En Los Angeles realizan constantes presentaciones. Después de muchos retrasos debido a que el disco no satisfacía las expectativas personales del grupo, el tercer álbum salió hasta mediados de mayo de 1992, bajo el nombre de "El silencio."

011 GABRIEL: A partir del lanzamiento de su disco, los
                "Caifanes" comenzaron a hacer una gira
                por la República Mexicana. A finales de
                octubre se presentaron en un festival
                organizado por una estación de radio del
                D.F., junto a grupos como "Maldita
                vecindad" y "Café Tacuba". También han
                realizado presentaciones en televisión.

012 ANGELICA: Saúl se planta al micrófono usándolo como
                confesionario para rendir cuentas de su
                existencia y acusar al creador de fraude.
                Son constructores subterráneos de
                eufóricos himnos secretos. Saúl era muy
                unido a su mamá y cuando ella murió, su
                mundo se derrumbó, la fantasía se volvió
                una necesidad para él, la intimidad y la
                soledad se convirtieron ya en parte de su
                vida, fue una desgracia que aprendió a
                disfrutar. Cuando escribe, quiere
                descubrir lo que todavía no conoce, sus
                rolas contienen una propuesta musical
                pero no una actitud de decirle a la gente
                lo que debe hacer o pensar.

013 OPERADOR: (LIGAR AL PARRAFO SIGUIENTE)

014 ANGIE: Por eso los ejecutivos tuvieron temor de
                patrocinar una música oscura, llena de
                dudas, búsquedas erráticas que taladran
                la estabilidad emocional de quién está
                acostumbrado a escuchar canciones de
                finales felices y conformistas. Sus letras
                no dan una moraleja, mensaje o solución;
                presentan lo que pasa y que alguna vez
                nos ha tocado vivir. No tienen un final,

(CONTINUA)

014 ANGIE: sino que permanecen dentro de uno, se
                 integran a tu persona y a veces limitan
                 tu libertad, pero Saúl las expresa a
                 través de suscanciones por una necesidad
                 de decir lo que siente en relación a tal
                 o cuál tema.

015 GABRIEL: Sus letras hablan de la existencia de la
                 depresión, la soledad y la tristeza
                 porque no todo es color de rosa, como se
                 maneja en algunas canciones. "Caifanes"
                 cambian constantemente y no se encasillan
                 en un solo ritmo, fusionan todo. Les
                 gusta la música y la tratan de expresar
                 en la forma que sienten, basándose en
                 vivencias personales. "Caifanes" están
                 orgullosos de ser un grupo totalmente
                 mexicano y sus canciones reflejan la idea
                 de no cambiar la cultura mexicana, sino
                 reivindicarla para que nuestro
                 sentimiento nacional se fortalezca y
                 valoremos nuestras raíces, así como no
                 subestimar la calidad de los músicos
                 mexicanos frente a los extranjeros.

016 ANGELICA: Para elaborar una melodía, se realiza una
                 composición colectiva, y después del
                 ensayo se le da la instrumentación de
                 acuerdo al ritmo que se les ocurre en ese
                 momento, luego se mezclan los sonidos. En
                 el primer disco fue Saúl quién llevó las
                 canciones y la música. Las pulieron entre
                 todos. Saúl no se sienta y dice "voy a
                 escribir una canción," sino que de pronto
                 siente la necesidad de expresar algo, ya

(CONTINUA)

016 ANGELICA: sea a media noche, en la mañana, o donde se encuentre; lo escribe y más tarde le pone la música. Sus compañeros dicen que a Saúl se le da más fácil escribir y musicalizar las canciones que a ellos.

017 ANGIE: En el segundo disco, Saúl participó en todas las canciones y sus compañeros sólo en algunas. En el tercer disco las letras fueron escritas entre todos los "Caifanes"; algunas son exclusivas de Saúl y hay una de Alejandro. Las influencias musicales de Saúl son Janis Joplin, Jim Morrison y Jimmy Hendrix, porque le dan más espacio a la fantasía. Pero en sus canciones hay el romanticismo de Los Panchos y Los Tres Ases; también Tin Tán, Bryan Eno y Frank Zappa.

018 GABRIEL: Diego tiene influencias de blues y los hermanos Winter; Sabo de los Doors, Erick Burdon, Janis Joplin, los Beatles y Alice Cooper. Alejandro tiene como influencia a Led Zeppelin, Pink Floyd, B.B. King. Alfonso comparte ciertas utopías con hippies mexicanos y sus influencias musicales van desde The Cure, Tin Tán, salsas y cumbias, hasta Juan Gabriel y los Beatles.

019 ANGELICA: Las letras de sus canciones desde su primer disco han ido desenvolviéndose entre amor, vida, miedo y muerte. En el acetato "Caifanes: volumen uno", sus letras no están manejadas de una manera intelectual soberbia, sino dentro de un

(CONTINUA)

019 ANGELICA: lenguaje que, aunado a los compases de la música, quién escucha, lo percibe y se identifica.

020 ANGIE: En el segundo disco se buscó definir la imagen de "Caifanes"; estuvieron más comprometidos con ellos mismos. Las letras, más que conflictos existenciales, presentan la realidad de lo que ocurre y nadie quiere ver. Los hipócritas, la gente que no hace caso de su vida, el maltrato a los animales y el olvido son los temas que destacan. Sobresale "La célula que explota" la cual fue interpretada por la mayoría de la gente como una relación de pareja, pero el grupo se refería al amor a México. Hablan de amor, pero no con frases comunes como "quisiera tocar tu mano", sino algunas como "junta tu monstruo dolido con el mío." Tienen un sonido que te transporta a un viaje místico, a través de los astros, hacia otra dimensión de expresión.

021 GABRIEL: El tercer disco, "El silencio", representa el momento por el que atraviesa la banda, está dedicado al rock marginado de los años setentas que se mantuvo en silencio. En este disco rompen con los géneros y hacen una entremezcla de todos. La música de este acetato es más nacional, se escucha la tambora y otros instrumentos típicos del folklore mexicano sin dejar de ser rock. Las

(CONTINUA)

```
021 GABRIEL:    letras giran en torno al espacio en que
                se han movido los "Caifanes" sin caer en
                lo repetitivo. Algunos de los temas
                abordados son el desinterés de la gente
                por los sentimientos de otros, la
                extinción de especies, las fuerzas
                externas que mueven a las relaciones, la
                muerte, una pasión que soporta todo, el
                amor que se expresa con los elementos
                del universo.
022 ANGELICA:   Surgidos de entre las sombras, fueron
                entes ocultos que han salido a la luz.
                "Caifanes" ha llevado a las nubes el
                rock mexicano ante el mundo(...)
```

Ejercicio 11

La narración

1 Redacta la narración para el guión que has desarrollando. Redacta intentando estilos diferentes.
2 Lee en voz alta tus textos hasta que encuentres el más adecuado.
3 Redacta la narración final editando tu texto.
4 Graba la lectura de la narración para que al reproducirla puedas encontrar posibles problemas o dificultades con base en las características ideales de una narración efectiva.
5 Corrige tu texto y redacta la narración definitiva.

El guión informativo

La función del guión informativo

La función que debe cumplir un guión de tipo informativo no se aleja esencialmente de la función señalada para el guión dramático en el

Capítulo 6 (La redacción del guión dramático). Un guión de cine, radio, televisión, audio o video debe servir como una guía de acción clara para la realización de un producto audiovisual.

Si existe una diferencia fundamental entre ambos tipos de guiones es su relación con la materia prima de la realidad. El guión informativo –sin importar las técnicas utilizadas en su construcción– posee un alto grado de compromiso con la realidad. En palabras sencillas, el valor de un guión informativo no estriba tanto en su contenido, sino en la manera en que refleja y transmite la realidad.

Características básicas de estructura de un guión informativo

A diferencia del guión dramático, en el que cada medio ha desarrollado formatos adecuados a su lenguaje, el guión informativo no presenta diferencias sustanciales de estructura de acuerdo al medio.

Las siguientes características estructurales aplican de igual forma a los guiones informativos en general:

1 La unidad principal de construcción informativa es la secuencia, de la cual existen dos tipos: de continuidad y de compilación. La secuencia de continuidad se define de igual manera que la secuencia dentro del género dramático: una unidad de acción continua, con principio, desarrollo y final. La secuencia de compilación se compone por una serie de imágenes y/o sonidos que, al unirse por medio de la edición, componen una unidad temática o de información. En este sentido, la secuencia de compilación es la más informativa de las dos.

2 Debido a que un guión informativo se compone, en gran parte, por secuencias de compilación, el elemento que define la mayor parte de la unidad del guión es la narración. A diferencia del diálogo, la narración es un elemento descriptivo, que explica lo que está sucediendo en las imágenes y/o sonidos que el público percibe. En este sentido, la narración equivale muchas veces a la acción del guión dramático.

3 La acción o la descripción de la acción son lo más importante de las secuencias. Las acciones, cuando son visibles, deben ser claras y fáciles de comprender. La narración debe ser clara, concisa, funcional y debe proporcionar la información necesaria para que el público comprenda la secuencia.

4 El guión informativo es más técnico que el guión dramático. Esto significa que el guionista debe señalar claramente indicaciones técni-

cas de audio e imagen. Aunque, como en el caso del guión dramático, un guión demasiado técnico es una labor poco menos que inútil, hay que recordar que en el ejercicio del guionismo informativo existen muy pocas diferencias entre la redacción y la producción.

5 Como siempre, no existe un método único ni una garantía que asegure el mejor de los guiones. El ejercicio metódico es lo que ayuda a que el guionista desarrolle un estilo propio que debe, ante todo, ser funcional para cada tipo de guión.

Los formatos de guión informativo

Aunque la cantidad de formatos existentes en los medios informativos puede ser muy amplia, existen dos formatos fundamentales, cada uno de ellos caracterizado por su adecuación a las características particulares de cada medio:

1 El formato listado para radio y audio.
2 El formato de dos columnas para cine y video.

EL FORMATO LISTADO DE GUIÓN INFORMATIVO

El formato listado de guión informativo posee las mismas características que el formato de guión dramático de radio. Estas fueron explicadas detalladamente en el Capítulo 6 (La redacción del guión dramático).

Este formato se caracteriza por presentar todas las indicaciones, sonidos, música, diálogos y texto narrativo en forma de lista numerada. La organización de los elementos es secuencial, tomando en cuenta su aparición dentro del guión.

Para productos informativos que carecen de imágenes, el formato listado es un formato cómodo y sencillo de manejar. Su principal deficiencia es la falta de un sentido de simultaneidad entre los distintos elementos que componen el guión. Si por alguna razón se deben presentar varios elementos al mismo tiempo (por ejemplo, música y narración), el guión listado no ayuda a proporcionar una indicación visual clara de esta simultaneidad.

En general, el formato listado es adecuado para productos cortos, como cápsulas o audios informativos breves. No es aconsejable para productos en los que se incluyen imágenes.

Ejemplo

Guión informativo para cápsula radiofónica en formato listado[6]

PROGRAMA: RADIO TECH
EMISION: CAPSULA CONCIENCIA SOCIAL
GUION: GABRIEL PEREZ
DURACION: 60"
FECHA: 18 DE OCTUBRE DE 1992
LOCUTOR: GABRIEL PEREZ

001 GABRIEL: Juan Angel es un joven de 26 años:
              independiente, profesionista, graduado
              de Leyes en 1986 y con un gran talento
              deportivo.

002 OPERADOR: (PUENTE MUSICAL)

003 GABRIEL: En 1985 fue campeón de basquetbol en la
              Universidad.
              En 1991, Juan Angel sufre un accidente
              automovilístico y queda paralizado de la
              cintura para abajo.
              Después de una dolorosa recuperación
              física y emocional que dura más de un año,
              Juan Angel decide rehacer su vida.

004 OPERADOR: (PUENTE MUSICAL)

005 GABRIEL: A partir de entonces, Juan Angel se ha
              enfrentado a numerosos obstáculos:
              Se ha enfrentado a la discriminación por
              parte de sus clientes, quienes no lo
              consultan más, a causa de su estado.
              Se ha enfrentado a la falta de
              instalaciones adecuadas en muchos

(CONTINUA)

---

[6] Guión original de Gabriel Pérez, escrito en octubre de 1992. Reproducido con permiso del autor.

005 GABRIEL   edificios, como elevadores y rampas.
Se ha enfrentado a la falta de respeto de
la gente por los lugares señalados para
las personas impedidas, en los
estacionamientos.

006 <u>OPERADOR: (PUENTE MUSICAL)</u>

007 GABRIEL: Juan Angel no quiere causar lástima, sino
que se le respeten sus derechos como ser
humano.

008 <u>OPERADOR: (PUENTE MUSICAL)</u>

009 GABRIEL: Ninguno de nosotros está libre de pasar
por una desgracia como la de Juan Angel.
Respetemos los derechos de las personas
con algún impedimento físico.
Hagamos conciencia.
Busquemos la igualdad de oportunidades
para todos.
Tengamos una actitud diferente con gente
como Juan Angel, no nos cuesta nada.

010 <u>OPERADOR: (PUENTE MUSICAL)</u>

011 GABRIEL: Radio Tech, reflexiona.

Ejemplo

Guión informativo para cápsula radiofónica en formato listado[7]

PROGRAMA: RADIO TECH
EMISION: CAPSULA TECNOLOGIA
GUION: GABRIEL PEREZ
DURACION: 60"
FECHA: 25 DE OCTUBRE DE 1992
LOCUTOR: GABRIEL PEREZ

[7] Guión original de Gabriel Pérez, escrito en octubre de 1992. Reproducido con permiso del autor.

001 GABRIEL: ¿Pensaste que el Compact Disc era lo máximo en audio digital? Es cierto que posee una excelente fidelidad pero tiene el mismo inconveniente que los discos tradicionales: no es posible grabar en ellos. Bueno, al menos no en nuestras casas.

002 OPERADOR: (PUENTE MUSICAL)

003 GABRIEL: Siguiendo la tecnología digital, surge el DAT o Digital Audio Tape, que permite tanto grabar como reproducir. Sin embargo, a pesar de que tiene más de 6 años en el mercado, no ha conseguido popularizarse.

004 OPERADOR: (PUENTE MUSICAL)

005 GABRIEL: Pero los genios de la electrónica no se han quedado cruzados de brazos, y recientemente han lanzado al mercado el Cassette Compacto Digital. Es un aparato que te permite grabar en unos pequeños cassettes, con toda la precisión del audio digital.
Pero eso no es todo: tiene la enorme ventaja de que también podrás escuchar en este equipo tus cassettes de siempre.

006 OPERADOR: (PUENTE MUSICAL)

007 GABRIEL: ¡Sean bienvenidas las tecnologías que combinan los últimos adelantos de la electrónica, con los medios tradicionales, como nuestros viejos y queridos cassettes!

008 OPERADOR: (PUENTE MUSICAL MUY BREVE)

009 GABRIEL: Radio Tech, con lo último en tecnología.

El formato de dos columnas de guión informativo

El formato de dos columnas se utiliza principalmente en: comerciales, documentales, audiovisuales, videos musicales, *clips*, cápsulas televisivas, reportajes y, en general, en todo producto en el que la simultaneidad entre imagen y audio tenga una gran importancia.

Este formato es un derivado de un formato de guión utilizado en la radio, en el cuál una columna se destina para música, efectos sonoros e indicaciones técnicas y la otra para las voces (diálogo y/o narración). El formato de dos columnas fue el primero que se utilizó en televisión, debido a que el nacimiento de este medio estuvo estrechamente relacionado con la radio.

Este formato divide la página en dos columnas, la izquierda para las imágenes y la derecha para los sonidos. Cuando se utiliza para productos de la radio o el audio, la columna izquierda se destina para la música, efectos sonoros e indicaciones técnicas, y la columna derecha para las voces (diálogo y/o narración)

Cada página y media de un guión escrito en este formato equivale aproximadamente a un minuto de tiempo real.

Características básicas de formato de un guión de dos columnas

1 El tipo de letra que se debe utilizar es el que posee una máquina de escribir normal. Al utilizar procesador de palabras es recomendable utilizar letra tipo `courier de 12 puntos`.
2 Se debe dejar un margen izquierdo de 2.5 cm en la página donde se va escribir. El margen derecho debe estar a la altura de los 20 cm.
3 Las páginas se numeran en el margen superior derecho, a partir de la segunda página.
4 Todas las páginas se encabezan con los datos generales del programa:

    a) Nombre del producto audiovisual
    b)Nombre del autor del guión
    c) Serie o programa al que pertenece
    d) Canal o empresa (opcional)
    e) Fecha

Esta información se escribe en la parte superior izquierda de cada página del guión, a un solo espacio.

5 La columna izquierda se comienza a escribir a partir del margen izquierdo (2.5 cm), y abarca el espacio comprendido hasta los 10 cm de la página. Se encabeza con la palabra VIDEO, IMAGEN, o

MÚSICA Y EFECTOS (subrayada y con mayúsculas), según el medio para el cual se escribe el guión. En esta columna se detallan todas las descripciones visuales (en el caso de cine, televisión y video) o aurales exceptuando voces (en el caso de radio o audio), a doble espacio y con mayúsculas.

6 La columna derecha se comienza a escribir a partir de los 11 cm y abarca el espacio comprendido hasta el margen derecho de la página (20 cm). Se encabeza con la palabra AUDIO o VOCES (subrayada y con mayúsculas), según el medio para el cual se escribe el guión. En esta columna se detallan todas las indicaciones de música, efectos sonoros, diálogo y/o narración, a doble espacio y con mayúsculas (en el caso de cine, televisión y video). En el caso de producciones para radio o audio, en esta columna se detallan únicamente las indicaciones para diálogo y/o narración.

7 En el caso de producciones para cine, televisión o video, las indicaciones de audio para diálogo y/o narración se subrayan para diferenciarlas de las indicaciones de música y efectos sonoros.

8 Es muy importante no cortar las palabras que se escriben a cada cambio de renglón o de página. Es preferible dejar un espacio vacío a dejar una palabra cortada. Esto es más importante en cuanto al diálogo y/o la narración, pues interrumpe la fluidez de la lectura.

9 Este formato debe proporcionar a quien lo lee, un sentido de simultaneidad entre imagen y sonido, o entre sonidos y voces. Cada bloque de la columna izquierda debe siempre coincidir con un bloque correspondiente de la columna derecha.

A continuación presentamos un ejemplo práctico de formato de guión informativo de dos columnas. Toma en cuenta todas las indicaciones que aparecen en el formato. Éstas te pueden resolver dudas específicas sobre la redacción del guión.

Después del formato encontrarás un ejemplo completo de guión informativo de dos columnas para televisión. Recuerda que este formato puede utilizarse indistintamente en cine, radio o televisión.

FORMATO DE GUION INFORMATIVO DE DOS COLUMNAS
NOMBRE DEL PRODUCTO AUDIOVISUAL INFORMATIVO
NOMBRE DEL AUTOR DEL GUION
PROGRAMA O SERIE A LA QUE PERTENECE
EMPRESA PRODUCTORA

FECHA

IMAGEN	AUDIO
FADE IN:	FADE IN:
DE ESTA MANERA DEBES EMPEZAR A ESCRIBIR EL GUION DE DOS COLUMNAS. EN LA COLUMNA DE IMAGEN SE DESCRIBEN LAS IMAGENES, LAS INDICACIONES DE CAMARA Y DEMAS SEÑALES VISUALES.	EL AUDIO DE UN GUION INFORMATIVO PUEDE PROVENIR DE TRES FUENTES: VOCES (NARRACION O DIALOGO), MUSICA Y SONIDOS. EN LA COLUMNA DE AUDIO SE DESCRIBEN TODAS LAS INDI-CACIONES DE MUSICA, SONIDOS Y VOCES.
EL ENCABEZADO IMAGEN PUEDE SER SUSTITUIDO POR LA PALABRA VIDEO EN GUIONES PARA TELEVISION O VIDEO.	UN PUENTE MUSICAL DEBE SER BREVE Y SU DURACION DEBE IR INDICADA ENTRE PARENTESIS (3″).
LA DESCRIPCION VISUAL DEBE SER BREVE. SI EL GUION SE ESCRIBE ANTES DE REALIZAR LA PRODUCCION, LA DESCRIPCION VISUAL NO DEBE SER MUY DETALLADA. INCLUSO PUEDE NO HABER DESCRIPCION VISUAL.	LOCUTOR 1: EL GUION DE DOS COLUMNAS PROPORCIONA UN SENTIDO DE SIMULTANEIDAD ENTRE IMAGENES Y AUDIO. CADA BLOQUE DE INDICACIONES DE IMAGEN DEBE CORRESPONDER A UN BLOQUE DE INDICACIONES DE AUDIO.

NOMBRE DEL PRODUCTO AUDIOVISUAL INFORMATIVO   2
NOMBRE DEL AUTOR DEL GUION
PROGRAMA O SERIE A LA QUE PERTENECE
EMPRESA PRODUCTORA
FECHA

IMAGEN	AUDIO
(SI EL GUION SE ESCRIBE A PARTIR DE IMAGENES PREVIAMENTE GRABADAS,SE PUEDE INDICAR EN ESTA COLUMNA EN DONDE ENCONTRAR ESAS IMAGENES. POR EJEMPLO: CASSETTE 8:326-428).	<u>LOCUTOR 1: EL TEXTO DEL LOCUTOR O NARRADOR SE SUBRAYA PARA DISTINGUIRLO DE LAS INDICACIONES DE MUSICA Y EFECTOS.</u>
COMO LA ESTRUCTURA DEL GUION INFORMATIVO SE HACE MEDIANTE SECUENCIAS (DE CONTINUIDAD Y DE COMPILACION) LA TRANSICION ENTRE UNA SECUENCIA Y OTRA SE SEÑALA POR MEDIO DE "CORTE A" O "DISOLVENCIA A". ESTA ULTIMA INDICACION SEÑALA UN CAMBIO GRADUAL ENTRE DOS IMAGENES.	LAS INDICACIONES DE MUSICA Y SONIDOS NO SE SUBRAYAN.
DISOLVENCIA LENTA A:	ENTRA MUSICA 2 ("ORINOCO FLOW", DISCO 2, PIEZA 1). SUBE Y BAJA A FONDO CUANDO ENTRA LOCUTOR 1 (6").

NOMBRE DEL PRODUCTO AUDIOVISUAL INFORMATIVO   3
NOMBRE DEL AUTOR DEL GUION
PROGRAMA O SERIE A LA QUE PERTENECE
EMPRESA PRODUCTORA
FECHA

IMAGEN	AUDIO
EL FORMATO DE DOS COLUMNAS PUEDE UTILIZARSE TAMBIEN EN GUIONES PARA RADIO O AUDIO. EN ESTOS CASOS, LA COLUMNA IZQUIERDA CONTIENE LA MUSICA Y LOS EFECTOS SONOROS. EN LA COLUMNA DERECHA SE INDICAN LOS DIALOGOS Y LA NARRACION.	LOCUTOR 1: LAS INDICACIONES DE MUSICA PUEDEN SER GENERALES O MUY PRECISAS, COMO EN EL CASO ANTERIOR. SIEMPRE SE DEBE INDICAR EL TIEMPO (EN SEGUNDOS) DE LOS PUENTES MUSICALES.
CORTE A:	PUENTE MUSICAL (2").
LAS INDICACIONES SOBRE LAS IMAGENES PUEDEN SER MUY GENERALES O MUY ESPECIFICAS (CLOSE UP, TOMA AEREA, ETCETERA) NO SE RECOMIENDA INDICAR MOVIMIENTOS DE CAMARA.	LOCUTOR 2: EN UN GUION INFORMATIVO SE PUEDEN UTILIZAR VARIAS VOCES. ESTO DA VARIEDAD Y DINAMISMO A LA NARRACION. SIN EMBARGO, NO ES RECOMENDABLE UTILIZAR MAS DE TRES VOCES DISTINTAS.
IMAGENES VARIAS DE EDIFICIOS	LOCUTOR 2 (CONTINUA): SI EL TEXTO DEL LOCUTOR CONTINUA EN LA SIGUIENTE HOJA, SE DEBE INDICAR (CONTINUA) DESPUES DE SU NOMBRE.

NOMBRE DEL PRODUCTO AUDIOVISUAL INFORMATIVO   4
NOMBRE DEL AUTOR DEL GUION
PROGRAMA O SERIE A LA QUE PERTENECE
EMPRESA PRODUCTORA
FECHA

IMAGEN	AUDIO
PANORAMICA DE CARRETERA. LAS INDICACIONES DE CAMARA DEBEN SER ESCUETAS, A MENOS DE QUE YA SE HAYAN GRABADO LAS IMAGENES Y QUERAMOS SEÑALAR UNA IMAGEN PRECISA (POR EJEMPLO, CLOSE UP DE VENDEDOR EN CASSETTE 5: 236-259).	LOCUTOR 1: LOS TEXTOS DEBEN SER CORTOS Y DEBEN UTILIZAR UN LENGUAJE CLARO. HAY QUE RECORDAR QUE LOS TEXTOS SE ESCRIBEN PARA SER LEIDOS EN VOZ ALTA, POR LO QUE NO SE DEBEN CORTAR LAS PALABRAS, NI SE DEBEN ESCRIBIR PALABRAS DIFICILES DE PRONUNCIAR.
ENTRA A CUADRO ENTREVISTA SUBTITULAR: "NOMBRE DEL ENTREVISTADO".	ENTRA AUDIO ORIGINAL DE ENTREVISTA. DESDE: "DONDE QUEREMOS QUE COMIENCE EL AUDIO..." HASTA: "...DONDE QUEREMOS QUE TERMINE".
CORTE A:	PUENTE MUSICAL (3").
IMAGENES VARIAS	LOCUTOR 2: LAS ENTREVISTAS Y LAS APARICIONES A CUADRO DEL REPORTERO SON SECUENCIAS DE CONTINUIDAD.

NOMBRE DEL PRODUCTO AUDIOVISUAL INFORMATIVO   5
NOMBRE DEL AUTOR DEL GUION
PROGRAMA O SERIE A LA QUE PERTENECE
EMPRESA PRODUCTORA
FECHA

<u>IMAGEN</u>	<u>AUDIO</u>
IMAGENES DE NIÑOS. (CASSETTE 3: 125-197) RIO. ATARDECER. (CASSETTE 9: 235-288) LAS IMAGENES DEBEN ESCRIBIRSE EN EL ORDEN EN QUE QUEREMOS QUE APAREZCAN.	<u>LOCUTOR 1: NUNCA SE DEBE ESCRIBIR EL AUDIO COMPLETO DE UNA ENTREVISTA. SOLO SE ESCRIBEN LAS PALABRAS INICIALES Y LAS FINALES. SI LA ENTREVISTA NO SE HA REALIZADO, EN EL GUION PODEMOS ESCRIBIR LAS PREGUNTAS IMPORTANTES QUE SE HARAN, O BIEN, EL TEMA DE LA ENTREVISTA.</u>
IMAGENES VARIAS	<u>LOCUTOR 2: LA FLUIDEZ EN LA NARRACION ES CARACTERISTICA DE UN BUEN GUION. LOS TEXTOS DEBEN ESTAR ESCRITOS DE MANERA QUE SU LECTURA SE SIENTA FLUIDA, AMENA Y NATURAL.</u>
FOTO DE NIÑO. OTRAS FOTOS Y PIETAJE DE PELICULA. FACHADA DE LA CASA (CASSETTE 2: 010-052).	<u>LOCUTOR 2 (CONTINUA):SI SE DESEA QUE LOS LOCUTORES HAGAN PAUSAS DENTRO DEL TEXTO QUE LEEN... ESTAS SE INDICAN CON PUNTOS SUSPENSIVOS... DE ESTA MANERA EL LOCUTOR SABE QUE AHI DEBE DETENERSE BREVEMENTE Y LE DAMOS TIEMPO PARA RESPIRAR...</u>

NOMBRE DEL PRODUCTO AUDIOVISUAL INFORMATIVO   6
NOMBRE DEL AUTOR DEL GUION
PROGRAMA O SERIE A LA QUE PERTENECE
EMPRESA PRODUCTORA
FECHA

IMAGEN	AUDIO
CORTE A:	PUENTE MUSICAL (3″)
IMAGEN SUGERIDA	LOCUTOR 1: FINALMENTE, LO ULTIMO QUE SE ESCRIBE EN AMBAS COLUMNAS ES:
FADE OUT O FIN	FADE OUT O FIN

ESPECIAL: CARLOS PELLICER, HOMBRE DE TROPICO
GUION: MAXIMILIANO MAZA
PROGRAMAS ESPECIALES - "HOY MISMO"
TELEVISA, S.A.
16 DE FEBRERO, 1987

VIDEO	AUDIO
FADE IN:	FADE IN:
EDICION DE FOTOGRAFIAS	ENTRA MUSICA 1 ("HABANERA",
SEPIA.(ALBUM DE PELLICER).	DISCO 7, PIEZA 2, L-2).
DESTACAR: FOTO DE PELLICER	SUBE Y BAJA A FONDO CUANDO
Y SU HERMANO; PELLICER	ENTRA LOCUTOR 1.(6″)
JOVEN.	
PIETAJE DE PELICULA	LOCUTOR 1: YO NACI JOVEN...
PROPORCIONADA POR FAMILIA	ESTO LO SABEN LOS ARBOLES
PELLICER(SELECCION)	MAS VIEJOS, Y LAS NUBES QUE
	EMPIEZAN A FORMARSE...
CORTE A:	PUENTE MUSICAL (3″)
PAISAJE AEREO DE	LOCUTOR 2: HACEDOR DE
VILLAHERMOSA. (CASSETTE 8:	PAISAJES Y SOLES... CANTOR
326-428) RIO USUMACINTA	QUE CONVENCIO A LA NUBE,
(AMANECER) (CASSETTE 3:	SOLTO LAS AMARRAS DE LOS
012-042) ATARDECER	RIOS, DESCUBRIO QUE HAY SED
(CASSETTE 3: 097-116)	DE NARANJA JUNTO A LA TARDE
	TODAVIA MUY ALTA, Y NOS
	HIZO PARTICIPES, PARA
	SIEMPRE, DE QUE "HAY AZULES
	QUE SE CAEN DE MORADOS"...

ESPECIAL: CARLOS PELLICER, HOMBRE DE TROPICO   2
GUION: MAXIMILIANO MAZA
PROGRAMAS ESPECIALES - "HOY MISMO"
TELEVISA, S.A.
16 DE FEBRERO, 1987

<u>VIDEO</u>	<u>AUDIO</u>
EDICION DE FOTOGRAFIAS DIVERSAS (REVISAR ALBUM)	<u>LOCUTOR 2 (CONTINUA): HOMBRE DEL TROPICO CALIENTE Y HUMEDO... HOMBRE BAUTIZADO POR LAS AGUAS DEL GRIJALVA... HOMBRE DE TIERRA Y SAL... CARLOS PELLICER CAMARA FUE, ANTE TODO, UNA OBRA DE AMOR POR SU ENTORNO, POR SU GENTE...</u>
FOTO DE NIÑO CON LA CONCHA OTRAS FOTOS Y PIETAJE DE PELICULA. FACHADA DE LA CASA (CASSETTE 2: 010-052).	<u>LOCUTOR 2 (CONTINUA): NUNCA PUDO, NI QUISO, NEGAR SU NATURALEZA DE TABASQUEÑO, DE MEXICANO, DE INDOAMERICANO... VIO LA LUZ EL 16 DE ENERO DE 1897 EN SAN JUAN BAUTISTA, HOY VILLAHERMOSA, EN EL NUMERO 35 DE LA CALLE DE SAENZ...</u>
LAGUNA DE LAS ILUSIONES (PANEO) (CASSETTE 2, CHECAR IMAGENES, TERCERA TOMA ES BUENA)	<u>LOCUTOR 2 (CONTINUA): UNA CIUDAD DE BALCONES Y TARDES LLUVIOSAS... QUIZAS EN UNA DE ESAS TARDES DESCUBRIO QUE ESTABA ENAMORADO DEL AGUA...</u>

DISOLVENCIA LENTA A:

ESPECIAL: CARLOS PELLICER, HOMBRE DE TROPICO   3
GUION: MAXIMILIANO MAZA
PROGRAMAS ESPECIALES - "HOY MISMO"
TELEVISA, S.A.
16 DE FEBRERO, 1987

<u>VIDEO</u>   <u>AUDIO</u>

TOMA INTERIOR DE LA CASA.   <u>LOCUTOR 2 (CONTINUA):</u>
PANEO DE OBJETOS EN   <u>...QUIZAS ALLI NACIO A LA</u>
RECAMARA (CASSETTE 5:   <u>POESIA, DE LA QUE NUNCA</u>
326-461)   <u>PUDO DESLIGARSE...</u>

DISOLVENCIA LENTA A: FADE MIX DE MUSICA 1 Y
                             MUSICA 2 ("THE FIRST TIME
                             EVER I SAW YOUR FACE", ROCK
                             CLASSICS, PIEZA 4, L-2).
                             MUSICA 2 SUBE Y BAJA A
                             FONDO. (5")

PAISAJE DIVERSO (REVISAR   <u>LOCUTOR 1: INVITAR AL</u>
PIETAJE DE CASSETTES 2, 6 Y <u>PAISAJE A QUE VENGA A MI</u>
8) PELICANOS-PUERTO CEIBA.   <u>MANO...INVITARLO A DUDAR</u>
PANORAMICA DE TAPIJULAPA   <u>DE SI MISMO...DARLE A BEBER</u>
(DIA). MARIPOSAS (CASSETTE   <u>EL SUEÑO DEL ABISMO...EN</u>
8: 124-194)   <u>LA MANO ESPIRAL DEL CIELO</u>
                             <u>HUMANO.</u>

DISOLVENCIA LENTA A: PUENTE MUSICAL (2")

PAISAJE DE PLAYA.   <u>LOCUTOR 2: SU POESÍA FUE</u>
COCOTEROS. ATARDECER.   <u>TAMBIEN MUSICA Y PINTURA...</u>
(CASSETTE 8. REVISAR   <u>COMPARTIA CON ELLAS LA</u>
PIETAJE. ESTA AL FINAL)   <u>IDEA DE CREACION Y</u>
                             <u>TRANSFORMACION...</u>

ESPECIAL: CARLOS PELLICER, HOMBRE DE TROPICO   4
GUION: MAXIMILIANO MAZA
PROGRAMAS ESPECIALES - "HOY MISMO"
TELEVISA, S.A.
16 DE FEBRERO, 1987

VIDEO	AUDIO
DOS DISOLVENCIAS RAPIDAS: DE PAISAJES A PINTURAS DE MAGV. ESCOGER PINTURAS EN CASSETTE 5 (TODO).QUE SEAN DE PAISAJES.	LOCUTOR 2: ASI, HIZO QUE LAS PALOMAS FORMARAN NOTAS, CLAVES, SILENCIOS Y ALTERACIONES.. A LA VEZ QUE EQUILIBRO A LOS GRUPOS DE FIGURAS CON ONZAS DE POEMA...
DISOLVENCIA A:	PUENTE MUSICAL (3")
FOTOS DE PELLICER CON "EL GRUPO DE LOS CONTEMPORANEOS"	LOCUTOR 2: AUNQUE EN EL TIEMPO SE PUEDE UBICAR A PELLICER DENTRO DE LA LLAMADA "GENERACION DE LOS CONTEMPORANEOS", LA TEMATICA DE SU POESIA DIFIERE SUSTANCIALMENTE DE LA DE ESTOS... MIENTRAS
PAISAJE CON NIÑOS CORRIENDO. CLOSE UP DE NIÑO PEQUEÑO (CASSETTE 1. AL FINAL).	QUE LA SOLEDAD Y LA MUERTE ERAN TEMAS RECURRENTES EN LA LITERATURA DE ESTA GENERACION, PELLICER CANTABA AL PAISAJE, A LA VIDA Y, SOBRE TODO A LA CREACION... DE AHÍ SU INTIMA VINCULACION CON LA PINTURA, CREADORA DE REALIDADES...

ESPECIAL: CARLOS PELLICER, HOMBRE DE TROPICO   5
GUION: MAXIMILIANO MAZA
PROGRAMAS ESPECIALES - "HOY MISMO"
TELEVISA, S.A.
16 DE FEBRERO, 1987

VIDEO	AUDIO
ENTRA A CUADRO, CON EFECTO ESPECIAL,(ADO) ENTREVISTA CON EL PINTOR MIGUEL ANGEL GOMEZ VENTURA.SUBTITULAR: MIGUEL ANGEL GOMEZ VENTURA. ACUARELISTA.	ENTRA AUDIO DE ENTREVISTA CON MIGUEL ANGEL GOMEZ VENTURA. PREGUNTAS EN OFF. DESDE: "CLARO QUE PELLICER.." HASTA: "...EL AMABA LA VIDA" (24")
CORTE A:	
PAISAJE PARQUE "LA VENTA" (CASSETTE 7 :216-325)	ENTRA MUSICA 3 ("GREEN SLEEVES", PIEZA 4, L-B). SUBE Y BAJA A FONDO.(2")
3 DISOLVENCIAS A PINTURAS DE MIGUEL ANGEL GOMEZ VENTURA.	LOCUTOR 1: Y ASI VOY: CON LOS OJOS EN LAS MANOS, DISEMINANDOME POR TU PINTURA... EN QUE EL COLOR ES PURO, SIN BLANCURA, DESNUDOS PRIMAVERAS Y VERANOS...
DISOLVENCIA LENTA A:	

ESPECIAL: CARLOS PELLICER, HOMBRE DE TROPICO   6
GUION: MAXIMILIANO MAZA
PROGRAMAS ESPECIALES - "HOY MISMO"
TELEVISA, S.A.
16 DE FEBRERO, 1987

VIDEO	AUDIO
CAMPESINOS DE CAMELLONES CHONTALES.(CASSETTE 7: 115-117) PESCADOR Y SU BARCA (CASSETTE 7: 012-098) CASA Y NIÑA (CASSETTE 7: 356-389)	LOCUTOR 1 (CONTINUA): HOMBRE QUE ARAS LA TIERRA TAN DE MAÑANA, TUS BUEYES VIENEN JALANDO LA PROA DEL ALBA.
CORTE A:	FADE MIX DE MUSICA 3 CON MUSICA 4 ("BLUE CONCIERTO", ROCK ON CLASSICS, PIEZA 4, L-1) MUSICA 4 SUBE Y BAJA A FONDO (3")
TOMAS DE MONUMENTOS DEL PARQUE "LA VENTA" (CASSETTE 12: 018-625)	LOCUTOR 2: SU OBRA NO SE LIMITO A CANTARLE AL PAISAJE...QUISO TAMBIEN DARLE UN HOGAR A LOS VESTIGIOS DE LAS GRANDES CULTURAS PRECOLOMBINAS... ASI, FUE CREADOR DE MUSEOS EN DONDE LA RIQUEZA ARQUEOLOGICA DE NUESTRO PAIS SE HA PRESERVADO PARA SER APRECIADA POR LAS NUEVAS GENERACIONES...

ESPECIAL: CARLOS PELLICER, HOMBRE DE TROPICO   7
GUION: MAXIMILIANO MAZA
PROGRAMAS ESPECIALES - "HOY MISMO"
TELEVISA, S.A.
16 DE FEBRERO, 1987

VIDEO	AUDIO
CONTINUAN IMAGENES DEL PARQUE "LA VENTA"	LOCUTOR 2 (CONTINUA): DE ENTRE ELLOS, DESTACA EL PARQUE-MUSEO DE "LA VENTA", EN VILLAHERMOSA, EN DONDE EL MAESTRO PELLICER RECREO LA VEGETACION DE LA REGION COMO MARCO A LAS MONUMENTALES PIEZAS ENCONTRADAS EN LA VENTA, TABASCO...
	BAJA MUSICA TOTALMENTE. (2")
ENTRA A CUADRO, CON EFECTO ESPECIAL, (ADO) ENTREVISTA CON EL LICENCIADO CARLOS SEBASTIAN HERNANDEZ. SUBTITULAR: LIC.CARLOS SEBASTIAN HERNANDEZ DIRECTOR DE PATRIMONIO CULTURAL DEL GOBIERNO DEL ESTADO DE TABASCO. INTERCORTAR ENTREVISTA CON ASPECTOS DEL MUSEO (INT Y EXT).	ENTRA AUDIO DE ENTREVISTA CON CSH. PREGUNTAS EN OFF. DESDE: "EL MAESTRO PELLICER NOS LLEVO..." HASTA: "...QUERIA SER ENTERRADO JUNTO A LA CABEZA COLOSAL" (32")

ESPECIAL: CARLOS PELLICER, HOMBRE DE TROPICO   8
GUION: MAXIMILIANO MAZA
PROGRAMAS ESPECIALES - "HOY MISMO"
TELEVISA, S.A.
16 DE FEBRERO, 1987

VIDEO	AUDIO
	ENTRA MUSICA 5 ("HABANERA", DISCO 7, PIEZA 2, L-2). SUBE Y BAJA A FONDO (2")
EDICION RAPIDA DE FOTOGRAFIAS DE PELLICER, EN DISTINTAS EDADES Y LUGARES. FOTOS DE PELLICER ANCIANO.	LOCUTOR 1: PARA MI EL MUNDO ES IMAGEN... MI SENSUALIDAD ES UNA IRRADIACION DE IMAGENES....SI ALGUN DIA YO PUDIERA LLEGAR A DIOS, LLEGARIA POR MEDIO DE MIS SENTIDOS... HOY RUDOS Y ENTONCES PERFECTOS...
CORTE A:	FADE MIX DE MUSICA 5 CON MUSICA 6 (FINAL) ("PAINT IT BLACK", ROCK ON CLASSICS, PIEZA 6, L-2). MUSICA 6 SUBE Y BAJA A FONDO (3")
FOTOS DE PELLICER EN RIO. (PIETAJE DE PELICULA). TOMAS DE MUSEO "CARLOS PELLICER". ANGULO SOBRE SU ESTATUA.(MUSEO, CASSETTE. 10: PRINCIPIO).	LOCUTOR 2: HOMBRE DE SAL Y TIERRA... CANTOR Y TRANSFORMADOR DEL PAISAJE... CARLOS PELLICER RECIBIO EN VIDA EL RECONOCIMIENTO A SU LABOR CREADORA...

ESPECIAL: CARLOS PELLICER, HOMBRE DE TROPICO   9
GUION: MAXIMILIANO MAZA
PROGRAMAS ESPECIALES - "HOY MISMO"
TELEVISA, S.A.
16 DE FEBRERO, 1987

VIDEO	AUDIO
TOMAS DE ROSTROS DE CAMPESINOS Y NIÑOS. (ROSTROS, CASS. 1: 396-454).	LOCUTOR 2 (CONTINUA): UNA LABOR DE AMOR HACIA SU TIERRA Y SU GENTE...
TOMAS DE ROSTROS FOTOGRAFIAS DE PELLICER ANCIANO.	LOCUTOR 2 (CONTINUA): ENAMORADO DEL SOL, FUE UN HOMBRE DE ENERGIA DESBORDANTE HASTA EL DIA DE SU MUERTE, OCURRIDA EL 16 DE FEBRERO DE 1977. ESA ENERGIA SE PERCIBE EN TODO LO QUE HIZO... EN TODO LO QUE AMO.
PESCADOR EN PUERTO CEIBA. (CASSETTE 11: FINAL) PELICANOS. PLAYA DE PARAISO. (CASSETTE 8: 321-428) PAISAJE DE TENOSIQUE. RIO. (CASSETTE 8: PRINCIPIO)	LOCUTOR 2 (CONTINUA): CARLOS PELLICER CAMARA... EL MAESTRO PELLICER... CONFUSION DE RIO, SELVA Y PESCADOR... EXPRESION DONDE EL PAISAJE VOLVIO A CREARSE...

ESPECIAL: CARLOS PELLICER, HOMBRE DE TROPICO   10
GUION: MAXIMILIANO MAZA
PROGRAMAS ESPECIALES - "HOY MISMO"
TELEVISA, S.A.
16 DE FEBRERO, 1987

<u>VIDEO</u>	<u>AUDIO</u>
	<u>LOCUTOR 2 (CONTINUA):</u> <u>CARLOS DONDE LA MUSICA</u> <u>ADOPTO A LAS PALABRAS Y LAS</u> <u>HIZO COLOR: POESIA DE</u> <u>AZULES Y ROJOS CON OLOR A</u> <u>TIERRA HUMEDA... TODO FUE</u> <u>POSIBLE EN EL: HASTA</u> <u>LLAMARSE CARLOS...</u>
DISOLVENCIA A:	PUENTE MUSICAL BAJA TOTAL EN SIGUIENTE TEXTO (4")
BIG CU DE FOTOGRAFIA DE PELLICER (NUMERO 8 EN EL ALBUM). ABRIR CAMARA HASTA M.S.	<u>LOCUTOR 1: Y AQUI ME</u> <u>TIENES...MIRANDOME SIN OJOS</u> <u>Y OCULTO EN LAS PALABRAS</u> <u>QUE MUEVEN ESTAS COSAS...</u>
FADE OUT	FADE OUT

Glosario

(D) Término predominantemente relacionado con el guión dramático.
 (I) Término predominantemente relacionado con el guión informativo.
(T) Término predominantemente técnico.
(G) Término de uso general.

acciones (D). Determinantes del cambio y el movimiento dentro de la estructura dramática. Son realizadas por los personajes y están condicionadas por los lugares y por el tiempo.

adaptación (D). Proceso de estructurar una historia de acuerdo a las características particulares de un medio audiovisual determinado.

american shot (T). Ver **plano americano.** Se abrevia como AS.

ángulo (T). Altura de la cámara con respecto al tema, determinada por el emplazamiento.

ángulo alto (T). Altura de la cámara en la que el tema es filmado o grabado desde arriba. También llamado *high angle* o picado.

ángulo bajo (T). Altura de la cámara en la que el tema es filmado o grabado desde abajo. También llamado *low angle* o contrapicado.

ángulo normal (T). Altura de la cámara en la que el tema es filmado o grabado desde la perspectiva de una persona de estatura promedio (aproximadamente 1.70 m). También llamado *eye-level angle* o cámara a nivel.

ángulo oblicuo (T). Posición inclinada o diagonal de la cámara con respecto al tema. Puede ser a cualquier altura. Al ser proyectada la imagen, el tema se ve inclinado. También llamado *oblique angle* o *dutch angle.*

anuncio publicitario (D). Producto audiovisual cuyo objetivo es anunciar y *vender* un producto o servicio al público. Se considera como un tipo de drama por la estructura narrativa que poseen algunos de estos anuncios.

audiencia (G). Personas que reciben un mensaje presentado o transmitido a través de un medio audiovisual de comunicación. Es un término más utilizado en referencia a los medios públicos de transmisión, como la radio y la televisión. Ver **público.**

audio (G). Tecnología de captura o registro electrónico de sonidos que se ha desarrollado como un medio con características propias.

audio informativo (I). Producto del guionismo informativo, producido mediante una tecnología de captura o registro electrónico de sonidos, constituido por uno o varios bloques de información de duración variable, que utiliza una combinación de géneros periodísticos y no periodísticos en su estructura, y cuyo objetivo principal es presentar un mensaje específico a un público o audiencia homogéneo.

audiotape (G). Ver **cinta de audio.**

banda sonora (T). La mezcla de las distintas pistas de audio de un producto audiovisual terminado. También llamada *soundtrack.*

basculamiento (T). Movimiento vertical de la cámara sobre el cabezal que la soporta. Mejor conocido como *tilt.*

biografía del personaje (D). Etapa del paradigma de personaje que forma su vida interior. Su creación se lleva a cabo en seis etapas: determinación del personaje, investigación, definición del carácter del personaje, creación de su contexto biográfico, análisis profundo del carácter del personaje y creación de otros personajes y de sus relaciones.

bloque de indicaciones y descripción de escena (T). Texto donde se describen los personajes y las acciones en el guión dramático de cine y televisión.

bosquejo por secuencias (I). Descripción, lista esquemática o cuadro sinóptico de las secuencias que serán incluidas en el guión informativo. Su propósito es dividir el cuerpo del guión en unidades temáticas o de acción.

cámara a nivel (T). Ver **ángulo normal.**

capitulación (D). Proceso de dividir una historia en capítulos. Implica estructurar la historia de manera que la fragmentación no signifique una pérdida en la fluidez de la acción. Cada capítulo debe estar interconectado con el anterior y con el siguiente y debe poseer una estructura dramática autónoma, de manera que sea comprensible en sí mismo. Para lograrlo, hay que tomar en cuenta que todos los capítulos deben tener la misma duración, que la frecuencia de la capitulación debe ser constante y que cada capítulo debe estar estructurado por actos.

capítulo (D). Segmento en que se divide una historia para su narración.

cápsula (I). Producto audiovisual híbrido, constituido por un bloque informativo de corta duración, que utiliza una combinación de géneros periodísticos y no periodísticos en su estructura, y cuyo objetivo principal es transmitir un mensaje sin alto grado de valor noticioso que se considera útil o importante para el público o audiencia.

causas y circunstancias (I). Las causas son las acciones, voluntarias o involuntarias, que provocan un evento. Las circunstancias son las condiciones bajo las cuales se presenta el evento. Ambas son elementos de la estructura informativa que constituyen el contexto en el que se manifiesta un evento de la realidad.

cine (G). Tecnología de captura o registro óptico de imágenes que se ha desarrollado como un medio con características propias.

cinta de audio (G). Soporte en el cual se registra electrónicamente el sonido, mediante un procedimiento de grabación análoga o digital. Sinónimo de *audiotape.*

cinta de video (G). Soporte en el cual se registran electrónicamente las imágenes y el sonido, mediante un procedimiento de grabación análoga, en televisión y video. Producto audiovisual de la televisión y el video. Sinónimo de *videotape.*

clímax (D). Escena en donde se resuelve definitivamente el conflicto principal de la historia. Se presenta durante la etapa de resolución.

clip musical (D). Ver **video musical.**

close up (T). Ver **primer plano.** Se abrevia como CU.

columna de diálogo (T). Texto donde se escriben los diálogos de los personajes en el guión dramático de cine y televisión. La columna siempre se encabeza con el nombre del personaje que dice el diálogo, en mayúsculas.

confrontación (D). Etapa de la historia en donde se desarrolla el conflicto principal. Inicia con la escena en donde se presenta este conflicto y termina con la escena donde se presenta la clave para resolverlo. División del paradigma de estructura dramática.

contexto (I). Desde el punto de vista de la Teoría de sistemas, es el medio ambiente en el que está situado un sistema. Influye directamente en la decisión de aceptar o rechazar una entrada al sistema.

continúa (T). Indicación que señala que una escena o diálogo del guión continúa en la siguiente hoja. Su colocación al final de la hoja inconclusa o al principio de la siguiente hoja depende del formato de guión utilizado.

contrapicado (T). Ver **ángulo bajo.**

crane (T). Ver **grúa.**

crane shot (T). Un plano filmado o grabado desde una grúa.

cross cutting (T). Ver **intercorte.**

cross fade (T). Ver ***fade mix.***

cruce de eje (T). Plano filmado o grabado desde un ángulo 180 grados opuesto al ángulo en que se filmó o grabó el plano que lo antecede. Este tipo de planos pueden presentar problemas para la continuidad visual de la película o video. También llamado *reverse angle shot* o *reverse cut.*

día (T). Elemento de la identificación de escena que indica que ésta sucede durante el día. Importante por razones de iluminación de la escena.

diálogo (D). Una de las fuentes de información más importantes dentro de una historia. A través del diálogo se manifiestan las acciones y las emociones de los personajes. El diálogo cumple con dos funciones: proporcionar información al público sobre los lugares, personajes, acciones y tiempo y caracterizar a los personajes para que cada uno se distinga como un ser individual.

disco compacto digital (G). Soporte en el cual se registra electrónicamente el sonido, mediante un procedimiento de grabación digital. Popularmente conocido como disco compacto o *compact disc* (CD). Otros soportes digitales para la grabación de audio son: la cinta de audio digital (*digital audio tape,* DAT), el minidisco (*Minidisk*) y el cassette compacto digital (*digital compact cassette,* DCC).

dissolve (T). Ver **disolvencia.**

disolvencia (T). Una transición gradual entre dos imágenes o sonidos. También llamado *dissolve,* encadenado, *fade* o fundido.

división en escenas (D). Proceso por el cual un tratamiento se divide cuidadosamente en escenas, tomando en cuenta los elementos básicos que constituyen a éstas: personajes, acciones, lugares y tiempo.

documental (I). Documento o testimonio sobre un aspecto de la realidad registrado a través de un medio audiovisual. Es un producto del guionismo informativo.

dolly (T). Movimiento de la cámara desde o hacia el tema. El movimiento hacia el tema se denomina *dolly in* y el movimiento desde el tema, *dolly out* o *dolly back*. El transporte sobre el cual se coloca la cámara para realizar un movimiento también se llama *dolly.*

drama (D). Una situación cuyos componentes están deliberadamente seleccionados y arreglados, con el fin de crear un efecto determinando, en una o varias personas. Sinónimo de historia.

drama novelado (D). Se caracteriza porque narra una historia en varios capítulos. Cada capítulo posee una estructura dramática particular que permite comprender el problema básico de la historia, aunque no se hayan visto o escuchado los capítulos anteriores.

drama seriado (D). Se caracteriza porque presenta, en cada capítulo, una historia independiente que puede ser comprendida sin necesidad de ver o escuchar los capítulos anteriores o posteriores. Un grupo de personajes permanentes dan continuidad al drama.

drama unitario (D). Se caracteriza porque la historia completa se presenta en un solo capítulo. Los personajes no tienen continuidad posterior. Si pertenecen a una serie, los capítulos se relacionan entre sí temáticamente.

dutch angle (T). Ver **ángulo oblicuo.**

edición (G). La unión de un plano con otro o de un sonido con otro. En cine, la edición es la unión física de planos, mientras que en video y en audio la edición es electrónica. También llamada montaje.

efecto (T). Indicación que señala la inclusión de un efecto especial de imagen o sonido en el guión.

emplazamiento (T). Posición en que se sitúa la cámara de cine, televisión o video con respecto al tema. Puede ser fijo o en movimiento.

encabezado de escena (T). Ver **identificación de escena.**

encadenado (T). Ver **disolvencia.**

encuadre (T). Área de captura de imágenes delimitada por los bordes de la pantalla.

entrada al sistema (I). Desde el punto de vista de la Teoría de Sistemas, es el resultado de que una persona perteneciente a un sistema registre una información con el fin de procesarla para convertirla en un mensaje.

epílogo (D). Una o varias escenas que se presentan después del clímax, durante la etapa de resolución. En ellas, el personaje principal se encuentra de nuevo en una situación sin conflicto, similar al principio de la historia.

escena (D, G). Un lugar en donde uno o varios personajes llevan a cabo acciones, en un tiempo determinado. Es la unidad mínima de lugar dentro del desarrollo de una acción dramática.

establecimiento de la acción (D). Etapa de la historia donde aparecen los personajes y se plantea la situación inicial. División del paradigma de estructura dramática.

establishing shot (T). Usualmente una vista general o un plano general presentado al principio de una escena. Sirve como imagen para establecer la geografía del lugar.

estructura de presentación (I). Manera en que están organizados los elementos básicos de la información en un mensaje.

estructura dramática (D). Manera en que están organizados los elementos básicos del drama o historia.

estructura dramática por actos (D). División de un capítulo de una historia en segmentos determinados por las escenas clave de la estructura dramática. Estructura utilizada normalmente en radio y televisión.

estructura dramática por capítulos (D). División de la historia completa en segmentos con la misma duración o tiempo real. Estructura utilizada normalmente en radio y televisión.

estructura informativa (I). Manera en que están organizados los elementos básicos que constituyen una información.

estudio (G). Instalación destinada a la realización de productos audiovisuales. En el estudio se encuentran las facilidades para la filmación o grabación, así como las oficinas principales de producción.

evento de la realidad (I). Un conjunto de acciones voluntarias o involuntarias que guardan relación entre sí y que se establecen dentro de los límites de la realidad. Es el elemento más importante y complejo de la estructura informativa.

exterior (T). Elemento de la identificación de escena que indica que la escena sucede al aire libre. Se abrevia como EXT.

extreme close up (T). Ver **primer plano cercano.** Se abrevia como XCU.

extreme long shot (T). Ver **vista general.** Se abrevia como ELS o XLS.

eye-level angle (T). Ver **ángulo normal.**

fade (T). Ver **disolvencia.**

fade in (T). Ver **fundido de apertura.**

fade mix (T). Una transición gradual entre dos sonidos. Término de uso común en radio y audio. También llamado *cross fade.*

fade out (T). Ver **fundido de cierre.**

ficción (D). Todo aquello que no es realidad.

filmar (G). Acción de capturar o registrar imágenes en película cinematográfica. El registro de imágenes en una película es un proceso óptico. El sonido de una película se registra en una cinta de audio y se añade a la película en postproducción.

filme (G). Ver **película.**

flashback (G). Técnica de construcción dramática que sugiere la interrupción del presente para presentar una o varias situaciones del pasado.

flash-forward (G). Técnica de construcción dramática que sugiere la interrupción del presente para presentar una o varias situaciones del futuro.

formato (G). Modo establecido y estandarizado de presentar información en un guión para medios audiovisuales.

formato listado (T). Formato de guión de uso común en la radio.

formato de dos columnas (T). Formato de guión en el que la información audiovisual se escribe en dos columnas paralelas. En radio, la columna izquierda sirve para escribir las indicaciones de sonidos y música, mientras que en la columna derecha se escriben los diálogos o la narración. En cine y televisión, la columna izquierda se dedica a las imágenes y la derecha al audio. Es un formato adecuado para guiones de productos audiovisuales que requieran uso de narración.

formato *NBC* estándar (T). Formato de guión dramático para televisión en el cual la información audiovisual se escribe en una columna que ocupa aproximadamente dos tercios del ancho de la hoja. En esta columna se escriben tanto los bloques de indicaciones y descripción de escena como los diálogos. Se denomina *NBC* estándar porque fue creado en la cadena televisiva norteamericana *NBC* (*National Broadcasting Company*).

fuera de cuadro (T). Término que se refiere al audio (generalmente diálogo) cuya fuente no aparece visualmente en el plano.

full shot (T). Ver **plano general.** Término de uso común en televisión y video. Se abrevia como FS.

fundido (T). Ver **disolvencia.**

fundido de apertura (T). Indicación que señala el inicio de la acción de un guión dramático o informativo. Significa la transición gradual entre una pantalla en negros o en un solo color y la primera imagen del producto audiovisual. También llamado *fade in.*

fundido de cierre (T). Indicación que señala el final de la acción de un guión dramático o informativo. Significa la transición gradual entre la última imagen del producto audiovisual y una pantalla en negros o en un solo color. También llamado *fade out.* Se puede sustituir por la palabra *fin.*

género (G). Clasificación del contenido de un producto audiovisual. Los géneros son grupos o categorías que reúnen contenidos similares. La clasificación genérica más amplia divide al contenido posible de un producto audiovisual en dos tipos: dramático e informativo.

género dramático (G). Categoría que incluye aquellos productos audiovisuales cuyo contenido no trata de reflejar fielmente la realidad, aunque ésta sea el punto de partida para su construcción. El género dramático constituye un espectro cuyos extremos son la comedia y la tragedia.

género informativo (G). Categoría que incluye aquellos productos audiovisuales cuyo contenido trata de reflejar la realidad, lo más fielmente posible. El género informativo constituye un espectro cuyos extremos están determinados por el grado de valor noticioso del contenido de sus productos: periodismo audiovisual (alto grado de valor noticioso) y guionismo informativo (grado mínimo o inexistente de valor noticioso).

grabación análoga (T). Procedimiento mediante el cual se registran imágenes y/o sonidos en un soporte (cinta magnética o disco). Implica la conversión de señales luminosas y/o sonoras en impulsos eléctricos que son registrados en la cinta o el disco creando un patrón de señales que, al ser reproducidas, se reconvierten en imágenes y/o sonidos.

grabación digital (T). Procedimiento mediante el cual se registran imágenes y/o sonidos en un soporte (cinta magnética o disco). Implica la transformación de señales luminosas y/o sonoras en elementos de un código binario que son registrados en la cinta o el disco creando un patrón de señales que, al ser reproducidas, representan un duplicado fiel de las imágenes y/o sonidos originales.

grabar (G). Acción de capturar o registrar imágenes y/o sonidos en cinta magnética de video o audio. El registro de imágenes y sonidos en una cinta de video o de audio es un proceso electrónico.

group shot (T). Plano que incluye a más de tres actores u objetos en el encuadre. Puede ser vista general, plano general, plano americano o plano medio.

grúa (T). Transporte especial para la cámara. La grúa transporta la cámara y al camarógrafo, se puede mover virtualmente en cualquier dirección.

guión (G). Descripción escrita de las imágenes, acciones y sonidos de un producto audiovisual. El guión es una herramienta para la producción en los medios audiovisuales. Existen diversos tipos de formatos según el medio y el género dramático o informativo del guión.

guión adaptado (D). Guión cuya historia es escrita por alguien distinto al guionista.

guión basado en otros medios (D). Ver **guión adaptado.**

guión de pantalla (D). Guión escrito a partir del producto audiovisual terminado.

guión dramático (D). Guión escrito para ficciones o dramas. Su contenido puede estar basado en la realidad o ser completamente ficticio. En cine, se conoce también como *script, screenplay* o *scenario.* En televisión se puede denominar *teleplay.*

guión informativo (I). Guión escrito para productos audiovisuales informativos cuyo valor noticioso es mínimo o inexistente, en oposición a los productos del periodismo audiovisual. Su contenido está tomado directamente de la realidad, la cual se trata de reflejar de la manera más fiel posible.

guión literario (D). Guión escrito para ficciones o dramas que no incluye ninguna indicación técnica. Aunque es un término que tiende a desaparecer, el guión literario es el tipo de guión que normalmente redacta el guionista.

guión original (D). Guión cuya historia y adaptación al medio son realiza-
·dos totalmente por el guionista.

guión técnico (D). Guión escrito para ficciones o dramas que incluye todo
tipo de indicaciones técnicas. El guión técnico lo escribe el director o el
asistente de dirección.

high angle (T). Ver **ángulo alto.**

historia (D). Ver **drama.**

identificación de escena (T). Encabezado que se escribe al principio de
cada escena de un guión de cine o de televisión. Consta de tres elementos: indicación de interior o exterior, el nombre del lugar e indicación
de día o noche. También llamado encabezado de escena.

información (I). Resultado de que alguien seleccione voluntariamente
algunos aspectos de la realidad para convertirlos en un mensaje. La
información constituye una entrada al sistema que la procesará para
convertirla en mensaje.

intercorte (T). La alternación de planos de dos o más escenas distintas, sugiere que las acciones están sucediendo simultáneamente, o bien, que
una acción del pasado o del futuro está sucediendo en la mente de
alguno de los personajes de la escena presente.

interés público (I). Está determinado por la cercanía entre el evento o
suceso de la realidad y el público o audiencia. A su vez, esta cercanía
depende en alto grado de las percepciones que tenga el público o audiencia sobre cómo afecta a sus vidas ese evento.

interior (T). Elemento de la identificación de escena que indica que la
escena sucede en un lugar bajo techo. Se abrevia como INT.

jump cut (T). Una transición abrupta entre dos planos cuyos emplaza-
·mientos son muy similares. Con frecuencia es un efecto deliberado para
indicar paso de tiempo en una escena. En otras ocasiones es un error de
edición.

línea de información (I). Herramienta que ayuda a estructurar la información para ser narrada a través de un medio audiovisual. Es uno de los
paradigmas principales de la estructura informativa.

línea de interés (I). Herramienta que ayuda a desarrollar el interés y la empatía del público hacia la información presentada en un producto audiovisual. Es uno de los paradigmas principales de la estructura informativa.

locación (T). Lugar real en donde se filma o se graba un producto audiovisual. Las locaciones no son lugares construidos específicamente para la producción en los medios audiovisuales.

long shot (T). Ver **plano general.** Se abrevia como LS.

low angle (T). Ver **ángulo bajo.**

lugar (I). Elemento de la estructura informativa que cumple con la función de ubicar al evento o suceso de la realidad en un contexto específico. Además ubica el evento en relación con el público o audiencia y es un factor importante para determinar la relevancia de la información.

lugares (D). Cumplen con la función de ubicar la historia en un contexto específico. Poseen un gran impacto en las acciones de los personajes pues, en gran medida, los lugares definen el tipo de acción que un personaje puede realizar en ellos. Son el determinante principal de la escena.

master **de audio** (T). El resultado de mezclar las distintas grabaciones hechas por separado para la banda sonora de un producto audiovisual.

master shot (T). Ver **plano** *master.*

medios audiovisuales (G). Aquellos medios de transmisión o registro de imágenes en movimiento y sonidos, surgidos como producto de una cultura urbana para satisfacer necesidades de comunicación surgidas en el siglo xix. La radio y la televisión son medios de transmisión, mientras que el cine, la grabación de audio y el video son medios de registro.

medios privados (G). Clasificación de los medios audiovisuales desde el punto de vista de su uso. El video y el audio son medios privados porque su uso está restringido por la tecnología. El uso de estos medios se da en un contexto privado, personal o grupal.

medios públicos (G). Clasificación de los medios audiovisuales desde el punto de vista de su uso. La radio y la televisión son medios públicos porque su uso está abierto a todas las personas que posean un aparato receptor capaz de captar la señal transmitida por el medio.

medios semipúblicos (G). Clasificación de los medios audiovisuales desde el punto de vista de su uso. El cine es un medio semipúblico porque su uso está condicionado por la asistencia a una sala cinematográfica.

medium close up (T). Ver **plano medio cerrado.** Se abrevia como MCU.

medium shot (T). Ver **plano medio.**

montaje (G). Sinónimo de edición, de uso común en Europa y Latino-américa.

montaje de imágenes (T). Secuencia que presenta varias imágenes, unidos de esta manera para indicar una transición en el tiempo de los eventos.

montaje de sonidos (T). Secuencia que presenta varios sonidos breves, unidos de esta manera para indicar una transición en el tiempo de los eventos.

montaje sonoro (T). El proceso de combinar varios sonidos grabados en pistas separadas en una sola grabación llamada master de audio.

narración (I). Comentario hablado que acompaña, la mayoría de las veces, a las imágenes visuales (o meramente aurales) en un producto audiovisual y que en gran medida señala, complementa o es suplementario al objetivo del mensaje.

necesidad principal (D). Elemento esencial del paradigma de asunto. Corresponde al objetivo o meta que el personaje principal desea alcanzar en el transcurso de una historia.

negros (T). Una pantalla en *negros* que se utiliza para hacer una transición hacia o desde una imagen. Estas pantallas también pueden ser en color (por ejemplo, pantalla en *rojos*).

noche (T). Elemento de la identificación de escena que indica que ésta sucede durante la noche. Importante por razones de iluminación de la escena.

no ficción (I). Todo aquello que proviene de la realidad y que se intenta reflejar de la manera más fiel posible.

noticia (I). Resultado de establecer la importancia de un evento con base en dos aspectos: su acontecimiento reciente en el tiempo y su relación con el público o audiencia.

noticiario (I). Producto del periodismo audiovisual, estructurado con base en una serie de descripciones y narraciones de eventos que se consideran relevantes porque afectan directamente a un público o audiencia.

objetividad (I). Grado de fidelidad con que un medio de comunicación refleja una porción de la realidad. Es un valor que determina la naturaleza de la no ficción.

oblique angle (T). Ver **ángulo oblicuo.**

operador (T). Indicación que señala la participación específica del operador de cabina en la producción de un guión de radio.

pan (T). Ver **paneo.**

paneo (T). También llamado *pan* o *panning*. Movimiento lateral de la cámara sobre el cabezal que la soporta. Puede ser hacia la izquierda (paneo izquierda o *pan left*) o hacia la derecha (paneo derecha o *pan right*).

panning (T). Ver **paneo.**

panorámica (T). Una imagen filmada o grabada del paisaje o panorama de una escena. Por lo general se toma con cámara en movimiento lateral (*pan, panning* o paneo) y a gran distancia. Puede ser utilizada como *establishing shot* para establecer la geografía del lugar.

paradigma (D, I). Estructura básica de organización de los componentes de un guión. Su función es servir de guía para analizar o construir un guión dramático o informativo.

paradigma de asunto (D). Herramienta que ayuda a determinar el asunto principal de una historia dentro de una estructura dramática. El paradigma de asunto establece que una historia escrita para medios audiovisuales debe tratar acerca de un personaje que tiene una necesidad principal y que realiza acciones, físicas y/o emocionales, para satisfacerla.

paradigma de estructura dramática (D). Herramienta para estructurar una historia completa a través de un medio audiovisual.

paradigma de personaje (D). Herramienta para analizar o construir personajes dentro de una estructura dramática. El paradigma de personaje establece que todo personaje tiene, al comienzo de la historia, una vida previa que se verá modificada por los acontecimientos de la historia.

participantes y testigos (I). Elementos de la estructura informativa. Son quienes participan, de manera directa o indirecta, en el desarrollo de un evento de la realidad.

pausa (T). Indicación que señala una interrupción breve en el diálogo, la música, la actuación o el sonido en la producción de un guión.

película (G). Soporte en el cual se registran las imágenes en el cine. Producto audiovisual del cine. Sinónimo de filme o *film*.

película para televisión (D). Producto audiovisual de la televisión que se filma en película cinematográfica para luego ser transmitido. Se caracteriza porque su estructura dramática está dividida en actos, sus escenas tienden a ser cortas y el diálogo tiene gran importancia.

periodismo audiovisual (I). Extremo en el espectro del género informativo cuyos productos poseen en sus contenidos un alto grado de valor noticioso, en oposición a los productos del guionismo informativo.

personaje (D). Elemento principal de la estructura dramática. Los personajes realizan las acciones, en uno o varios lugares, en un tiempo determinado. Poseen carácter y personalidad.

personaje principal (D). Es quien realiza las acciones más importantes de la historia.

personaje secundario antagónico (D). Sus acciones están dirigidas en dirección opuesta a las acciones del personaje principal.

personaje secundario incidental (D). Su participación dentro de la historia es breve y puede estar o no relacionado con el personaje principal. Sus acciones pueden ser acordes u opuestas a las de éste.

personaje secundario protagónico (D). Sus acciones están dirigidas en la misma dirección que las acciones del personaje principal.

picado (T). Ver **ángulo alto**.

pistas (T). Cada una de las grabaciones de sonido que se hacen por separado para luego mezclarlas en una sola, llamada *master* de audio.

plano (T). La filmación o grabación de una acción desde un emplazamiento de cámara determinado. Es la unidad mínima de construcción visual y de significado en cine, televisión y video. También denominado toma o *shot*.

plano americano (T). Plano que revela la figura humana desde las rodillas hacia arriba. Es un plano intermedio entre los planos generales y los medios. Su composición puede ser un poco incómoda si no hay movimiento de cámara. También llamado *american shot* (AS).

plano general (T). Plano que incluye al tema completo y al lugar. Establece la relación entre el sujeto y el lugar que lo rodea. También llamado *long shot* (LS), *full shot* (FS) o toma abierta.

plano master (T). Una toma ininterrumpida, usualmente una vista general o un plano general, que contiene una escena completa. Los planos más cercanos se filman o se graban posteriormente y se añaden al plano master en postproducción.

plano medio (T). Plano que revela la figura humana desde la cintura hacia arriba. Es el más general de los planos cercanos o cerrados. Es muy utilizado en televisión y acepta cómodamente a dos personas dentro del encuadre. También llamado *medium shot* (MS).

plano medio cerrado (T). Plano que revela la figura humana desde el pecho hacia arriba. Es un plano intermedio entre los planos medios y los cercanos o cerrados. Es muy utilizado en televisión. También llamado toma medio cerrada o *medium close up* (MCU). Normalmente se utiliza este último término.

plano secuencia (T). Secuencia filmada o grabada en un solo plano.

portadilla (T). Página que antecede a la primera hoja del guión dramático de cine y televisión. Contiene los datos esenciales del mismo: nombre de la película o programa, duración aproximada, nombre del guionista, versión del guión, datos del guionista , lugar y fecha.

postproducción (G). Etapa final de la producción de un producto audiovisual. En ella se realiza el armado final del producto. Incluye las labores de edición de imágenes y/o sonidos.

premisa básica (D). Escena donde el personaje principal tiene el primer contacto con lo que será el motivo del conflicto principal de la historia. Se presenta al principio de la etapa de establecimiento de la acción.

preproducción (G). Primera etapa de la producción de un producto audiovisual. En ella se organiza la producción del mismo. Incluye la labor de redacción del guión.

primer plano (T). Plano que revela la figura humana desde los hombros hacia arriba. Generalmente es la toma de un rostro. También llamado *close up* (CU) o toma cerrada.

primer plano cercano (T). Plano que revela un detalle de la figura humana. Generalmente es la toma de un detalle del rostro. También llamado primerísimo primer plano o *extreme close up* (XCU). Normalmente se utiliza este último término.

primerísimo primer plano (T). Ver **primer plano cercano**.

proceso (I). Desde el punto de vista de la Teoría de Sistemas, es el paso que se realiza dentro de un sistema para transformar una información en mensaje. El proceso está determinado, en gran parte, por la naturaleza de la información, la naturaleza del sistema, el contexto en el cual está ubicado el sistema y las relaciones de éste con otros sistemas.

producción (G). Segunda etapa de la producción de un producto audiovisual. En ella se filma o se graba el producto.

producto audiovisual (G). Producto final de la labor desarrollada dentro de los medios audiovisuales. Término genérico que engloba a las producciones realizadas en cine, radio, televisión, audio y video.

programa en vivo (G). Producto audiovisual de la radio o la televisión que se transmite en el mismo momento de su producción.

programa filmado (G). Producto audiovisual de la televisión que se filma en película cinematográfica para su posterior transmisión.

programa grabado (G). Producto audiovisual de la radio o la televisión que se graba en cinta de audio o video para su posterior transmisión.

propósito específico (I). Objetivo final de un producto audiovisual informativo. Es la acción que deseamos que ejerza el contenido de un producto audiovisual en el público o audiencia. Un producto audiovisual informativo puede tener los siguientes propósitos específicos para con el público o audiencia: informar, persuadir, crear conciencia, motivar a una acción y/o entretener.

propuesta (D). Escrito breve cuya función principal es lograr que quien lo lea visualice una historia completa, a partir de unas cuantas palabras. La propuesta debe establecer el paradigma de asunto de la historia.

propuesta (I). Texto breve que tiene la función de visualizar el producto audiovisual informativo, a partir de unas cuantas palabras.

público (G). Personas que reciben un mensaje presentado o transmitido a través de un medio audiovisual de comunicación. Es un término más utilizado en referencia a los medios de exhibición semiprivados o privados, como el cine, el video y el audio. Ver **audiencia**.

puente I (D). Escena que se sitúa a mitad de camino entre el punto de confrontación y el punto intermedio de una historia. Enlaza a la primera mitad de la confrontación.

puente II (D). Escena que se sitúa a mitad de camino entre el punto intermedio y el punto de resolución de una historia. Enlaza a la segunda mitad de la confrontación.

punto de confrontación (D). Escena en la que el personaje principal se ve involucrado directamente en el conflicto principal de la historia. En esta escena, la vida del personaje cambia en una dirección inesperada. En ella se definen la necesidad principal y las acciones del personaje. Con ella da inicio la etapa de confrontación.

punto de resolución (D). Escena en la que el personaje principal encuentra la clave para resolver completamente el conflicto principal de la historia. A partir de ella da inicio la etapa de resolución. Con ella termina la etapa de confrontación y comienza la etapa de resolución.

punto de vista (I). Postura o perspectiva que el guionista asume con respecto al tema. Determina la selección de la información y el propósito final del mensaje audiovisual. El punto de vista se define con base en la investigación realizada sobre el tema y en el propósito específico determinado al principio de la línea de información.

punto intermedio (D). Escena que tiene lugar a la mitad de la etapa de confrontación y a la mitad de la historia. Su función es enlazar las dos mitades que integran la confrontación. Durante la primera mitad, a partir del punto de confrontación, el conflicto principal se va complicando con conflictos secundarios. A partir del punto intermedio, y hasta llegar al punto de resolución, los conflictos secundarios se van resolviendo al mismo tiempo que el conflicto principal avanza hacia su resolución.

radio (G). Tecnología de transmisión de sonidos que se ha desarrollado como un medio con características propias.

radioteatro (D). Tipo de drama unitario radiofónico.

radionovela (D). Tipo de drama novelado radiofónico.

realidad (I). Una serie de sucesos o eventos sobre los cuales es posible establecer una relación y ciertos límites. Es el punto de partida para la redacción de guiones informativos.

relaciones del sistema con otros sistemas (I). Desde el punto de vista de la Teoría de Sistemas, influyen directamente en la manera de estructurar la información.

relevancia de la información (I). Grado de importancia que el sistema otorga a una información, con base en sus percepciones sobre la cercanía de la información y los intereses del público o audiencia.

relevancia del mensaje (I). Grado de importancia que el público o audiencia otorga a un mensaje o salida del sistema, con base en sus percepciones sobre la cercanía de la información contenida en el mensaje y sus propios intereses.

reportaje (I). Producto audiovisual híbrido, constituido por un bloque informativo de mediana o larga duración, que utiliza una combinación de géneros periodísticos y no periodísticos en su estructura, y cuyos objetivos principales son: contextualizar uno o varios eventos de la realidad y profundizar en sus causas y consecuencias.

resolución (D). Etapa de la historia donde se resuelve completamente el conflicto principal. Comienza con la escena donde se presenta la clave para la resolución, avanza hacia la escena donde se resuelve definitivamente el conflicto y termina, por lo general, con una o dos escenas a manera de epílogo. División del paradigma de estructura dramática.

reverse angle shot (T). Ver **cruce de eje**.

reverse cut (T). Ver **cruce de eje**.

revista (I). Producto del periodismo audiovisual, estructurado con base en una serie de descripciones y narraciones de eventos con menor valor noticioso y con mayor variedad temática que los presentados en el noticiario, y cuyos contenidos se consideran relevantes para un público o audiencia.

salida del sistema (I). Desde el punto de vista de la Teoría de Sistemas, es el paso final del proceso de transformación de la información en mensaje.

scenario (D). Sinónimo de guión de cine. Término utilizado principalmente en Europa.

screenplay (D, T). Sinónimo de guión de cine.

script (D, T). Sinónimo de guión técnico de cine.

secuencia (D). Unidad de acción dramática que tiene un principio, un desarrollo y un final.

secuencia (I). Unidad de acción y/o de concepto, idea o tema, que tiene un principio, un desarrollo y un final.

secuencia (T). Unidad del lenguaje del cine, televisión y video definida como una pequeña acción, con principio, desarrollo y final propios, que forma parte de la acción total de la historia. En términos generales, la secuencia es la unidad máxima del lenguaje cinematográfico, televisivo o videográfico.

secuencia de compilación (I). Elemento estructural de un guión informativo que presenta una unidad temática o de información. Presenta una serie de imágenes y/o sonidos agrupados que comparten una unidad conceptual, ideológica o temática. Sirve para *avanzar* rápidamente en el desarrollo del guión pues no presenta acción ni profundiza en un tema específico.

secuencia de continuidad (I). Elemento estructural de un guión informativo que presenta una unidad de acción continua, con principio, desarrollo y final. Sirve para profundizar en un aspecto específico de la información.

serie (D). Tipo de drama televisivo. Se dividen en dos tipos: episódicas y antológicas.

serie antológica (D). Tipo de drama televisivo unitario.

serie episódica (D). Tipo de drama televisivo seriado.

set (T). Lugar construido especialmente para filmar o grabar un producto audiovisual. Los *sets* se construyen dentro de los terrenos del estudio y están acondicionados especialmente para la producción en los medios audiovisuales.

shot (T). Ver **plano y toma.**

sinopsis (D). Boceto detallado de la historia, escrito de manera narrativa, en tiempo presente y en tercera persona. La sinopsis cumple con dos funciones básicas: ayudar al guionista a mantenerse dentro de la estructura dramática de la historia y ayudar al lector (productor, director) a conocer y evaluar la calidad de ésta como futuro proyecto para los medios audiovisuales.

sistema (I). Desde el punto de vista de la Teoría de Sistemas, es una organización de elementos que mantienen relaciones internas y que, como un todo, mantienen relaciones con otros sistemas ubicados dentro de un contexto. Un medio audiovisual es un ejemplo de sistema.

soap opera (D). Tipo de drama televisivo que posee algunas similitudes con la telenovela, aunque su estructura dramática no es lineal. Producto audiovisual de la televisión norteamericana.

soundtrack (T). Ver **banda sonora.**

storyboard (T). Una serie de pequeños dibujos ordenados en secuencia de las acciones que se van a filmar o grabar, de manera que la acción de cada escena se presenta en términos visuales.

telenovela (D). Tipo de drama novelado televisivo.

teleplay (T). Sinónimo de guión de programas dramáticos de televisión.

teleteatro (D). Tipo de drama antológico televisivo.

televisión (G). Tecnología de transmisión de imágenes y sonidos que se ha desarrollado como un medio con características propias.

tema (T, G). Foco principal de atención de la imagen. Puede ser un actor o un objeto.

tema general (I). Resultado de la combinación de los elementos que componen la estructura informativa.

three shot (T). Plano que incluye a tres actores u objetos en el encuadre. Puede ser vista general, plano general, plano americano o plano medio.

tiempo (D). Es el elemento más abstracto de los que integran la estructura dramática. Afecta de manera importante a personajes, acciones y lugares. Podemos determinar tres tipos de tiempo dentro de una historia: tiempo en el que transcurre la historia, tiempo total de la historia y tiempo real de la historia.

tiempo (I). Es el elemento más abstracto de la estructura informativa. Determina el valor noticioso de la información. Podemos determinar tres tipos de tiempo dentro de la estructura informativa: tiempo en el que transcurre el evento, tiempo total del evento y tiempo de la narración o descripción del evento.

tiempo de la narración o descripción del evento (I). Tiempo que dura el mensaje o salida del sistema. Es determinado por el medio audiovisual, en base al contexto en el que está ubicado y a su relación con otros sistemas.

tiempo en el que transcurre el evento (I). Época en la que transcurre el evento o suceso de la realidad (pasado, pasado reciente o pasado inmediato). Determina el valor noticioso de la información.

tiempo en el que transcurre la historia (D). Época en que se ubica la historia. Afecta directamente los lugares y las acciones de los personajes.

tiempo real de la historia (D). Tiempo que toma contar la historia completa. Depende del medio audiovisual.

tiempo total del evento (I). Tiempo que transcurre entre el principio y el final del evento.

tiempo total de la historia (D). Tiempo que transcurre entre el principio y el final de la historia.

tight shot (T). Plano que revela a un objeto o un detalle de la acción desde muy cerca. Es el equivalente del primer plano cercano o *extreme close up* (XCU) para los objetos. Se abrevia como TS.

tilt (T). Movimiento vertical de la cámara sobre el cabezal que la soporta. Puede ser hacia arriba (*tilt up*) o hacia abajo (*tilt down*). También llamado **basculamiento**.

toma (T). Sinónimo de plano. Algunos autores señalan que como el registro fílmico o videográfico de una imagen se repite tantas veces como sea necesario, cada repetición implica una nueva toma o *shot* del mismo plano. En este sentido, la toma es la repetición de un plano.

toma abierta (T). Sinónimo de plano general, *long shot* (LS) o *full shot* (FS). Es un término de uso más común en televisión y video.

toma aérea (T). Ángulo de cámara en que la imagen es filmada o grabada desde el aire. Por lo general es una panorámica tomada desde un avión o helicóptero.

toma cerrada (T). Sinónimo de primer plano o *close up* (CU). Es un término de uso más común en televisión y video.

toma medio cerrada (T). Sinónimo de plano medio cerrado o *medium close up* (MCU). Es un término de uso más común en televisión y video.

tratamiento (D). Sinopsis completamente detallada, de la cual surge el guión. El tratamiento es el paso que adapta la historia al medio audiovisual a través del cual se va a contar.

tratamiento (I). Narración sucinta, en tiempo presente y en tercera persona, del contenido del producto audiovisual propuesto.

travelling (T). Movimiento lateral de la cámara sobre las ruedas de la base que la sostiene. Puede ser hacia la izquierda (viaje hacia la izquierda o *travel left*) o hacia la derecha (viaje hacia la derecha o *travel right*). Cualquier movimiento de *viaje* que realice la cámara se considera como *travelling*.

two shot (T). Plano que incluye a dos actores u objetos en el encuadre. Puede ser vista general, plano general, plano americano o plano medio.

vida exterior (D). Dentro del paradigma de personaje es la etapa que lo revela como tal. Está determinada por lo que vive el personaje a partir del comienzo de la historia: por su necesidad principal y por las acciones que emprenda para satisfacerla.

vida interior (D). Dentro del paradigma de personaje es la etapa que lo forma como tal. Está determinada por su biografía: por lo que ha vivido hasta el momento en que comienza la historia.

video (G). Tecnología de captura o registro electrónico de imágenes y sonidos, surgida de la televisión, que se ha desarrollado como un medio con características propias. Ver **cinta de video**.

videoclip (D). Ver **video musical**.

video musical (D). Producto audiovisual que ilustra de manera lineal o alegórica la letra de una canción. Los videos musicales surgieron a principios de los años ochenta. Existen dos tipos de videos musicales: de concepto y de interpretación o concierto. En algunas ocasiones, los videos musicales combinan segmentos de ambos tipos.

video de concepto (D). Los videos de concepto son los que poseen una estructura dramática. Generalmente, estos videos ilustran visualmente la letra de la canción. En otras ocasiones, presentan una historia desconectada o paralela a la letra de la canción.

video de interpretación o concierto (D). Los videos de interpretación o concierto presentan al cantante o al grupo interpretando la canción, como si estuvieran en un escenario. No existe en ellos una estructura dramática.

videodisco (G). Soporte en el cual se registran electrónicamente las imágenes y el sonido, mediante un procedimiento de grabación digital.

video informativo (I). Producto del guionismo informativo, producido mediante una tecnología de captura o registro electrónico de imágenes y sonidos, constituido por uno o varios bloques de información de duración variable, que utiliza una combinación de géneros periodísticos y no periodísticos en su estructura, y cuyo objetivo principal es presentar un mensaje específico a un público o audiencia homogénea.

videotape (G). Ver **cinta de video**.

vista general (T). Una vista completa del lugar donde se desarrolla la escena, filmado o grabado desde una gran distancia. También llamada
extreme long shot (XLS).

voice over (T). Ver **voz en off**.

voz en *off* (T). Término que se refiere al audio (generalmente narración o
comentario) cuya fuente no aparece visualmente en el plano. También
llamado *voice over*. Se abrevia V. O.

zoom (T). Lente de distancia focal variable que permite cambiar de ángulo
en una toma continua. Movimiento del lente de la cámara hacia o
desde el tema (*zoom in, zoom out*).

Bibliografía

BLUM, Richard A, *Television writing: from concept to contract*. Hastings House, Nueva York, 1980.

BRONFELD, Stewart, *Writing for film and television*. Prentice-Hall Inc., Englewood Cliffs, Nueva Jersey, 1981.

CAMERON, James y William Wisher, *Terminator 2: judgement day. The book of the film: an illustrated screenplay*. Applause Books, Nueva York, 1991.

CBS NEWS, *Técnica de las noticias en televisión*. Editorial Trillas, México, 1968.

CHESHIRE, David, *Manual de cinematografía*. H. Blume Ediciones, Madrid, 1979.

COLOMBO, Furio, *Televisión: la realidad como espectáculo*. Editorial Gustavo Gili, S. A., Barcelona, 1976.

COPPOLA, Francis Ford y James V. Hart, *Bram Stoker's Dracula: the film and the legend*. Newmarket Press, Nueva York, 1992.

CUARON, Carlos, *Sólo con tu pareja*. Ediciones El Milagro, México, 1992.

CURIEL, Fernando, *La escritura radiofónica: manual para guionistas*. UNAM, México, 1988.

DEL RÍO Reynaga, Julio, *Periodismo interpretativo: el reportaje*. Editorial Época, Colección INTIYAN, CIESPAL, Quito, 1985.

FERNÁNDEZ Collado, Carlos y Gordon N. Dahnke, *La comunicación humana*. McGraw-Hill, México, 1986.

FERRÉS I Prats, Joan y Antonio R. Bartolomé Piña, *El vídeo*. Ediciones Gustavo Gili, S. A. de C. V., México, 1991.

FIELD, Syd, *Screenplay: the foundations of scriptwriting*. Dell Publishing, Nueva York, 1982.

_____, *The screenwriter's workbook*. Dell Publishing, Nueva York, 1984.

FISKE, John, *Introduction to communication studies*. Methuen & Co. Ltd., Londres, 1982.

GARVEY, Daniel E. y William L. Rivers, *Broadcast writing*. Longman Inc., Nueva York, 1982.

GARGUREVICH, Juan, *Géneros periodísticos*. Editorial Belén, Quito, 1982.

GIANNETTI, Louis. *Understanding movies*. Prentice-Hall, Englewood Cliffs, Nueva Jersey, 1990.

GONZALEZ Alonso, Carlos, *El guión*. Editorial Trillas, México, 1989.

GONZALEZ I Monge, Ferrán, *En el dial de mi pupitre*. Ediciones Gustavo Gili, S. A., Barcelona, 1989.

GUBERN, Román, *Historia del cine*. Editorial Baber, S. A., Barcelona, 1992.

JOHNSON, S. y J. Harris, *El reportero profesional*. Editorial Trillas, México, 1978.

JORDAN, Neil, *A Neil Jordan Reader: The crying game*. Vintage Books, Nueva York, 1993.

KAPLUN, Mario, *Producción de programas de radio: el guión, la realización*. Colección INTIYAN, CIESPAL, Quito, 1985.

LAGRAVENESE, Richard, *The fisher king: the book of the film*. Aplausse Books, Nueva York, 1991.

LEÑERO, Vicente y Carlos Marín, *Manual de periodismo*. Tratados y Manuales Grijalbo. Editorial Grijalbo, S. A. de C. V., México, 1986.

LE ROY Wilson, Stan, *Mass media/mass culture: an introduction*. Random House, Nueva York, 1989.

LINARES, Marco Julio, *El guión: elementos – formatos – estructuras*. Editorial Alhambra Mexicana, S. A. de C. V., México, 1989.

MALTIN, Leonard, *Leonard Maltin's movie and video guide 1994*. Penguin Books, Nueva York, 1993.

MARTINEZ Albertos, José Luis, *El mensaje informativo*. Colección "Libros de comunicación social", A. T. E., Barcelona, 1977.

MATRAZZO, Donna, *The corporate scriptwriting book*. Communication Publishing Co., Portland, 1986.

MONACO, James, *How to read a film*. Oxford University Press, Nueva York, 1981.

NASH, Constance y Virginia Oakey, *The screenwriter's handbook*. Harper & Row, Nueva York, 1978.

_____, *The television writer's handbook*. Harper & Row, Nueva York, 1978.

OURO Alves, Walter, *Radio: la mayor pantalla del mundo*. Materiales de trabajo, CIESPAL-RNTC, Quito, 1986.

RODRIGUEZ Diéguez, J. L., *El comic y su utilización didáctica*. Ediciones Gustavo Gili, S. A. de C. V., México, 1991.

ROMO, Cristina, *Introducción al conocimiento y práctica de la radio*. Editorial Diana, México, 1987.

_____, *La otra radio. Voces débiles, voces de esperanza*. Fundación Manuel Buendía/IMER, México, 1990.

Schrank, Jeffrey, *Understanding mass media*. National Textbook Company, Nueva York, 1975.

Seger, Linda, *Creating unforgettable characters*. Henry Holt and Company, Nueva York, 1990.

Straczynski, J. Michael, *The complete book of scriptwriting*. Writer's Digest Books, Nueva York, 1982.

Swain, Dwight V., *Film scriptwriting*. Hastings House, Nueva York, 1976.

_____, *Scripting for video and audiovisual media*. Focal Press, Boston, 1983.

_____, *Scripting for the new audiovisual media*. Focal Press, Boston 1990.

Vale, Eugene, *Técnicas del guión para cine y televisión*. Gedisa Editorial, México, 1988.

White, T., Meppen, A. J. y Young, S., *Broadcast news writing, reporting and production*. MacMillan Publishing Co., Nueva York, 1984.

Guión para medios audiovisuales
Cine, radio y televisión

Se imprimió y encuadernó en agosto de 1997
en Enfoque Litográfico, S. A. de C. V.
Emilio Carranza 401, Col. El Retoño
México D. F.

La edición consta de 1000 ejemplares

OBRAS AFINES

- *Apreciación de cine*
  Pablo Humberto Posada

- *¿Cómo nos comunicamos?*
  Pedro Montaner, Rafael Moyano

- *Comunicación oral* (texto)
  Eileen McEntee de Madero

- *Comunicación oral* (guía para el estudiante)
  Eileen McEntee de Madero, Alejandro Fernández

- *Expresión oral*
  Ignasi García-Caeiro, Monserrat Vilá,
  Dolores Baldia, Monserrat Liobet

- *Lenguaje audiovisual*
  José L. García Sánchez

- *El cine: 204 respuestas*
  Alfredo Naime Padua

- *El guión, elementos formatos y estructuras*
  Marco Julio Linares

- *Televisión y comunicación*
  Jorge E. González Treviño

- *Iluminación: fotografía, cine y video*
  Ethiel Cervera Díaz Lombardo

- *Manual de producción de video*
  Verónica Tostado Spa

- *Conocimiento y comunicación*
  Adriana Yurén

- *Teoría e investigación
  de la comunicación de masas*
  José Carlos Lozano

- *¡Qué onda con la radio!*
  Romeo Figueroa